Adam
Rutherford

A BRIEF HISTORY OF EVERYONE WHO EVER LIVED

我们人类的 基因

全人类的历史与未来

[英] 亚当 · 卢瑟福——著

严匡正　庄晨晨——译

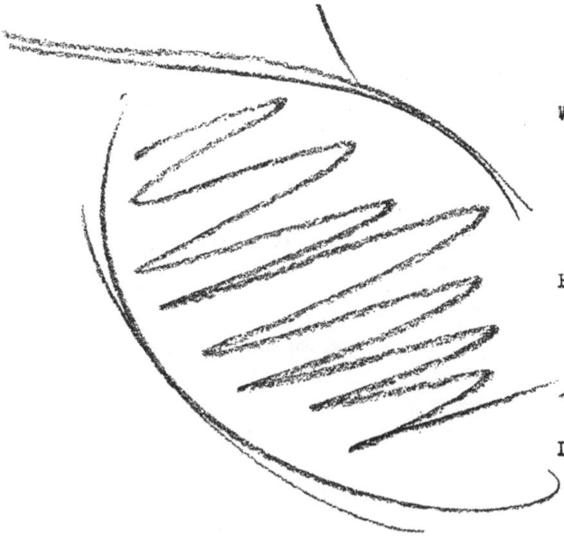

中信出版集团 · 北京

图书在版编目（CIP）数据

我们人类的基因：全人类的历史与未来 /（英）亚当·卢瑟福著；严匡正，庄晨晨译 . -- 北京：中信出版社，2017.9（2017.11重印）

书名原文：A Brief History of Everyone Who Ever Lived

ISBN 978-7-5086-7854-2

Ⅰ. ①我… Ⅱ. ①亚… ②严… ③庄… Ⅲ. ①人类起源 - 研究②人类基因 - 研究 Ⅳ. ① Q981.1 ② Q987

中国版本图书馆 CIP 数据核字（2017）第 162300 号

A BRIEF HISTORY OF EVERYONE WHO EVER LIVED:
THE STORIES IN OUR GENES
By ADAM RUTHERFORD

我们人类的基因：全人类的历史与未来

著　　者：[英] 亚当 · 卢瑟福
译　　者：严匡正　庄晨晨
出版发行：中信出版集团股份有限公司
（北京市朝阳区惠新东街甲 4 号富盛大厦 2 座　邮编　100029）
承 印 者：山东鸿君杰文化发展有限公司

开　　本：880mm × 1230mm　1/32　　印　　张：11　　字　　数：245 千字
版　　次：2017 年 9 月第 1 版　　印　　次：2017 年11月第 2 次印刷
京权图字：01-2017-3803　　广告经营许可证：京朝工商广字第 8087 号
书　　号：ISBN 978-7-5086-7854-2
定　　价：38.00 元

我毕业于伦敦大学学院，导师是史蒂夫·琼斯教授。1994年，在他的第一堂本科的遗传学课上，对购买了他的杰作《基因的语言》(*The Language of the Genes*)的所有贫困学生，他都补偿了书款。当时，我拿到了55便士。多年来，他在学识上对我的影响无人能及，从许多方面来看，本书都是在他的许可下，对那部经典作品的续写。2012年，我有幸受邀在英国人文主义协会(British Humanist Association)发表演讲，史蒂夫教授为观众介绍了我。他当时开玩笑说自己有着强烈的预感：我是在等着他老死，以便继承他的谋生手段。因为他还没有老死，又因为当年那55便士，所以我把这本书献给史蒂夫·琼斯教授。

目 录

第二部分　我们现在是谁

作者的话

科学是一项合作性质的事业。没有孤独的天才，没有邪恶的天才，也很少有异端的天才。几乎所有的科学成果都是由许多平凡的人通过团队合作，或是与相近或不同领域的其他人携手，方能完成的。正如伊萨克·牛顿模仿11世纪的哲学家沙特尔的伯纳德（Bernard of Chartres）[1]所说的那样，他们站在过去和当代巨人的肩膀上，构建了新的知识。这个典故来自希腊神话，猎户俄里翁（Orion）曾经双目失明，他就是通过坐在他肩膀上的矮人才能看到远方。

本书涉及的科学可能又比大多数著作的更具合作性。因为书中把一门新学科——基因组学，融入了历史学、考古学、古人类学、医学和心理学这些传统学科中。如今，遗传学论文的作者往往有数十个、数百个，甚至上千个。维多利亚时代的绅士挥霍着他们继承的财产，狂热地追求自然的真谛，这种景象已经一去不复返了。

在本书的撰写过程中，我得到了许多人的帮助，也参考了无数论文，这些都列在了本书的末尾。不过行文时，我没有去专门引用它们或指明出自哪位研究人员，而是把它们融入了叙述中。书中

[1] 他是在基督教世界享有盛誉的法国沙特尔宗教学校的校长。——译者注

涉及的许多研究都有伦敦大学学院的马克 · 托马斯（Mark Thomas）的功劳，我对于他的指导和多年来的友谊深表感激。目前，有少数几家实验室在古 DNA 领域的研究上具有领先地位，不过随着科技的发展，进行相关研究变得更加容易，数据也有了许多积累，这一分支正在以疯狂的速度进入大家的视野。书中关于该领域的阐述有部分来源于斯凡特 · 派伯（Svante Pääbo）、图里 · 金（Turi King）和理查三世项目、乔 · 匹科雷尔（Joe Pickrell）、大卫 · 瑞奇（David Reich）、乔什 · 阿基（Josh Akey）、乔其姆 · 博格（Joachim Berger）、格拉汉姆 · 库普（Graham Coop）和约翰内斯 · 克劳泽等人的成果，他们都曾直接或间接地给予我援手。向所有贡献者致敬！如有疏漏不妥之处，还请不吝赐教！

术语表

等位基因
（allele）

等位基因指的是位于一对同源染色体的相同位置上，控制某一性状的不同形态的基因。性状在美国英语中为“behavior”，在英国英语中为“behaviour”，两者意义相同。

氨基酸
（amino acid）

氨基酸是组成蛋白质的小分子。每个氨基酸都由 DNA 以特定顺序排列的三个碱基（bases）编码而成。

碱基
（bases）

英文也可写作 letters，是 DNA 的独立组成部分之一，它的排序将决定遗传密码。碱基共有四种，缩写分别是 A、T、C、G。DNA 的双螺旋结构仿佛扭曲的梯子，而梯级就是由碱基配对而成，其中 A 只能与 T 配对，C 只能与 G 配对。（在 RNA 中，T 则被 U 取代。）

BCE
（Before the Common Era）

公元前，也称 BC（Before Christ）。

CE
（The Common Era）

公元，也称 AD（Anno Domini），本书英文版出版于公元 2016 年。

染色体
（chromosome）

染色体是携带遗传信息（基因）的长段 DNA。物种不同，染色体数也有差异。人类有 22 对常染色体和一对性染色体：女性为 XX，男性为 XY。

密码子
（codon）

密码子指的是按照特定顺序编成一组的三联体碱基序列，它们可以编码一种特定的氨基酸，不同的氨基酸连接起来可以生成蛋白质。碱基共有四种，每三个一组，共有 64 种可能，但是生物体中只有 20 种氨基酸（以及合成蛋白质的终止密码子），也就是说存在着冗余：同一种氨基酸可以由几个不同的密码子来决定。一个基因是由一段密码子构成的。

DNA

全称是脱氧核糖核酸（deoxyribonucleic acid），遗传物质，通常形成染色体，是一种带有基因的脚本。

基因
（gene）

在最简单的形式下，基因就是编码蛋白质的 DNA 序列。这一定义遵从“中心法则”（Central Dogma）：DNA 转录成 RNA，然后翻译出蛋白质。基因由 DNA 组成，是染色体的一部分，就像文章里的句子一样。没有比这更确切的定义了，不过还有一些活跃的遗传因子不符合这种模式。过去几年里，我们发现有些 DNA 转录成 RNA 之后没有翻译成已知的蛋白质。这一类或许也可以被归为基因之属。

遗传学
（genetics）

研究基因、DNA、疾病、遗传、进化等许多领域的自然科学。

基因组
（genome）

基因组是一个生物体所携带的完整遗传物质，也就是所有 DNA 的总和。人类基因组计划是一个由政府资助、规模宏大、跨国跨学科的科学探索工程，它于 21 世纪之初顺利地在预算之内按时结项。这个项目旨在完全了解人类的基因组，破译人类的遗传信息，搞清楚人体如何运转，如何进化，身体出现问题时发生了什么。

基因组学
（genomics）

研究生物基因组的一门学科，包括但不仅限于遗传学。在研究基因组的过程中，不仅研究了生物体中具有特定功能的基因，还分析了这些基因的调控，以及储存在 DNA 中的信息。

线粒体
（mitochondria）

线粒体是存在于大多数细胞中的由两层膜包被的细胞器，是细胞中制造能量的结构。它们拥有自己的遗传物质——小的环状 DNA，与细胞核中包含的绝大部分 DNA 没有联系。遗传学者和谱系学者对线粒体 DNA（有时简写为 mtDNA）很感兴趣，因为它们只能从母亲传给孩子，可以据此绘出母系族谱。

蛋白质
（protein）

蛋白质属于有机大分子，是生命活动的主要承担者。它们由名为氨基酸的简单分子聚合成的长链组成。这些长链折叠构成了三维结构，常常与细胞中的其他蛋白质一起实现机体功能。所有生命都由蛋白质组成。

单核苷酸多态性
（single nucleotide polymorphisms）

人类之间大部分的遗传差异，都是由于基因组特定位置上（见上文的等位基因）编码基因的碱基不同导致的。特定位置上单个碱基的改变被称作单核苷酸多态性，简写为 SNP。

引言

> “我看到了遥远将来重要得多的广阔研究领域……人类的起源及其历史也将由此得到说明。”
>
> ——查尔斯·达尔文,《物种起源》第 14 章：回顾与结论，1859 年

这是关于你的故事，你是谁，你从哪里来。这是你自己的故事，因为你和这个世间所有人的存在，以及人生的旅途，都是独一无二的。这也是我们共同的故事，因为作为整个人类物种的一员，你既是普通的，又是特殊的。尽管我们有很多差异，但所有人类都有着相近的亲缘关系，我们的家族树没有树枝，也不曲折，一点也不像树的样子。但我们都是它结出的果实。

大约有 1,070 亿现代人类曾经存在于地球上，尽管这个数字的多少还取决于你开始计算的年代。他们，不，我们所有人，都是近亲，我们整个物种都来自非洲。我们没法用语言确切地描述其意义。这不是说我们有着共同的一对父母，比如虚构的亚当和夏娃。

我们考虑的是家庭、谱系、血统和祖先，我们试图用这种方式推演遥远的过去。我们的祖先是谁？你可能有着简单传统的家庭结构，或者像我一样家谱很乱，仿佛抽屉里纠缠不清的电线。不过无论是哪种情况，向前追溯到一定时期，所有家族的过去都会变成一团乱麻。

我们都有父母，我们的父母也都有父母，我们的祖父、祖母、外祖父、外祖母也都有父母……每往前一代，人数增加一倍，如果用这种简单的方法一直回溯，那么到英格兰上一次被入侵时，这些人的数量加起来就已经超过了曾经存在于地球上的所有人。实际上，我们的家族谱系不会无限发散，而是会自动收拢成一张网。存在于地球上的所有人，都交织在复杂的血统网络中。只需要回溯几十个世纪，我们就能发现，如今地球上的几十亿人口中，大多数都是一小群人的后裔，这群人的数量大概只够一个村庄的规模。

历史是我们记录下来的内容。几千年来，人类通过绘画、雕刻、书写和口述，记录了我们的过去和现在，试图弄清我们是谁，我们从哪里来。一般来说，我们定义的历史，开始于有文本记载之时。在此之前的时代，我们称之为史前——那些事情发生在我们有能力记下它们之前。回望过去，生命第一次出现在地球上是 39 亿年前。智人（也就是现代人）第一次出现，是在 20 万年前的非洲东部。而最早的文本记载则出现在 6,000 年前的美索不达米亚，我们如今把那里称作中东。

做个类比，包括空格和标点符号，本书大约有 20 万字。如果把生命存在于地球上的时间比作这本书的长度，那么书中的每个字就代表了 1.95 万年。现代人类的出现时间，大概与这句话的长度相近。

而有文本记载的人类突飞猛进的发展历史只相当于一个字符，即“。”——一个句号的宽度。

但是，这段历史的记录又是如此稀少。许多记载都在其间遗失、毁坏、腐烂了，因为遭到了日晒雨淋、虫蛀火烧、藏匿损毁乃至蓄意改写。在此基础上，我们还需要甄别这些记载存在的主观性。仅仅过去十年的事情，我们都无法达成共识。报纸的新闻会有立场和偏见。相机的照片是精心选取角度拍摄的，往往也会脱离实际情境。人类本身就是极不可靠的客观事实见证者。即便是震惊全球的 2001 年 9 月 11 日世界贸易中心双子楼被毁事件，准确的细节也淹没在互相矛盾的报道和充满恐惧的混乱中，难以得知。法庭上的人证无法自圆其说，一言一行也受到监视。再往回十几个世纪，甚至没有确凿的证据肯定耶稣基督这个历史上可能最具影响力的人类是否存在。耶稣的故事大多都是与他素未谋面之人在他死后的几十年里所写。在这样缺乏史料证明的情况下，我们完全有理由提出严肃的质疑。而基督徒所信赖的《福音书》，其内的记载有诸多相悖之处，随着时间的推移，内容也几经变化。

这么说的目的，并不是毁谤历史学或基督徒，只是想表明过去的模糊难明，直到近代，大部分时候我们都得依靠宗教典籍、贸易文档、皇室家谱。在现代，我们又面临了相反的问题，信息太多了，几乎无法去芜存真。你网购的每次订单，搜索的每个关键词，做过的每场志愿活动，都会被记录在案。书籍、小说、口述史、碑文、考古、互联网、数据库、电影、广播、硬盘、磁带……我们有了这么多媒介来重现过去。而如今，生物学也成了信息的强大来源之一。

引言开头的那句话来自达尔文《物种起源》的最后一章，他仿佛在借此暗示着本书未完待续。利用他提出的后代渐变理论，在遥远的未来，人类的起源及其历史将会得到说明。

这个时刻已经到来。如今有了另一种了解我们过去的办法，人类的起源如今已被置于聚光灯下进行研究。你的细胞中存储着一部史诗，一段独一无二、无与伦比、迂回曲折的壮美传说。在DNA 双螺旋结构发现半个世纪后，也就是大约 10 年前，我们解读DNA 的能力进入了新的境界，它成了史料的来源之一，是一段需要细细研读的宝贵文本。我们的基因组、基因和 DNA 记录了地球上生命的进化历程——40 亿年来不断地尝试、犯错、再尝试。你的基因组是 DNA 的综合，包含 30 亿个碱基对。它们的组合方式造就了独一无二的你。这是你的遗传指纹，与地球上出现过的其他 1,070 亿人的都不一样。即便你是同卵双胞胎之一，在胚胎分化和细胞分裂过程中碱基对也会出现极少量的变化，从而与另一个人有所区分。用苏斯博士（Dr. Seuss）的话说就是：

> 这世上没有人比你更像你。

造就人类的精子，由父亲的睾丸产生。性交时，男性会一次性排出数亿精子，它们会争先恐后向卵子游去。卵子孕育于母亲的卵巢内，外形类似俄罗斯套娃。每次生理周期，卵巢都会排出成熟的卵子。率先接触卵子的精子会分泌化学物质，溶解卵子外部的薄膜，头朝内、尾朝外地努力钻入其中。一旦有精子成功进入卵子，卵子就会阻止其他精子的入侵。唯一的精子，加上唯一的卵子，就产生了独一无二的你。

你父母的遗传物质，他们的基因组，将会在受精卵中融合。两组染色体的结合将会产生之前从未有过，之后也不会再有的一套基因。也有一部分 DNA 是没有改变的。如果你是男性，你的 Y 染色体很大程度上就与你父亲的相似，也与你父亲的父亲的相似，以此类推。Y 染色体较为短小，携带的基因很少。卵子还有一小部分 DNA 隐藏在给细胞提供能量的线粒体中。线粒体也有自己的基因组，因为它位于卵子内，所以只能由母亲遗传。Y 染色体的 DNA 和线粒体中的 DNA 只占你 DNA 总数中很小的一部分，但由于它们一个只能从父亲遗传，一个只能由母亲遗传，所以有助于追溯谱系和古代历史。而你 DNA 中剩下的大部分都是由你父母的 DNA 洗牌后产生的。每个人类的诞生都伴随着这一过程。基因的传承延续到了你的身上。

> 你爸和你妈，结合生了你。
> 或许非本意，但木已成舟。
> 缺陷和问题，统统传下来。
> 另有些毛病，单单你才有。[1]

在此，我无意探讨菲利普 ·拉金（Philip Larkin）这首诗中涉及

[1] 这四句节选自菲利普·拉金的《此即是诗》(*This Be the Verse*)。——译者注

的心理和伦理问题，但是从生物学的角度来看，他说得恰如其分。每次精子和卵子结合，遗传物质都会洗牌。你将继承父母DNA的独特组合，并在减数分裂的过程中，产生一些全新的遗传变异，这是你独有的。这些变异中的一部分也会遗传给你的孩子，而他们也会产生自己的变异。

进化正是基于这种不同世代之间的差异。利用进化的轨迹，我们也可以推演出人类的足迹。在进化的过程中，我们跨越了大陆和海洋，散布到了这个星球的每个角落。遗传学家就这样突然变成了历史学家。

基因组中包含大量数据，足以决定一个人类的性状。而基因组学是一门比较科学。来自不同的人的两套DNA，所包含的信息远超于一套DNA所含信息的两倍。所有人类的基因组都有同样的基因，但是它们都有些细微的差别，所以尽管我们极其相似，却又各自不同。比照这些差别，我们就能推断出这两个人之间有多近的亲缘关系，这些差异是何时演变而出的。如今，我们可以从细胞中提取DNA，于是就能把这种比照应用于整个人类。

第一份完整的人类基因组图谱于2001年盛大发布。它实际上是某几个人大部分遗传物质的粗略草图。为了实现这一成就，数千名科学家花了十余年时间，耗资30亿美元，相当于每个碱基对花费1美元。而这之后的15年来，研究基因又变得更加简单，人类基因组的数据如今已经无法估量。在撰写本书期间，我们已经拥有了大约15万个完全测序的人类基因组，还有来自全球各地的数百万人的样本可供使用。“十万基因组计划”等大型医学项目证明了我们如今可以轻易地从活体细胞中提取储存的基因数据。从国家的角度，我们正严肃地考虑为所有出生的公民做基因测序。这不仅限于形式科学或政府医疗政策：你只需要在试管中留下唾液，就能了解自己基因组的关键部分，专业公司会告知你有关身体特征、家族来历、患某些病的风险等各种信息，这一切的花费不过几百英镑。

我们现在还拥有了数百位逝世已久的人士的基因组图谱。2014年，在大量考古学的证据下，理查三世（Richard Ⅲ）的遗骸得到确认，但他的DNA中却隐藏了一个惊人的秘密：他没有王室血统！我们之所以了解过去的国王和女王，不仅是因为他们崇高的地位，也是因为历史在反复讲述着他们的故事。如今的遗传学丰富了对君主的研究，DNA成了终极的准绳。我们新掌握的技术得以揭露逝者最小的细节，因此这变成了对个人、国家、迁徙的一次彻查。通过检测、证实或证伪，我们了解的不再只是这些君主当年如日中天的权势或名望，而是他们作为人类的历史。我们会发现，尽管王室血统能赋予你超过一般公民的权势以及继承而来的财富，但DNA是普世的，进化、遗传和性并不会被民族、疆域和令人陶醉的权力所影响。

我们还可以向前追溯更远。对于古代人类的研究曾经仅限于那些古老的骨头，以及尘埃里他们生活过的些许痕迹。但是我们如今可以拼凑起古代人类的基因信息，无论他们是尼安德特人（Neanderthals）还是其他已经绝种的人类祖先，而这些人也揭示了我们怎样进化成如今的样子。他们的DNA告诉了我们很多从其他途径无从得知的信息——例如，我们知道了尼安德特人的嗅觉感受。DNA大大改写了人类的进化史。打个比方，我们的过去仿佛像一个陌生的国度，而我们的身体里则存储了前往那里的地图。

这门新的学科产生了惊人的海量数据。每周发表的研究新成果都会颠覆以往的推断。随着中国发现了 47 颗现代人类的牙齿，人类大批迁移出非洲的时间提早了 1 万多年。[1] 而随着人们在 10 万年前的尼安德特人身上发现了智人的 DNA，学界认定两者首次发生性接触的时间也往回推了 2 万年。相比地质年代来说，这点时间不算什么，但它却比整个有文本记载的人类历史还要长。所以我们的认知还在不断发生着巨大的变化。

本书的前半部分讲述了遗传学如何重写人类的历史，从地球上至少出现四类人种，一直谈到 18 世纪的欧洲君主。后半部分则讲述了我们现在是谁，21 世纪的 DNA 研究在家庭、健康、心理、人种和人类的命运上有何发现。两部分都以 DNA 为线索，参照了我们数个世纪以来所依靠的史料：考古、岩石、遗骸、传说、编年史和家族史。

尽管对于祖先和继承的研究史几乎和人类的历史一样长，但遗传学还是一门相对年轻的科学。它有着短暂而艰辛的历史。人类遗传学的诞生，起初是为了比照与测量人类之间的差异，在 19 世纪末期，它的含义与优生学相同。这也为种族隔离和征服提供了貌似正当的理由。人种这个概念，在科学上引发了前所未有的争议——人与人之间存在的差异，以及这些差异带来的贵贱之分，

[1] 这里主要存在两种学说。一种是非洲起源说，认为现代人起源于非洲，后来走出非洲，迁移至世界各地。另一种是多地起源说，认为现代人类在世界各地多个地方分别进化出来。长期以来，非洲的考古发现已找到了大量的早期人类化石，而支持本土起源论的化石证据还比较少。本书作者支持非洲起源说，所以认为在中国发现牙齿化石，只是提早了人类走出非洲的时间。多地起源说的支持者则相信这次发现是对他们学说的有力佐证。——译者注

在人类之间造成了深深的分歧，也导致了人类历史上一些极为残酷和血腥的举动。而我们将会通过现代遗传学揭示出，过去对整个人种概念的认定，错得是有多么离谱。

人类喜欢讲故事。我们是一个热爱叙述的物种，而且尤其看重叙述的“自足性”——这段叙述要有起因、经过和结果，要讲清我们是怎样经过一系列复杂而又妙不可言的过程，最终演变成现在的人类。而基因组正好符合我们这一愿望，它将人类历史、文化和个体特性的奥秘娓娓道来，告诉了我们自己究竟是谁，以及为什么这么认为。

不过我们还没有完全满意。因为人类基因组的有趣和复杂程度，远超任何人所想。即便是遗传学家，也是倾各国之力联手奋战十余年，才大致实现了人类基因组计划的目标。真相的复杂性和人类的无知性，在我们讨论遗传学这个话题时体现得尤其明显。我们曾经认为，将我们和祖先联系起来的是血液，所以在描述家族时，使用的是“血统”这个词。现在我们知道，关键的不是血液，而是基因。DNA 成了“天命”的代名词，它决定了我们身体的命运。但事实上也不完全是这样。许多科学家认为，他们的研究领域没有得到媒体的正确报道，引发了公众的误解。但作为一名科学家、作者和媒体人，我相信人类遗传学是被公众误解最深的领域之一，这可能是传统文化原因所致。

科学善于揭露，世界中的很大一部分，并非如我们所感知的那样，无论是在宇宙尺度、分子尺度、原子尺度还是亚原子尺度。这些领域离我们似乎很遥远，比起我们讨论的家庭、传承、人种、智力和历史，也显得十分抽象。我们对人类的特征有着根深蒂固的主观臆断。我们日常所谈论的家庭和人种与科学所揭示的对应事实之间，存在着巨大的鸿沟。我们接下来将会看到，事情其实不像我们所想的那样。

随着 DNA 被人类发现，围绕着它的错误假说也源源不断地产生。遗传学当然可以说出我们的近亲是谁，也能揭示遥远过去的许多谜团。但是你与祖先之间的共同点比你以为的要少得多，还有许多家族成员，你根本没有从他们身上遗传基因，他们与你之间不存在任何意义的基因联系，尽管从家谱上来说你绝对是他们的后裔。虽然你之前可能读过一些文章，但本书将郑重地向你展示：遗传学没法告诉你孩子会有多聪明，擅长哪些运动，性取向如何，会死于哪种疾病；也解释不了为什么有人会有可憎的暴力倾向，成为谋杀犯。了解这些遗传学无法决定的事情，和了解遗传学能决定哪些事情一样重要。

人类的 DNA 造就了复杂的大脑，让我们得以问询自己的起源，制造工具来探究自己的进化过程。这些分子层面的变化日渐积累，并被记录下来，静静等待着人类的解读。就这样过了几千年，我们终于有了这种能力。在本书中，每一章都讲述了一个历史和遗传学的故事，它们可能关于战争的输赢、入侵、掠夺、谋杀、迁徙、农业、疾病、国王、瘟疫或是离经叛道的性。

首先，这是一本历史书。这里面的故事涉及了遗传学的历史——它有着曲折的发展历程和黑暗的过去——通过这些叙述，读者们可以了解到我们是怎样知晓现在正在探索的一切的。还有一些故事讲述了一些国家和一些人的过去。这些秘密或许有部分为人所知，但大部分都隐藏在迷雾之中。如今，我们可以检视某个在不正常情况下突然死亡的男性、女性或孩童的遗骸，并发现其中的研究价值。因为我们在留存他们遗体的时候，他们无意之间也把自己的DNA留给了我们。

生物这门科学，研究的是活着的生命，以及死去的生命。它很凌乱、不精确，难以定义。如果你希望按照习惯从头开始读这本书，那么就让我们从这里开始努力整理头绪吧。

第一部分

Part One

How We Came to Be

我们从哪里来

第
1
章

好色又好动

“故事没有开头，没有中段，没有结尾，没有悬念，没有说教，没有前因，没有后果。我们的书使我们感到喜爱的是：一下子就看到许多美妙时刻的深奥道理。”

——库尔特·冯内古特，《第五号屠宰场》

冯内古特只说对了一半。我们的故事当然没有开头，如果有结尾的话，也不在有生之年的可见范围内。我们总是处于中段，我们都是过渡动物。你的生命从何时开始？没有一个确切的时刻。同样，我们这个物种何时诞生，生命何时出现，神明何时用红土塑造出亚当并将生气吹入他鼻孔，宇宙何时发生了大爆炸，也都没有具体时间。事实就是这样。没有什么生物是固定不变的，所有的生物都是四维的，生活在三维空间和一维时间中。

生命是一个渐变过程，唯一真正不变的只有它们的死亡。你的父母有自己的父母，你父母的父母也有自己的父母。如果以此两个两个地类推，回溯到史前，那么不可避免地，你会渐渐不认识自己的祖先。他们会慢慢变成类人猿，然后是猴子、四足动物、邋遢的哺乳动物、凶猛的陆地动物、遨游海洋的水生动物、蠕虫、瘦弱的海洋植物，一直到大约 20 亿年前，那时候就没有父母的概念了，有的只是单细胞的二分裂。再到 40 亿年前地球上刚有生命的时候，人类的祖先正待在深海热泉沸腾的气泡裹挟的一块岩石上。这种缓慢的阶段性改变就像颜色的渐变一样，从白色慢慢变黑，无论是从爬行动物到哺乳动物，还是从四足动物到直立动物。有时候，这种渐变色上会出现一些突变，不过大多数时候，你的祖先都是在爬着进化，而不是跳着进化[1]，白色慢慢加深成黑色的大趋势也没有改变。

地球上的生命就这样存续着，我们就是这片连续的灰色区域上的一个点。想象一只四肢着地、长满毛发的猿猴。它的右边是一只蹲着的猿猴，再右边是一只驼背弯腰的猿猴。再右边是直立行走、有着现代络腮胡的类人猿在挥舞着简陋的石矛，他的右脚羞涩地抬起，避免我们看见他进化后的生殖器官。类似这样标志性的进化图，我们大部分人都见过，但如今我们发现，它未必是正确的。我们并不知道猿类是怎样进化成人类的。我们知道这条进化路径上的许多生物，但它们之间还有很多空白无法填补。第

[1] 爬着进化还是跳着进化？这是伟大的生物学家史蒂芬·杰·古尔德（Stephen Jay Gould）和约翰·特纳（John Turner）的玩笑话，指的是物种究竟会均匀缓慢地发生进化，还是会伴随着灾难性的巨大事件而突然进化。这两种观点分别被称作种系渐变论和点断平衡论，彼此争执多年。而正如科学界的大部分情况一样，这两种进化方式实际上是并存的。

二个问题是，这种图预示着我们的进化有一个既定方向，我们开始直立行走，大脑变得发达，然后发明了工具，有了自己的文明。在这个方向上，我们会不断进步，从简单的原始生活到无比先进的未来生活，大脑的认知能力也会突飞猛进。

唉，可惜的是，我们的进化程度并没有遥遥领先于其他生物。我们高估了自己的独特性。我们和其他生物一样，不断进化只是为了让我们的基因在当前的环境下有最大的可能一直流传下去。根据进化的骨骼，以及现代对于进化和遗传学的理解，我们没有办法说从猿类变成人类现在的样子，要经历（比方说）20 步的进化过程，更不用说那些零散的突然进化。我们无从测定进化的程度，物种是“高级”还是“低级”在科学上不具备任何意义。

达尔文在1859年阐述物种起源的机制时，使用了这种说法[1]，这是他那个时代的风格。我们当时没有关于其他直立猿类的足够证据，无论它们用不用石矛。达尔文也不清楚性状的变化是如何一代代遗传下来的。到了 19 世纪末，我们知道了性状会由父母传给孩子。到 20 世纪 40 年代，我们发现储存遗传信息的是那些 DNA 分子。1953 年，我们发现 DNA 拥有双螺旋结构，能够自我复制，构建细胞。20 世纪 60 年代，我们知道了 DNA 可以翻译出蛋白质，所有生命都是由蛋白质构建的。那些科学界的巨人，格雷戈尔 · 孟德尔（Gregor Mendel）、弗朗西斯 · 克里克（Francis Crick）、詹姆斯 · 沃森（James Watson）、罗莎琳 · 富兰克林（Rosalind Franklin）

[1] 达尔文在他的笔记上写道“永远不要定义高级或低级”，更多的是为了表现他对于进化进步这个概念的警惕。他指出，在缓慢的进化中，一些藤壶的结构变得更加简单。达尔文的确喜欢用藤壶举例。

和莫里斯·威尔金斯（Maurice Wilkins）站在了他们前辈和同行的肩膀上，而后来的科学家又将站在他们的肩膀上眺望未来。20 世纪揭示遗传谜团的过程中，产生了许多值得一提的科学故事。到 21 世纪初，生物学的原理尘埃落定。在破解通用遗传密码，解旋 DNA 双螺旋的过程中，我们揭示了生命的一系列简单规则，然而却发现它们实际上极其复杂，这一点我们很快将看到。

但是达尔文对这些一无所知。当他在 1871 年发布第二部巨著《人类的由来》（*The Descent of Man*）时，关注的主要问题是：

> 人类，是否像所有其他物种一样，是从先于其出世的某一种生物类型传下来的。

当时，人们已经找到了少量尼安德特人的遗骸。比利时和直布罗陀出土了头盖骨，德意志中部发现了一些骨骼。早在 1837 年，达尔文就在笔记本上绘制过自己想象的进化树草图，生命的枝条从一根变成两根，越变越多，变化的环境又对它们进行了自然选择。不过应该怎样把这些古代猿类套进人类的进化树，他对此完全没有头绪。

他在笔记本的第一页，用独特的潦草笔迹涂画着，但从未停止过这种想法。19 世纪方兴未艾的观点是，我们和其他动物一样，是一段连续过程的一部分——我们不是被创造出来的，而是进化而来的。而到如今，只有最固执的无知者才会拒绝相信我们是从祖先进化而来的事实。我们祖先的头骨已经不再那么少见，每次发现一个新的物种，它都会登上头条。已经有许多证据无可争议地表明我们属于猿类，我们的祖先与黑猩猩、倭黑猩猩、大猩猩和红毛猩猩的祖先一样。

有时候人们说，古代人类进化的所有标本用一张桌子，或是一副棺材就能放下，以此表明这些化石记录的稀少。事实并非如此。实际上我们有几千块硬化的古代骨骼，它们来自全球各地，其中许多来自人类的摇篮东非，许多来自欧洲，我们越去努力寻找，就会发现越多。尽管在达尔文看来，我们实际上孤单地处于家族树一个神秘分支的末梢上。

不过对于那些手拿牙刷和小镐，坚韧不拔，毕生致力于探索洞穴和古代河床的挖掘者而言，想要揭示人类的进化全过程，这些物理标本的数量还远远不够。它们只是单独的化石，按照眉骨的形状、足弓的弧度、臼齿的尖点等共有的特征分成了许多组。根据它们的发现地点、地层和附近的其他信息——工具、烹饪的痕迹、打猎的痕迹，可以推断出这些化石的年份。

如果这些化石的生成时间还不够长，我们也可以通过碳 14 的含量推断它的存在年龄。生物活着的时候，由于新陈代谢的关系，体内的碳 14 含量大致不变，而它们死去后新陈代谢停止，体内的碳 14 就会以固定的比例开始减少。这是一种很好的测量手段，虽然如大部分研究一样，它也免不了受人质疑。对古代骨骼的分析是准确、复杂而精细的。在其他人类物种第一次被发现后的 200 年来，我们对于自己过去的了解无疑有了巨大的进步，但是我们对于人类的进化路线不再那么信心十足。几十年来，全球各地的博物馆和教科书中都展示着“猿猴—类人猿—猿人”的进化路线，这条明确的路线宣告着“我们就这样变成了如今的样子”。在英国肯特郡的唐恩宅，也就是达尔文一丝不苟地构想着物种进化伟大概念的故居中，你还可以买到印有这样图案的咖啡杯。

20 世纪 80 年代，年轻的我爱上了自然科学。当时，进化树看起来也就那样。我父亲给我收集了《新科学家》（*New Scientist*）和《科学美国人》（*Scientific American*）等杂志上面的文章，其中的分支图清楚地指出了一个物种进化成另一个或几个物种的过程，其他一些类人猿则在这期间灭绝。这张图看起来很清楚，我们只有几个样本。而到了 20 世纪末，越来越多人类物种的标本从洞穴中被发掘出来，而这些标本各不相同，足以让之前清晰的进化线变得模糊，进化分支变得越来越多。

也许，我们是时候抛弃服役已久的进化树理论，以及那张猿猴到类人猿再到猿人的进化图了。如今，你很难把这种进化图形容成矮树丛、灌木丛，或任何树枝一样的东西。实际上，它看起来就像许多条小河，其中一些小河汇进了池子里，另一些小河则在途中蒸发消失（见下页图）。另一个版本则是把所有的骨骼样本所属的物种绘制成图表，纵轴是时间，最古老的放在最下面，而我们则是最顶端唯一的幸存者；横轴是这些骨骼被发现时所在的地理位置。你得承认，它们彼此之间存在的关系很多都还仅限于猜想。好比这是个侦探故事，我们找到了尸体，但是线索却晦暗难明，所以想要破案还差得很远。

我们完全被自己迷住了，这也有些道理。我们虽然也属于动物，但却是唯一进化到了可以审视自己的存在，可以认真端详镜中自己的动物。有很多书都讨论了我们这个物种的起源，不过本书着重讲述了我们可以借之重现过去的那些物种，以及古人类学家使用最新的工具揭示的各物种之间的关系。这种工具就是DNA。它以一种前所未有的方式，大幅改变了我们对于人类历史的认知，而这一切仅仅发生在本世纪开头的十几年里。这个领域的变化实在太快，研究人员表示他们不愿意发表新的发现，因为担心它们在几年、几个月，甚至几周或几天里就被取代。保持节奏跟上步伐并不简单，因为对人类进化的研究已经成了一场毫不停歇的革命。揭示我们人类从哪里来的图像变得前所未有地详细，尽管我们还有很多要做。在讨论这个之前，我们先来看一张截至目前为止我们的发现成果草图。由于这个故事没有所谓的开头，所以我们也没法从头开始，我就姑且从双足直立的时代开始讲起吧。

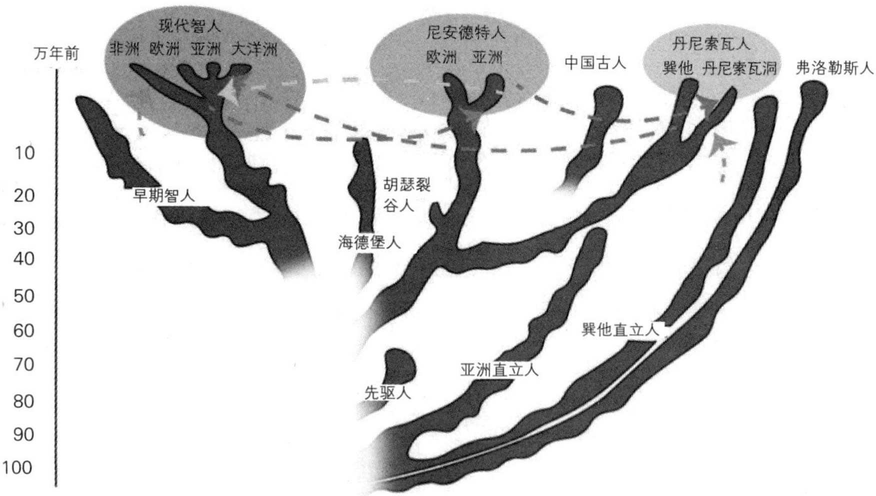

朦胧的人类进化图。古老的骨骼，搭配现代的DNA检测技术，将曾经直白明了的进化树变成了被多次截梢、修剪、移植，没有根基的灌木丛。每一个大的分支都代表一个独立的人类物种，而虚线则代表彼此之间通过性关系产生了基因流动。我们了解得越多，这张图就变得越杂乱。

早在 400 万年前，两足猿类就已经开始在地球上行走了。直立是我们进化过程中具有典范性的一步，它引发了许多人体结构上的改变，例如脊柱的位置与形状，及与头骨连接的方式，等等。究竟为何会发生这种变化，目前学界没有统一的说法，现有的理论很多：一些学者认为直立行走可以提高行动效率，另一些学者相信这是为了适应热带稀树大草原的生活环境，它们不必吊在树枝上，或是因为东非大裂谷的气候变化所致。早期的直立行走者中，露西（Lucy）是最著名的一位。她出生在大约 320 万年前。1974 年，唐纳德·约翰逊在埃塞俄比亚的阿瓦什河谷（Awash Valley）发现了她 40% 的化石骨骼（对于这么古老的死者而言，这已经相当多了），并以甲壳虫乐队的歌曲《缀满钻石天空下的露西》（*Lucy in the Sky with Diamonds*）给她命名。那正是发现她的当晚，营地里表示庆祝时播放的背景音乐。露西是最早被发现的南方古猿阿法种化石之一。我们不能确定她所述的物种是否是我们的直系祖先，只能说有许多其他灵长类动物活在她所在的时期，而她与我们的关系看起来比其他动物要更近。

给动物分类往往是一项难以令人满意的差事，不过要搞清我们物种的故事，就需要深入其中，并期待最好的结果。我们现在使用的体系是 18 世纪的瑞典博物学家卡尔·林奈创造的，每种生物会有两个拉丁名：属名和种加词。[1] 英国栎被称作 *Quercus robur*，

[1] 属名和种加词是最新、最明确的生物分类法。标准的排列是界（kingdom）、门（phyium）、纲（class）、目（order）、科（family）、属（genus）、种（species）。当时在学习这个顺序时，我用了一句口诀帮助记忆。“国王在板着脸的胖女孩的肚子上打牌。”（Kings play cards on surly fat girl’s stomachs.）这句话虽然有些刻薄，但是令人印象深刻。还有很多其他版本，例如“腓力国王过来开成人派对”（King Philip came over for group sex）可能会更对你的胃口。

有一种黄蜂被称作*Lalapa lusa*，一种蜗牛被称作*Ba humbugi*，独角仙甲虫被称作*Enema pan*。在这种命名法下，蟾蜍是*Bufo bufo*，看起来就像偷懒地用拉丁文翻译了“蟾蜍蟾蜍”，不过许多常见的动物都是这种格式，例如海螺（*Extra extra*）和西非大猩猩（*Gorilla gorilla*）。[1]你家里可能会有一只*Felis catus*，这两个词实际上都是“猫”的意思。

露西的类型是*Australopithecus afarensis*，大概翻译出来的意思是“来自远古的南方猿类动物”。还有其他几种南方猿类动物——南方古猿源泉种（*sediba*）、南方古猿湖畔种（*anamensis*）和南方古猿非洲种（*africanus*）。早期的猿类都被归为西瓦古猿属（*Sivepithicus*，在印度被发现）、地猿属（*Ardipitchicus*）或巨猿属（*Gigantopithecus*）。

我们属于人属（*Homo*）智人种（*Sapiens*）——智人，指的是有智慧的人。这是简写的版本。完全版类似于孩子们在写地址时把街道、城镇、城市、国家、大洲、星球、太阳系和星系全部写上。种和属以上的分类往往比较明显，就像我们住在地球上一样：

域：真核生物域（*eukaryota*，由真核细胞构成的生物）

---

[1] 还有一个次于种的分类叫作亚种，是命名法则所承认的最低分类等级，用于区分种内的种群。大猩猩属有两个种，分别是东非大猩猩（*Gorilla beringei*）和西非大猩猩（*Gorilla gorilla*）。东非大猩猩是较为少见的物种，其拉丁名是为了纪念第一次射击并发现它的德国人弗里德里希·罗伯特·冯·波里吉（Friedrich Robert von Beringe）。大部分大猩猩都是西非大猩猩，下面有两个亚种，其中一个是濒危的克罗斯河大猩猩（*Gorilla gorilla diehli*），另一个则是西非低地大猩猩（*Gorilla gorilla gorilla*）。后者的拉丁名非常有趣，不过我们也可以由此看出分类学家是一群极其严肃的人士。
大部分科学家都把我们称作“结构上的现代人类”。我们当中最古老的是奥莫人（Omo），来自大约19.5万年前的埃塞俄比亚。有些学者把智人分成几个亚种，不过智人的其他亚种只是被认为存在过，如今已经全部灭绝。这一块亚种的分类在我看来并不是特别有意义。

界：动物界（*animalia*）

门：脊索动物门（*chordate*，拥有类似脊椎的脊索类动物）

纲：哺乳纲（*Mammalia*，可以通过乳腺分泌乳汁给幼体哺乳）

目：灵长目（*Primates*，猴子、猿、跗猴等）

亚目：简鼻亚目（*Haplorhini*，上唇并非直接连接鼻子或牙床）

科：人科（*Hominidae*）

从这里开始，本书阐述的所有内容都关于人属。尼安德特人被归于人属尼安德特人种（*Homo neanderthalensis*），意思是来自德国尼安德河谷的人。

我们属于一个非常独特的群体。属中的各个种之间体现出的亲缘性，不一定会比不在属中的生物更强。这是我们拥有的最棒的体系了。种这个概念也产生了问题，不过最为人们接受的概念就是两个种之间无法产生具有生育能力的后代。杂交斑马、狮虎、骡子、北极灰熊[1]都是相对罕见、相对健康的杂交生物。但是它们都无法产生具有繁殖能力的下一代。不过很快，我们就会发现这个种的定义对于人类而言不是那么准确。

按照惯例，我会列出人属的大约七个种，并把这些生物称作人类。这种做法并非没有争议，不过分类学的关键问题之一在于给事物命名，并借此描述事物是怎么样的。没必要在此纠结于生命的短暂性和进化的普遍性。记住，进化变异的主体是DNA，但是分类并不取决于此。

从目前来看，让我们把种看成不同的动物群体，它们之间的

[1] 斑马与其他马科动物；雄狮与雌虎；公驴和母马；母驴和公马；北极熊和灰熊——罕见但也可能非常可怕。

区别足够大，导致彼此之间无法产生具有繁殖能力的后代。而在人属中，有大约七个种。[1] 其中一些种的化石可以追溯到 100 万年前，他们可以被称作早期智人，包括匠人（*Homo ergaster*）、海德堡人、先驱人等。在这段时期，他们分布于地球上不同的地区，在结构上有一些细微的差别，不过现在我们普遍认为他们都是从更早的直立人进化而来的。

他们在地球上很好地生存、繁殖着，不过到目前为止我们还没有发现他们的 DNA 样本。这可能是因为年代已经太过久远，或是他们死亡的地方温度过高而无法留存 DNA。因此，我们若想推测自己和他们的关系，只能通过化石研究和极谱考古。

2005 年，印度尼西亚的弗洛岛（Flore）出土了一具矮小的女性骨骼标本，震动了研究人类进化的学界。这具骨骼可以看出是个大约 1 米高的女性，而在这个洞穴里还发现了至少 8 个人的部分骨骼。这些小人立刻被命名为弗洛勒斯人（*Homo floresiensis*），意思是类似奇幻小说中霍比特人的小矮人，尽管没有证据表明他们的双足毛发浓密。据推断，他们在这个潮湿的洞穴里生活的时间，大约是在 1.3 万年前，只比耕种出现的时期早了几个世纪。这些小人会用火烤食物，而食物来源很可能是周围的巨鼠和剑齿象（一种小型象）。

这些小矮人是谁？《自然》（*Nature*）杂志最初的文章明确表明：他们的骨骼与其他已知的人属生物足够相似，但又与这些已知的人属生物有一定的差异，足以单独成为一个种。有少数科学

[1] 科学家、社会学家、小说家和造谣家还提出过其他十几个种，其中一些也有道理。

家不认同这种观点，认为他们实际上和我们一样，只是生病了，出于某种病理才变得这么矮小。唐氏综合征（又称 21- 三体综合征）、小头畸形、侏儒综合征、地方性克汀病，都被视作他们可能患有的病症，不过相关的证据却很少，几乎没有。来自小岛上的人类往往会进化得很小或很大，因为在这些孤立的地方，自然选择的力量可能有限，产生的效果也会不太一样。而且确实，弗洛勒斯人的岛屿上只有大小不同寻常的啮齿类动物、小河马和小型象。这些动物，包括弗洛勒斯人，如今已经全部灭绝。不过最有可能的情况是，这些弗洛勒斯人是人类的一个独立的种，可能在 200 万年以前与我们有共同的祖先，但是在热带岛屿的生活中逐渐变小，成了被我们发现时的那个样子。

但是我们没有办法从这些小人的遗体上提取 DNA。这些骨骼没有成为化石，而是像打湿的硬纸板一样软。2009 年，科学家试图从它们的一颗外表还算坚硬的牙齿上获取 DNA。但是失败了，DNA 也随之遗失，就像眼泪混入了雨里。也许热带气候过于温暖、潮湿，几千年来足以毁灭保存在那些牙齿和腐烂骨骼中的 DNA。考虑到对于弗洛勒斯人来历的争论如火如荼，没有从 DNA 的角度解决这个问题，实在是令人遗憾。这些“霍比特人”有限的分布范围和身体特征，表明他们不是我们的祖先，而是我们的远亲。然而，成功存活到距今 5 万年前的人属动物突然缩减到只有两三种，而这些矮人、奇特巨人、穴居人的故事却在文学作品中发扬光大。我们的星球仿佛就像奇幻小说中的“中土世界”

（Middle Earth）一样。[1][2]

学会解读

随着解读 DNA 的技术愈加成熟，这种情况更加明显。100 多年来，研究人类进化的主要途径是骨骼，以及解剖和文化等工具。解读 DNA 实际上也是一种分子层面的解剖。DNA 中包含了骨骼生成的线索，以及人类进化如何导致了骨骼的形状。人类开发解读 DNA 的技术，主要是为了了解疾病，不过很明显，解码基因组也将照亮人类的历史。这里简要介绍一下我们如何学会解读 DNA。1997 年，在人类遗传学界，史上最大的科学项目正在加足马力努力推进。数百名科学家——一些曾经是竞争对手——高效地联合起来，朝着一个目标发起冲击：为世人提供一份完整的人类 DNA

[1] 这里对神秘生物做个简要的说明。有不少人声称自己见过神秘生物，但是相关描述却语焉不详。这些生物仅存在于理论之中，或是科学目前无法证实的，例如喜马拉雅山脉的雪人、加拿大的大脚野人、巴基斯坦的大足猿人、菲律宾的马纳安加、澳大利亚的野人等。我们没有找到这些生物的尸体、化石甚至清楚的照片——这让你感到吃惊，毕竟现在手机照相已经如此普及。早在 20 世纪 90 年代，DNA 就已经成为识别和分类动物的强大工具。从那时起就常常有人进行研究，试图证明这类神秘生物的存在，但是无一例外地遭到科学界的否定甚至嘲笑。在发现弗洛勒斯人的弗洛岛上，也有一种名为依波高高（Ebu Gogo）的猿人的传说。民间流传称这种猿人个子矮小、长满毛发，女性有着下垂的乳房，这不免让人想起灭绝已久的弗洛勒斯人。不过科学家寻访发现，这更像是当地版本的红毛猩猩神话，后者在苏门答腊岛等印尼西部岛屿十分流行。神秘动物学就这样在科学和伪科学的边缘游走前行着。

[2] 在本书英文版即将付梓之际，《自然》发布的一篇论文追溯了弗洛岛的弗洛勒斯人的过去，大幅改写了我们对这个物种的认知。洞穴环境的动力地质作用往往较强，发现弗洛勒斯人的这个洞穴也不例外。印尼考古学中心的托马斯·苏提那（Thomas Sutikna）带领团队对该洞穴展开了地质研究，发现其中的沉积物并不均匀，实际上这个洞穴的历史超过了 5 万年，而不是之前认为的 1.3 万年。也就是弗洛勒斯人灭绝的时间，与现代人类的足迹涉及弗洛岛的时间相当接近。然而，目前没有证据表明两者之间存在着联系，更不用说他们究竟有没有产生接触，虽然很多媒体已经开始兴奋地就此进行推测。

的 30 亿个碱基对的排列表。我将在第 4 章详细讲述人类基因组计划的传奇，不过在这里，最重要的事情是，这个宏大的规划让解读 DNA 的碱基对变得又简单又容易。如此一来，药品的研发就能取得巨大的发展，关于人类进化和由来的研究也能有新的进展。20 世纪 70 年代末期，谦逊的英国天才弗雷德 · 桑格（Fred Sanger）提出了可以把 DNA 原序列复制百万次从而对其进行测序的方法，成为解读 DNA 的先驱。操作时，你需要准备转录的模板。DNA 只有四种碱基：A、T、C、G。你还需要一种酶来复制这些 DNA 的碱基，并将它们连接起来，这种酶叫作聚合酶。将这些材料放入试管，设定合适的温度，DNA 双螺旋就会分解成单链，并作为模板来合成缺失的那条链。最后，你可以得到数百万份原来的模板。DNA 的每个碱基都会前后相连。而聚合酶的分子则会在单链上滚动，每次添加一个碱基，就像打字机输入文字一样。在 DNA 测序中，你不仅要加入正确的碱基，还要加入一些扮演句号的碱基。

因为这一过程中复制出了大量 DNA，而句号的位置是随机添加的，所以你最后拿到的试管中，DNA 分子可能会中断在各种地方，例如：

e

ev

eve

ever

every

every s

every si

every sin

every sing

every singl

every single

every single l

every single le

every single let

every single lett

every single lette

every single letter

every single letter

给 DNA 测序就是重建的过程。你获得了数百万份支离破碎的复制品，然后按照大小把它们排列起来。DNA 分子有着负电荷，也就是说，如果你把它们放在盐水里，并对两端加电压，它们就会靠近正电极。移动的速度和它们的大小有关，越长的碎片，移动也会越慢。为了让 DNA 移动得更慢，我们可以用凝胶来代替水，在凝胶两端通电，这样根据 DNA 片段的大小不同，移动速度差距会更加明显，就像筛子一样。

这种技术有个诀窍。DNA 只有 4 种碱基，而不像英文字母表一样有 26 个字母。所以，把你原本的 DNA 模板加入 4 支试管，然后在其中加入所有的材料，不过首先，在第一个试管内，你还要加入一些扮演句号角色的 A 碱基，这样所有的 DNA 片段都会终止于 A 碱基处。依此类推，在后面试管中分别加入起终止作用的 C、T、G 碱基。在反应结束后，4 个试管中所有的 DNA 片段都会分别终止于 A、C、T、G 处，再用凝胶通电进行分离筛选，每个碱基的位置都将显露出来。

你得到的第一组 DNA 就是这样（尽管碱基在凝胶内看起来就像是一些斑点）：

*****AA**A*****A******A*A***A*

第二组、第三组、第四组分别是：

C**C****C**C*********C*C**C**C

T*TT**T*T*T*T*T*T****T*T**

*G***********G***G*G**********

再把这四条合起来，星号就会变成碱基，我们就能完整得到 DNA 的排序：

CGTCTAATCATCTGTATGTGTCACATCTAC

当你在纪录片上看到科学家举着标有整齐的带点黑线的 X 光片时，就是他们在查看 DNA。这是你身体的某个细胞中的 DNA 序列。40 亿年来，它都隐藏在谜团之中，但如今我们只需要花上几英镑，用上几分钟就能弄清它的排列。这是一种解读 DNA 的天才做法，弗雷德·桑格也借此赢得了他的第二个诺贝尔化学奖[1]，堪称名至实归。

20 世纪 90 年代，随着测序 30 亿个碱基对的人类基因组计划开动，桑格的技术也得到了改进和自动化。在本书第 3 章解释了为什么现在这仍然是个耗资数十亿美元，历时十余年的宏大项目。当我还是学生时，也会给负责测序的专家寄送经过提纯的 DNA 小片段样本，并等待几天后的测序结果（不是 X 光片，而是计算机文件）。如今，大部分遗传学实验室都有自己的定序器，几个小时就能产生百万字节的数据。新的技术没有完全取代桑格测序法，而是让它变得更快，成本更低。如果你今天开始从事遗传学的工作，可能再也没有机会用到他的原始方法。我们甚至还有直接可以通过 USB 插到笔记本电脑上的定序器。所有这些技术都在促使遗传学发生革命。自 21 世纪初开始，我们还能够对逝世了相当一段时间的人采用同样的技术来测序。

死亡无法主宰我们

一个男人躺在地洞里，死了。他不是由家人带来埋藏在这里，也不是直接死在了这里。我们也不知道他是否是过去几千年以来的重要

[1] 弗雷德·桑格因为测定了胰岛素的氨基酸序列，在 1958 年获得了第一个诺贝尔奖。他是仅有的四位两获诺贝尔奖的人士之一，而两获诺贝尔化学奖的仅有他一人。在本书撰写期间，桑格安详逝世，不过他给人类留下的测序方法将被我们铭记。在他生前居住地附近设立的惠康信托基金会桑格研究院（Wellcome Trust Sanger Institute），是全球最出色的基因组研究中心。

人物。这个男人的死，引发了两件事。其一，他的出现引发了科学家对古人类的研究。我们认为，在大约 4 万年前，这个洞穴是他的家。它位于德国，名叫克莱恩 · 费德霍费尔 · 格罗特洞窟（Kleine Feldhofer Grotte），不过却在 19 世纪毁于采石场的矿工手中。洞窟的入口离地面有几米，大小刚好够人挤过，里面是大约 5 米长，3 米宽的空间，洞顶很高。19 世纪 50 年代，业余警犬从中取出了许多东西，到这个世纪，人们又对这里进行了发掘，找到了数千件人工制品，以及至少三个人的遗骸。1856 年，采石场矿工在这里找到了化石骨骼——一大块颅骨、两块股骨、不止一个人的上肢骨，以及肩胛骨和肋骨碎片。他们把这些发现交给了当地的人类学家。

这不是第一次发现古代人类的遗骨（他可能是史上第三具被发现的非智人的人类遗体），不过它却成了所谓的“原始标本”——定义物种的标本，之后发现的样本都会与其进行比照。这个物种的名字也就与原始标本息息相关了，无论他生前叫什么，我们现在把他称作“尼安德特人 1 号”。随着对他正式身份的辨认，研究古代人类的古人类学领域也开始发展起来。

不过我们不会让他说谎。尼安德特人 1 号做出的第二件革命性的事情，发生在 150 年后。他捐出了自己的 DNA。在那个洞穴内，他的遗体被妥善保管，避免了风吹雨打，阻挡了飞禽走兽，更重要的是隔绝了贪婪的细菌们。这一切都会迅速抹杀尼安德特人 1 号在世间存在过的证据。实际上，由于他不同寻常的居所，相对于其他 4 万年前死去的人来说，他的骨骼保存得相当完好，这也让他在 1997 年成为一个独特的俱乐部中的第一位非智人人类。在他的上肢骨上缓慢腐烂的细胞中，有着忠实记录过去血统的 DNA。

现代人类不是人类基因组计划中唯一囊括的生物。实际上，这个项目的目标中囊括了 6 个物种，这多少有一些违反直觉。如果基因组能够与另一个进行比对，就能产生更大的价值，这也包括来自其他物种的基因组。所以，第一批加入这个俱乐部的生物中也包括最常使用的模式生物——黑腹果蝇和小鼠，我们最亲近的猿类黑猩猩，以及蜜蜂。蜜蜂是一种社会性生物，几乎所有的蜜蜂都不会繁殖，而是服务于有一半 DNA 和它们一样的蜂后。在 20 世纪的最后，所有这些生物的基因组都被人类破译、解读并探寻着。

1997 年，利用对现代人的基因测序技术，一位在莱比锡工作的瑞典科学家静静地开启了一个革命性的全新领域——古遗传学。斯凡特·派伯从波恩的莱茵河州立博物馆借到了尼安德特人 1 号的右肱骨，也就是肩膀和肘部之间的部分。他用一把精密的锯子，取下了 1 英寸中间的骨头。这里曾经存有制造血液和免疫细胞的骨髓，细胞分裂十分活跃，也就意味着遗传物质的复制十分活跃。尼安德特人 DNA 的宝藏就埋藏在这里。

DNA 存在于所有活着的物种中。它们有着不同的包装形式，遗传给后代的方式也不一样。在动物界，DNA 和蛋白质高度螺旋化成为染色体，形状就像我们在教科书上看到的 X。在大部分细胞中，我们都有两套完整的染色体，一套来自你的父亲，一套来自你的母亲，共有 23 对，完好地储存在细胞中心的细胞核中。

生物学是一门充满了例外和无限可能的科学。这里也一样，22 对染色体是一样的，称作常染色体，剩下一对则不相同，称作性染色体。女性是 XX，从双亲那里各获得一条 X，而男性是 XY，从父亲处获得 Y，母亲处获得 X。尽管 Y 染色体在决定性别上十分重要，但它相对其他染色体来说十分纤小，所含的 DNA 也很少。X 染色体则是人类染色体中第二大的。

在父母向下一代传递 DNA 的过程中还有一个例外。所有的常染色体和性染色体都不会离开细胞核，但是另有一部分很小却极其重要的 DNA 不在细胞核中，而是在线粒体中，这是细胞中生成能量的结构。这些 DNA 很可能诞生于 20 亿年前，两个单细胞生物为了互惠互利而结合在一起。这些新细胞组成了一种新的生物——真核生物，它与以前出现的所有生物，也就是细菌和古菌都不一样。这三种生物组成了域：真核域、细菌域、古菌域，是所有生物分类体系中最上面的一层，高于五界。如上文所说，真核生物的体内有一小部分重要的 DNA 位于线粒体中。与 Y 染色体只能从父亲传给后代相反，线粒体 DNA（mtDNA）只能从母亲传给后代。精子携带了 22 条染色体以及 X 或 Y 染色体游向卵子，卵子则携带了 22 条染色体、X 染色体以及母亲的线粒体 DNA。

超过 97% 的 DNA 都位于 22 对染色体和 X 染色体中，这些遗传信息都来自你的父母。精子和卵子结合成受精卵时，[1]染色体上的遗传物质会重新洗牌。可以类比成一套红桃和一套梅花的扑克牌，它们列在一起，相同数字的牌随机交换。最后还是会形成两套完整的牌，只是每副牌里都会有红桃和梅花。不过染色体可不是从 A 到 K 的 13 张牌，它们的遗传物质可能会进行数百万次的交换，最后形成的是一套全新的组合。这个过程叫作重组，可以保证你的基因构成是从古到今独一无二的。

---

[1] 这个过程发生在子宫内。孕育你的卵子在你妈妈的卵巢中形成，而孕育她的卵子在你外祖母的卵巢中形成。你的 DNA 是在你外祖母体内形成的。

不过，线粒体和Y染色体没有这个过程。前者来自你的母亲、祖母、曾祖母等母系先祖，后者来自你的父系先祖。对于那些追溯血统的科学家来说，这些都是很有趣的工具，也是许多研究的重点，尤其是因为它们曾是最小的、最简单的DNA，因此最早用于研究血统。在细胞内，数百个线粒体都在勤劳地工作着，所以它们在时间的围剿下存活下来的概率也较高。常染色体和性染色体仅存在于细胞核——细胞的中央办公室中。所以相比之下，线粒体DNA更容易获取和研究。在我的阐述中，线粒体DNA和Y染色体会时常出现，不仅是因为它们提供了大量信息，还因为它们在追溯血统中的价值有时候被高估了。

尼安德特人的居住地遍布西欧，最西达到西班牙，最北达到威尔士北部的山洞，最东在中亚群山中发现过他们的踪迹，最南则来到过以色列。我们发现的最古老的尼安德特人的骨骼，已经有30万年的历史，而最新的距今也有3万年。对于人类来说，这个时长跨度相当可观。自190万年前起，早期的直立人开始走出非洲，散布到全世界，不过尼安德特人的迁徙路程比我们想象的更长。科学家普遍认为，我们这批现代人类大约是20万年前在非洲东部进化出来的，并在过去10万年里的某个时期开始逐渐走出非洲。随着越来越多的样本被发现，这个年限还在不断推前。2015年10月，中国南部的道县福岩洞内出土了47颗拥有至少8万年历史的人类牙齿化石。我们也有理由推测，这些牙齿的主人的祖先离开故土向东来到遥远的这里，要花费数万年时间。

根据古人类学家对骨骼的推算，智人来到欧洲大约在距今5万年前。当时，尼安德特人已经在那里定居了，尽管只是小规模的。我们之后会在本章讨论这些时间的最新数据。根据对他们的解剖，这两种人类的外表有着明显的差别。在古人类学的研究中，脑容量是一个关键指标，尼安德特人的脑容量为 1.5 至 1.9 升，现代人类平均只有 1.4 升，女性还要稍微小一点。脑容量的大小不一定与智力成正相关，尽管在猿类中，更大的大脑往往意味着更复杂的思考能力。

他们比我们更矮小、更结实，四肢强壮，胸围宽大，鼻子更宽，眉毛更浓。因为这些原因，他们的名声也不太好。按照一般的说法，他们就是粗俗的洞穴野人，不断发出咕噜声的低智力生物。"尼安德特人"也在俗语中用来形容没有教养的傻瓜。在 19 世纪对早期发现的样本进行分类时，德国著名生物学家恩斯特·赫克尔（Ernst Haeckel）甚至建议把他们称作与"智人"相对的"蠢人"。

但是没有什么证据能够表明尼安德特人智力低下，或是与现代的智人有巨大的差异。他们会捕猎、宰杀和烤制大型动物。有证据显示，他们在过去 10 万年里掌握了缝纫技术，可以制作衣服和饰品，所用工具的历史也要早于现代人类来到他们的居住地之前。也就是说，尼安德特人自己开发了这些技能，而不是学自现代人类。近来，研究人员还发现，西班牙靠地中海的内尔哈镇（Nerja）山洞中的绘画出自尼安德特人，而不是我们之手。一些人表示，伊拉克沙尼达尔（Shanidar）和法国南部[1]墓穴中发现的花粉，正是

[1] 1908 年在法国拉沙佩勒奥圣（La Chapelle-aux-Saints）发现的骸骨，看起来就像是缩成一团、生活在洞穴中的痴呆野人，这也是让人们产生对尼安德特人刻板印象的标本之一。不过到 20 世纪 80 年代，人类学家埃里克·特林库斯（Eric Trinkhaus）的分析指出，这些遗骨来自一个 40 岁的古代人类，他弯腰驼背只是因为身患骨关节炎。这并不是他们正常站立的样子。

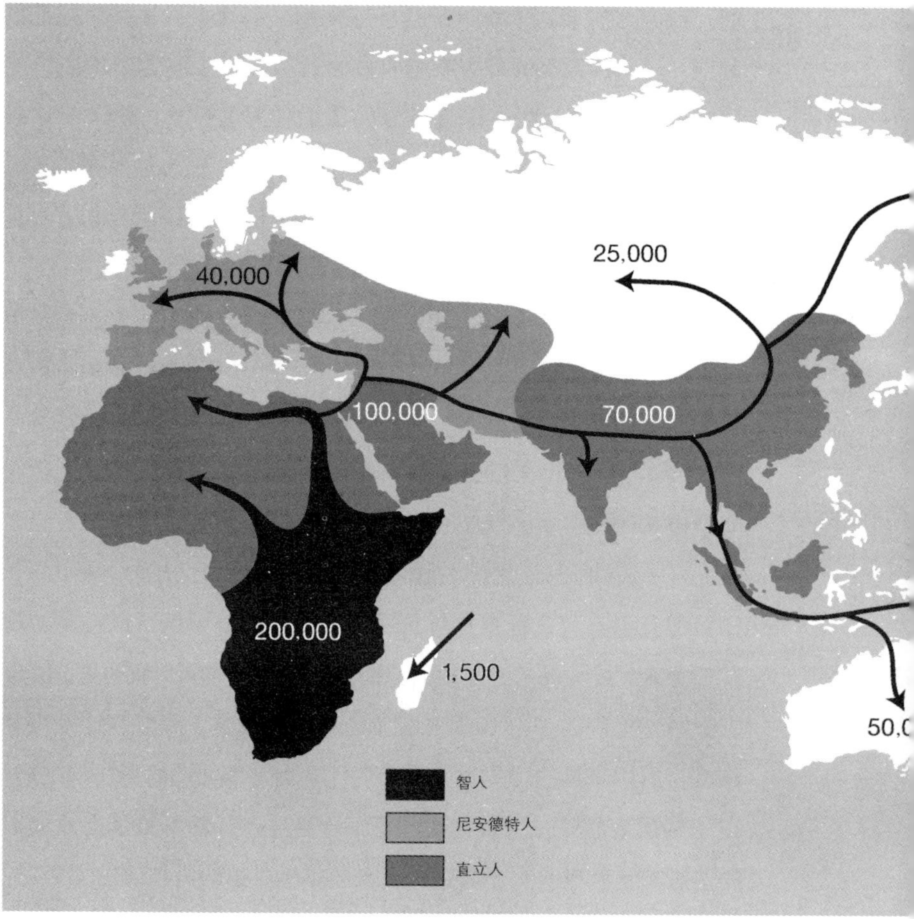

智人迁出非洲。解剖学意义上的现代人类在地球上最早定居下来大约在20万年前，最早的定居点是东非。大约10万年前，他们开始缓慢地从非洲迁出。根据我们的DNA信息，他们在欧洲遇到了尼安德特人，并在途中遇到了其他人种，并和他们中的许多人发生了交配。

葬礼仪式采用的花朵遗留的痕迹，尽管这一点还存在争议。

由于尼安德特人的遗骸不足，他们与智人之间的进化关系一

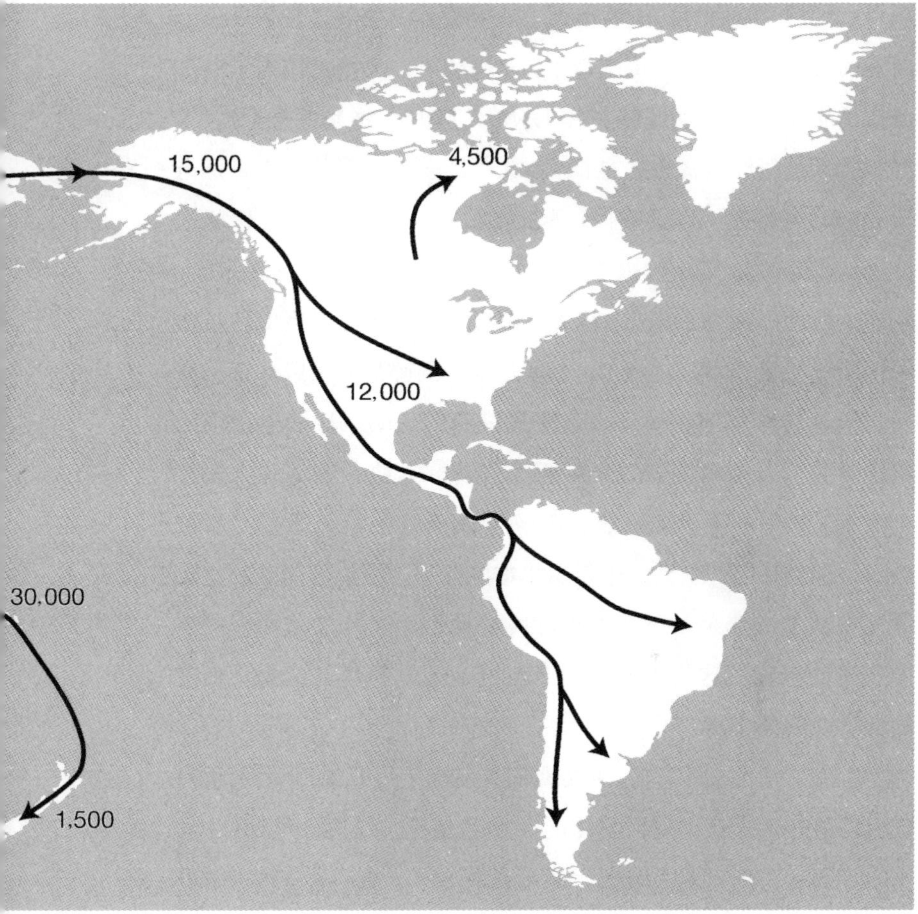

直都无法在学界达成共识。多年来，形形色色的观点数不胜数，有人表示尼安德特人是现代欧洲人的直系祖先，有人认为他们属于进化树上完全不同的分支，没有留下任何现存的后代。我们和尼安德特人的共同祖先大概最晚只生活在距今 6 万年前。

斯凡特·派伯对尼安德特人1号的肱骨的探寻，是解决这个问题的第一步。他们从中提取了0.4克物质，大概只相当于一小撮盐的重量，并得到了线粒体DNA的碎片。这是截至1997年当年，人类所获得的最古老的DNA。最早的研究重点主要是论证方法的可行性，以及确保提取的DNA没有被污染。《侏罗纪公园》(*Jurassic Park*)及其续集在20世纪90年代一炮而红，从死去已久的生物上提取DNA，在我们的文化意识当中已经体现得十分明显。不过这些DNA都是很小的碎片，损毁严重，修复它们，仿佛就像在修复一本支离破碎的古书。比起电影中的叙述，我们需要追溯的时光要近了许多，这些骨骼的历史仅有4万年，状况不至于太糟糕，不像《侏罗纪公园》里那些超过6,500万年前的恐龙[1]的化石那样难以下手。派伯的团队从这次研究中获取的成果，正是人类基因组计划的遗传学家们新发现的技术的产物。这是人类在用全新技术破译和修复过去上迈出的尝试性的一小步。

首先，研究人员发现，尼安德特人骨骼中提取的DNA与所有现代人类的线粒体DNA都不相同。而且差异大到我们可以较为肯定地推测，在现代人类的共同祖先出现之前，他们这一批人就已经脱离了我们的谱系。随着时间的推移，DNA的变化是相对可以预测的，就像缓慢行走的钟。因此，比照两个类似却有所不同的DNA序列，我们可以估计它们是在多久以前分道扬镳的。这项技术不够完美，但是从广义上来讲，依旧有较大的价值。在这次对尼

[1] 实际上，电影里的生物几乎都来自白垩纪，不过“白垩纪公园”的英文发音可能拗口一些。

安德特人的 DNA 研究中，我们与他们出现趋异进化的时间大约是 55 万年前至 69 万年前。按照传统的人类进化学说，这个区间也是无误的：尼安德特人和我们不一样，而且从古生物学和考古学的领域来说很早就脱离了我们。这个技术推断没有颠覆我们的理论。不过，随着我们日益掌握揭开过去的技术，未来的情况还很难说，一切都可能改变。

革命在迅速发展着，但这个过程中也需要踩好刹车。提取古代的 DNA 并不简单，而古 DNA 的研究又需要真正的专业水准。对活细胞进行基因测序现在已经变得很容易，只要经过几天的训练，拥有合适的设备，每个人都可以做：只有分析和数据处理才需要精湛的技巧。与之相比，古 DNA 又脆弱又罕有，而阅读已逝者的基因又能带来很多信息，所以并不是每个人都可以尝试。不过，随着人类基因组计划的完成，这些完成测序的 DNA 也随之公开。古代的基因组同样位于数据库中，所有人都能自由使用。遗传学家没必要走进化石骨骼或是阴湿的洞穴去研究死去几千年的先祖的遗传物质，只需要连上互联网。起初，我们的确需要开创性的新技术，才能保存和分析古 DNA ，因为可供提取的物质很少。2006 年，另一个团队成功从 3.8 万年前克罗地亚的尼安德特人身上获取了 DNA，并用它测试了一些技术。《自然》和《科学》两份顶级期刊在同一周发表了两篇文章。这两篇文章得出了大体相同，仅有细微差别的结论。关键的发现在于，产生的 DNA 序列表明，我们的祖先与尼安德特人的祖先在大约 50 万年前开始出现分化。不过其中一篇表示，人类和尼安德特人后来还出现过意外的交配现象，另一篇则否认有这种情况。

随后到2010年，尼安德特人基因图谱全部完成了。斯凡特·派伯的团队彻底改变了从骨骼上提取DNA的技术。利用化石中取得的粉末、薄片等样本，他们拼出了尼安德特人的完整DNA草图，尽管这项工作十分艰难。

让我们花点时间来得意于此。该领域的进展真的激动人心。我们现代的基因组在2001年已经近乎完成（在第4章我们会讲到，2003年几乎全部完成），而在几年后，我们根据几万年前的骨骼，绘制了某个绝种人类的基因组草图。派伯和他的同事发明了时间机器。

基因是什么？它们告诉了我们人类之间有紧密的联系，但在几乎所有的情况下，这种联系都不是决定性的。这条裂缝会贯穿本书，直面并破除文化中无处不在的想法，即基因决定了命运，某种基因将完全决定一个人是什么样。尽管这一点在科学家之间已是众所周知，但这个概念仍然有着许多文化意义，被媒体时常渲染，从而非常简单地定义了极其复杂的人类生物学。知道一个人的基因序列，只能获得有限的信息，除非他有一小部分具有重要影响力的基因。这部分内容在第6章会详细进行讨论，不过在这里，不管怎样，我们分析逝世已久的人的基因时，主要还是采取这种方式。

对于学习古人类学的本科生而言，考试常见的一个问题是："尼安德特人会说话吗？"正确的答案是他们很可能会，不过你还需要用超过3,000字的解剖学证据作为理论支撑。他们的喉咙结构与我们的相差不大，1989年在以色列凯巴拉洞穴（Kebara Cave）发现的舌骨则更加表明：他们说话的能力与我们应该类似。舌骨的形状类似于马蹄铁，位于下颌骨的下后方。用拇指和食指掐住自己的脖子，然后咽一下口水，你就能感受到它。在人体的骨骼中，它显得十分独特，通过 12 块肌肉巧妙地连接了舌头、口底、喉、咽和会厌。对于一块这么小的骨头而言，有这么多精细的肌肉支持它，表明这是一个经过专门进化，用于实现某种特殊功能的结构。凯巴拉洞穴发现的舌骨经过了许多详细的显微解剖学的研究，因为它可能会证明尼安德特人的语言能力。最后的答案是肯定的：尼安德特人很可能会说话，就像我们一样。

从神经学的角度来看，我们也可以得到一些论据。我们都知道，说话会调动大脑的许多部分，而关键的部分被称作布罗卡氏区（Broca's Area）。19 世纪，法国神经解剖学家布罗卡成功治愈了两名该区域受伤导致丧失说话能力的病人，这块区域之后就以他的名字命名。不过神经解剖学可能在我们研究尼安德特人的交流上起不到太大作用，因为这需要大脑来做研究，而我们很难找到这么大的样本。不过，考虑到尼安德特人的平均脑容量比现代人类还大，我们有理由猜测他们有着足够发达的布罗卡氏区。

你可能会认为，利用遗传学的新技术，我们可以找到这个问题的答案。有一个基因与语言功能密切相关，也得到了人类的大量研究，它叫作 FOXP2。尽管我们并不确切了解它究竟在身体中起到什么作用，但是很明显，它在语言沟通中是必要的，我们在其他具有复杂发声及发声学习能力的动物中，也发现了这个基因。研究某个基因会起到什么作用的关键手段之一，就是看看它一旦出现问题，会引发什么结果。我们显然不会对人类这么做，而是针对了实验用动物。我们随机或是精确地打乱了基因，看看会发生什么。不过研究人类的遗传疾病或失调症状，也能起到同样的作用。我的母校伦敦大学学院的儿童健康研究院，是大奥德蒙街儿童医院（Great Ormond Street Hospital for Children）的研究部门之一。自 1990 年发现这个基因以来，这里已经发现了几例 FOXP2 的突变。一个巴基斯坦家族（为保护隐私，称他们为 KE）在这里接受了检查，该家族共有 16 位成员患有遗传性的言语障碍。通过检查发现，他们的第 7 对染色体与常人不同，后续研究表明，正是这个 FOXP2 基因出现了问题。[1] 从那时起，FOXP2 就受到了人类的关注，许多媒体都将其称之为“语法基因”或“语言基因”。然而实际上并非如此，因为说话是一种复杂的行为，受到许多遗传因子的影响，绝非一个基因所能决定。不过显然，它在人类的沟通中起到了关键的作用。[2] 此外，当我们研究其他动物中的 FOXP2 时，发现它同样扮演了重要角色。如果 FOXP2 被抑制，雄性斑胸草雀就无法对雌性唱歌。被去除 FOXP2 的小老鼠也无法发出超声波的叫声与母鼠联系。

FOXP2 显然是说话的关键基因。2006 年对尼安德特人基因的研究发现，他们有着和我们一样类型的 FOXP2，而与黑猩猩不同。这种差异十分微小，但却很关键。我们与黑猩猩的 FOXP2 的蛋白质序列上，只有两个差异，但是我们就能说话，而黑猩猩却不能。

[1] DNA 的变异会引发很多问题，转录和翻译出来的蛋白质会因此有所改变。KE 家族出现的问题属于错义突变，好比“too late”（太晚）变成了“tool ate”（工具吃）。如果这些突变没有产生严重的问题或导致死亡，它们可能就会成为变异的来源，从而促进进化的发生。

[2] 这种某特征由单一基因单独决定的现象，将在第 5 章详细讨论。

那尼安德特人呢？我在 1995 年上学时，对于考试问题“尼安德特人会说话吗？”的回答，和其他本科生的答案别无二致。不过如今你若想顺利过关，论述的内容就大不一样了。然而，万变不离其宗。尼安德特人很有可能会说话。但除非我们可以真正穿梭时空，否则这个问题恐怕永远无法确证。

如果这个故事没有得到让你满意的结论（对古代骨骼的研究常常就是这样），我们还可以提供另一个已经有确凿证据的研究成果，那就是嗅觉——尼安德特人的嗅觉。不过在详细阐述之前，这里要按照惯例，做出科学的免责声明：我们没有真正搞清嗅觉的工作方式。在我们的鼻子里有一些细胞，如果特定的分子漂浮在上面，就会引发它们的反应。它们就是所谓的嗅觉感受器，位于鼻腔上部的神经元膜上，直接与大脑相连。与受到光子刺激之后产生视觉的视杆细胞和视锥细胞类似，嗅觉感受器在捕获有气味的物质之后会发出信号，产生嗅觉。不过与视觉不同，嗅觉感受器有很多种，每一种感受器只能捕获某一些气味分子。而每一种气味分子似乎又能引起好几种感受器的反应，这让情况变得更加复杂。

嗅觉感受器也是由基因控制的。控制人类嗅觉感受器的基因有大约 400 个，组合起来有近 100 万种变化，让我们得以闻出各种各样的气味。但这些组合如何营造出丰富的感官反应，人类仍然不太清楚。不过也有一些例外，比如 2015 年的一项研究就揭开了嗅觉的一些秘密，让我们不至于对人类遗传学的高深莫测感到过于沮丧。OR7D4 属于嗅觉基因之一，不过它很仁慈地与我们的嗅觉有着直接的联系——它只对一种分子产生感应。这个基因在不同的人身上有着不同的变异，而它的不同寻常之处在于，它只与雄甾烯酮这一种化学物质有直接的联系。尽管这种类固醇在人类汗液中存在着，但我们还不太清楚它对人类有什么影响。不过对猪而言，它就是交配的重要信号。

公猪的唾液中存在大量雄甾烯酮，这也是未经阉割的公猪身上“猪膻味”的主要成分。当处于发情期的母猪闻到雄甾烯酮时，就会弓起背脊摆出准备交配的姿势。这种情况不会出现在人类当中，但我们当中有些人能闻到雄甾烯酮，另一些人则不能。对一些人来说，这种味道就像陈腐的尿骚味[1]，对另一些人来说，这是一种甜味，而对我以及其他一些人来说，它根本没有味道。这取决于你 19 号染色体上的 OR7D4 基因是什么。

OR7D4 是一个相当普通的基因。它是我们细胞中携带的大约 2.1 万个基因之一，只有不到 1,000 个碱基那么长，这也是许多基因的标准长度。这个基因上一些碱基的不同，决定了雄甾烯酮进入你的鼻子时，你将会闻到什么味道。这种直接相关性是非常少见的，因为其他大部分嗅觉感受器都很复杂，涉及的基因很多。

我问研究组的成员之一马修·科布（Matthew Cobb），他们为什么要探寻尼安德特人的嗅觉，他的答案很简单：“因为我们可以。”我喜欢这个回答。研究这个的目的，不是为了探寻死去已久的人的嗅觉，而是看看不同类型的基因是如何散播到全球各地的。科布和他的同事推测，这种差异可能与人类进化时养猪这种行为的分布范围有关，之后我们还将看到乳品业对人类也会产生类似

[1] 2010 年的电视节目中，我在伦敦的考文花园花市（Convent Garden Flower Market）让一位意大利游客闻了试管中的雄甾烯酮，导致了她的呕吐。我感到十分抱歉。

的影响。这种对遥远过去的追溯很典型地证明了现代的遗传学理论会如何在叩问原始的先祖上得到发展。这个简单而且不是特别重要的基因，展示了一些几乎称得上魔术般的事情。我们对于重构过去的热情，让我们在感官领域获得了新的进展。我们如今知道，如果尼安德特人遭遇了公猪，他或她会表现出厌恶，而不是像我一样，对公猪散发的气味完全无动于衷。

人们还对尼安德特人的 MC1R 基因展开了研究，它被认为是决定皮肤和毛发颜色的重要基因。有些人携带的这个基因出现了罕见的变异。如果他们的第 16 号染色体上拥有来源于父母双方的两个罕见版 MC1R 基因，那么他们的头发就会呈现红色。MC1R 上的少数等位基因会导致苍白的皮肤和红色的头发[1]，但是最常见的是出现一个碱基的变化，从 G 变成 C。研究尼安德特人的 MC1R，会发现其中有一些人类身上从未有过的不同突变，不过这也意味着他们可能也有红发和苍白皮肤的情况。尼安德特人没有给我们留下毛发，而且色素沉淀在这么多年之后也无法存在。所以我们把这种尼安德特人的基因植入了细菌或其他我们可以控制基因的小型生物体中，看看会发生什么。这个系统无法长出毛发，不过决定了黑素体的黑色素类型，从而可以影响皮肤和毛发的颜色。最后的结果有点模棱两可。尼安德特人会有红色的头发吗？可能有，不过如果有，那他们的红色也和人类的不太一样。

接下来，我们要讲到基因提供信息的局限性。我可以列出很多尼安德特人身上的基因，说明他们与我们的相同点、相似点或

[1] 我们将在第 2 章详细讲述红发和 MC1R 基因。

不同点。但是基因在基因组中如何拼写（基因型），它们如何生成蛋白质，最终如何转换成表现出来的特征（表现型），这之间的关系常常也不太清楚。我们常常得猜测尼安德特人基因组里的基因有什么作用。21 世纪遗传学的重大进展之一，就是可以通过控制小鼠的基因，看看会发生什么，从而检验基因的功能，或是确定基因损坏导致的人类疾病。例如，在一些研究中，科学家认为 SRGAP2 与智力有所关联。我们（包括尼安德特人）比黑猩猩拥有更多的 SRGAP2，可能也因此拥有更多的神经元连接。或者我们还可以讨论 HACNS1，它与人类出生之前手部的发育有关。人类的 HACNS1 就与黑猩猩的大有不同，后者的手部不如我们这般灵巧。但我们还没有彻底搞清楚 HACNS1 在我们自己的成长中起到了什么作用，因此也就不知道它在人类手部的进化中扮演了什么角色。所以，尽管我们知道了尼安德特人的基因，但很多时候真相依旧埋藏在深处，掌握基因型并不能确切知道它的作用。

这不是在贬损遗传学这一个世纪以来取得的成就。我在上文中举出了几例仅通过研究个别基因就能了解的尼安德特人的特征，包括发色和嗅觉。让我感兴趣的地方，在于史前时代的时间范围之广。当我们开始研究生物体中的所有 DNA，而不是少数基因时，遗传学就成了基因组学。浏览尼安德特人的整个基因组，会发现更加有意思的事情，因为它告诉了我们关于现代人类的信息。我们与尼安德特人的关系，在共同祖先这件事情上变得更加明确：我们的祖先与他们的先祖在大约 50 万年前分道扬镳。不过 DNA 的分析明确指出我们与他们之后还发生过反复的性接触，而且每次双方聚在一起，都可能出现这样的行为。

那么发生了什么呢？人类既好色，又好动。我们这么说看起来有点让人疑惑，不过至少在我们讨论的这个年代，确实如此。当我们说到人类走出非洲时，并不是说他们打好包裹，提着拐杖，一路向北，前往应许之地。这种论调只是一种假说，称作非洲起源假说。它认为我们起源于发现最早的现代人类踪迹的地方，并向世界各地迁移。但具体的时间表，我们目前尚不清楚，只知道这个过程持续了很久。智人在大约 5 万年前进入了欧洲，这个故事我们将在第 2 章详细阐述。他们不是提着手提箱一夜之间就到了那里，而是以群体和部落的形式向各地扩散。这是我们能给出的最好的描述。研究表明，这期间发生过最少五次基因流动，这也不是说五个现代人类与尼安德特人发生了性关系，产生了后代，并让他们的基因流传到了遥远的未来；而指的是群体、部落之间的交配，在大批人口之间分享了他们的 DNA。

尼安德特人的所有 DNA 序列都可以在网上的数据库中查到，如今，最新的测序技术可以扫描所有人的基因组（尽管不是完全测序），并分析其中的许多信息。23andMe 就是这样一家基因测序公司，我之前曾请他们分析过我的基因组，其结果将在后面详细谈到。不过这其中产生的一个问题就是，你携带了多少尼安德特人的 DNA。我有 2.7% 的 DNA 来自他们（根据公司的数据，这是欧洲人的平均水平，不过学术研究认为这个数值过高了，欧洲人拥有的尼安德特人的 DNA 的比例要更低）。也就是说，我基因组的 30 亿个碱基对中，有 8,100 万个来自尼安德特人，它们分布在我的 23 对染色体里。包括决定性别的 Y 染色体，人类有 6 个染色体的 DNA 上的碱基对数都比这个要少。显然，这不是经过一两次基因流动就能做到的事情。

佝偻、野蛮、不断发出呼噜声的洞穴人，尼安德特人背负了这个污名长达一个多世纪。针对他们头骨的颅面复原技术显示，他们和我们长得很像，只是没有那么漂亮。而漂亮完全是个主观的判断，你不欣赏他们，不代表你的祖先不欣赏。我们的祖先和尼安德特人的确是有过大量交配的。

我携带了尼安德特人的基因。因此，尼安德特人是我的祖先。如果你携带了尼安德特人的基因，那么他们也是你的祖先。如果你有欧洲人的血统，也基本可以确认你携带了尼安德特人的 DNA。这种情况被称作“基因渗入”（introgression）——一个独立的群体在反复的家族性回交后引入了 DNA。这也会让一些绝种的族群的 DNA 流传下来。自从尼安德特人被发现以来，他们就被认为是我们的近亲。从遗传学上看，很明显他们也属于我们的祖先。[1] 这是 DNA 祖先的重要概念之一，融合了所有关于家族树的假设分支。它被称作“混合”（admixture）——混合了之前已经分离的族群的基因。

欧洲人携带了尼安德特人的 DNA，但并不是所有现代人类都这样：大部分非洲人几乎都没有他们的 DNA，而东亚的部分人携带的尼安德特人的 DNA 比例比欧洲人更高。长期来看，“混合”就是通过“基因流动事件”实现的。直白地说，就是性行为。现代人类与尼安德特人在我们的历史上进行了大量的交配。

---

[1] 我想感谢拉腊·卡西迪，她是都柏林三一学院的一名研究人员。我从未考虑过尼安德特人和物种定义的问题，直到她在一次公开演讲中向我提出质疑。她是对的，而我错了，这件事引发我思考，所以我要感谢她。

然而，在 2016 年，另一项研究颠覆了我们的认知。随着对尼安德特人 DNA 的研究在 21 世纪迅速发展，我们的人类进化图变得更加清晰而散乱。我们从克罗地亚发现的骨骼中发现，我们和尼安德特人的异种交配大约发生在 6 万年前，当时我们认为智人第一次来到欧亚大陆。也就是说，我们的祖先和尼安德特人一见面就开始了交配。罗马尼亚发现的智人骨骼则显示，这样的情况在 4 万年前又一次出现了。看起来，我们的祖先每次遇到尼安德特人，都会进行亲密接触。

2014 年在西伯利亚的阿尔泰山脉，我们发现了 5 万年前逝世的女性尼安德特人。她的趾骨提供了我们所发现的最详细的尼安德特人 DNA。2016 年 2 月，对她的 DNA 分析显示，她的基因组里包含现代人类的 DNA。我们不知道是谁导致了这种情况，但这些人很像现在的我们。这批智人所出现的时间和地点，刷新了我们过去的非洲起源说的观点。他们可能是第一批走出非洲的移民，早在我们以为他们离开故土之前几万年，他们就已经一路向东。非洲起源说的假设目前来看还是可以自圆其说的，不过古 DNA 提供的证据已经大大改变了这个假设对于迁徙时间和方向的认定。

无论如何，智人和尼安德特人的基因之间出现了流动。当我们讨论基因流动时，使用“事件”这个词就像用“迁徙”这个词一样，容易产生误导。正如上文所说，考虑到尼安德特人的 DNA 在现代欧洲人身上的广泛分布，智人和尼安德特人之间的性行为不太可能是短期的、偶发的、个体的行为。那么人口之间的异种交配为何会发生？这是个有趣的问题。

由于精子和卵子结合成受精卵时，基因的重新组合是随机的，所以异种交配的后代能够获取什么样的基因，完全是看运气。接下来，这些基因是否有用，就要看自然选择的筛选了。2015 年秋天，有一系列研究分析了从尼安德特人获取的 DNA 对进化产生了怎样的影响。由于 DNA 容易一块一块地遗传，所以根据各代共有的 DNA 的长度大小，可以了解到它们的用处有多大。那些用途很大，很可能通过自然选择流传下去的基因，可能还会携带相邻的 DNA 一起遗传，好比在自行车赛中，领头的车手后面还跟着一大群人。如果它们是有害基因，那么就会慢慢被淘汰。比照尼安德特人的 DNA 片段和我们认为来自尼安德特人的现代人类的 DNA 片段，我们就能从进化的角度，构建杂交成功的良好模型。格拉汉姆 · 库普的团队就这样做了，并发现我们的基因组在慢慢淘汰尼安德特人的 DNA。这表明，智人和尼安德特人交配不利于改善我们的基因，尽管这种现象并不明显。在尼安德特人的 DNA 附近的基因正在遭遇较弱的负选择，它们好比较弱的自行车手，慢慢开始掉队。这可能也与人口规模有关。有可能尼安德特人的数量一直处在较低的水平。从尼安德特人的骨骼上获得的线粒体 DNA 都十分相似，也就是说他们的遗传差异很小，人口较少，可能只有几千人。我们认为，在智人与尼安德特人进行异种交配时，前者的人数远多于后者。在尼安德特人的 DNA 进入智人时，即便他们的 DNA 不是那么有优势，也可以存留在更大的基因库中。而智人的 DNA 进入尼安德特人以后，因为尼安德特人没有明显更优的基因，所以这些 DNA 就会长期存在于他们的基因内。凯利 · 哈里斯（Kelley Harris）和拉斯姆斯 · 尼尔森（Rasmus Nielsen）的论文中得出了同样的结论，并表示自然选择对这种基因渗入的影响比较微弱，不足以影响智人和尼安德特人的后代进行繁殖。这点不像我们常能看到的，关系遥远的物种之间可能会产生生殖隔离。

另外，通过数据处理，我们还从异种交配中得到了另一个有趣的细节。尼安德特人的基因渗入程度，在 X 染色体上比其他染色体上更低。男性只有一半的机会传下 X 染色体，因为他们还有 Y 染色体。这种 X 染色体上基因渗入程度更低的情况，表明最初进行交配的以男性尼安德特人和女性智人为主。

尼安德特人对我们做了什么？没做太多。我们不知道为何智人在这数千代以来，都缓慢地抛弃着尼安德特人的 DNA。这里我们学到的重要一点就是，它揭示了进化的速度之慢。当然，任何产生严重危害的基因都会被立刻淘汰，可能随着时间彻底消亡。然而在剩下的情况下，他们的基因和我们的已经融为一体，数千代以来都没有完全消失，杂种的不相容性体现得十分不明显。而且这些研究都是极度精密的，这种差别只有通过显微镜对 DNA 序列进行仔细审视才能发现。大部分情况下，它们都无法表明尼安德特人是一个单独的物种。

我们不知道为什么男性尼安德特人和女性智人会率先开始交配。这是强迫所致，还是两相情愿？很难判断。我们和他们在 10 万年前的西伯利亚初次相遇。我们与他们又在欧洲大路上共存了超过 5,000 年，这相当于有记载的人类历史长度。想想过去 5,000 年我们的历史之复杂，史料之混乱，我们就知道了解史前欧洲的这段过去，是一件多么困难的事情。我们研究智人与尼安德特人的关系已经数十年，知道我们与他们共存过，一同繁殖过后代。但是一些考古研究也表明，我们也会猎杀和捕食他们。尼安德特人分布很广，智人在整个欧亚大陆可能都遭遇了他们，但尼安德特人的数量可能成了他们的瓶颈，这导致他们的基因多样性不足，后代整体不够健康。也可能是因为我们身上携带了他们因为进化不够而无法克服的疾病。总之最后，我们的存在取代了他们。尼安德特人是一个原种（*proto-species*），在人类的进化过程中闪耀地存在过，但是他们还不够强，未能在时代的洗礼下存活至今。无论为数不多的他们最终从地球上消失的理由是什么，我们的身上依旧都有他们基因的印记，他们将和我们一起存在下去。

牙齿和指骨

阿尔泰山脉斜跨中国、蒙古和俄罗斯，气候寒冷，环境恶劣。而在其位于西伯利亚的蛮荒秘境内，有一处洞穴名叫丹尼索瓦，以 18 世纪居住在那里的一位名为丹尼斯的隐士命名。由于严酷的天气，这个洞穴在一年的大部分时候都无法到达。在被探险者发现 40 年之后，这里出土了智人和尼安德特人的遗骸，还有狮子、土狼、长毛犀牛和俄罗斯常见的熊类等各种动物的骨骼。苏联科学家从这里找出了超过 5 万件人工制品，最近的制造时间可达中古时代。这表明这个洞穴一直在以某种形式被占据着，时长超过 23 万年。西伯利亚是地球上人口最稀疏的地区之一，每平方公里只有 3 个人。丹尼索瓦洞却是一个几十万年来有如此多生物聚集的地方，这显然不太寻常。不过理由也很明显，尽管气候糟糕，但它却是个宜人的居住地。洞穴之下是一条美丽的小河，洞穴入口呈矩形，面朝南方。一进洞穴，里面是长 11 米，宽 9 米的宽阔主厅，有垂直的烟囱供壁炉或厨灶使用。主厅旁边还有 3 个隐蔽的房间，可以当作卧室甚至书房。整个洞穴的可用面积多达约 270 平方米。

2008 年，这个洞穴的前住民的遗体被发现。称它们“遗体”有些不太合适，因为我们发现的只是一颗牙齿和一块小孩小拇指的最后一节指骨。根据出土的地层，它们的年龄大概在 3 万年至 5 万年之间。对古人类学家而言，一节指骨已经足够得知它的原主人属于古人类、大猩猩还是黑猩猩。不过如果要得到更详细的信息，单单一小块指骨就不太够了。

除了指骨以外，还有一颗牙齿。这颗牙齿太大了，智人和尼安德特人都没有这么大的牙齿。但这块指骨又足以否定人类在这里出现了又一次进化。俄罗斯的考察者把他们的发现转交给了斯凡特 · 派伯进行 DNA 分析。他们这次可是交好运了。

派伯的团队设法从指骨中提取了线粒体基因（尽管指骨也因此损毁），并将结果发表在了 2010 年复活节前的那期《自然》杂志上。在数百个世纪的腐烂之后被修复的基因序列，带来了令人震惊的发现。指骨的主人不是智人，也不是尼安德特人。人属在欧亚大陆出现过的已知物种，都没有类似的基因。其序列也不像是我们的灵长类近亲黑猩猩或倭黑猩猩。它——不，她——是一个新的人属物种。

科学家发现，这些仅有的 DNA，与尼安德特人和智人的 DNA 存在着关键的不同点。它表明这批人并不像尼安德特人一样，在大约 50 万年前走出了非洲，也不像智人一样，大约 8 万年前才离开故土。它们的 DNA 与我们的差别，大约有尼安德特人的 DNA

与我们的差别的两倍。借此，我们可以推测出三种人共有的祖先的生活年代，那就是大约100万年前。当时在非洲的某处，一群人生活在一起，但是之后有些人分离了出去，这批人中包括尼安德特人和丹尼索瓦人。

他们的分离持续了几十万年，后来又在欧亚大陆重逢。到2010年圣诞节时，指骨主人的基因组图已经完成。在第一份研究中，她被称作“来自西伯利亚南部的未知古人类”。这批人留下的化石很少，毕竟遗骸的化石化很需要运气。能在丹尼索瓦洞发现这么一块指骨，科学家可谓是红运当头。因为这个洞穴的环境很利于保存遗骸。指骨中的DNA比迄今为止在尼安德特人的任何样本中获得的DNA都要完好。

与尼安德特人和智人的指骨相比，在丹尼索瓦洞发现的指骨很小，这表明其主人是一个小孩。指骨展现不出性别，但DNA可以。性别是由DNA决定的，不过对于古代样本来说，计算染色体不是一个可行的选择。染色体只有在活细胞的特定自然周期，才会呈现出易于辨认的形状。所以Y染色体或两个X染色体，永远不可能在丹尼索瓦人的这截指尖化石上出现。派伯的团队提取了DNA碎片，并将它们放入了特别的数据库中。这个数据库还储存了许多其他DNA片段，专门用于识别未知的基因。建立了这个数据库之后，你就可以利用计算机生成基因序列，并将之与其他已知DNA序列进行对比，而不必再触碰那截指骨。首先，研究人员会看看有没有DNA碎片类似于现代人类的Y染色体部分。结果是没有，那么指骨的主人很可能就是女性。对基因组其他部分的分析发现，她应该有着棕色的眼睛、棕色的头发和深色的皮肤。这一切都是人属生物的特征，直到后来现代人类才发展出了浅色皮肤和蓝色眼睛（这些会在第 2 章进行详细阐述）。

进行基因比照的第二个关键目的，是确定他们、我们和尼安德特人的遗传距离。为此，我们需要研究全部 DNA，对各个种的基因序列进行精确对比。很简单，它们越相似，DNA 所有者的亲缘关系就越近。从双胞胎到细菌，这条规律都适用。通过比照我们发现，丹尼索瓦人和尼安德特人的关系，比他们和其他人属物种的关系都要接近。而真正令人震惊的一点在于，丹尼索瓦人的 DNA 仍然存在于现代的美拉尼西亚人（Melanesians）身上。他们是斐济、巴布亚新几内亚和澳大利亚东北的零星岛屿上的原住民。就像尼安德特人在欧亚人身上留下了永久的印记一样，仅由这根指骨发现的丹尼索瓦人，也把基因传给了这些岛屿原住民的祖先。这些基因约占美拉尼西亚人总基因的 5%。

由于中国西藏地处高原，气候寒冷，氧气稀少，那里的居民面对这样的环境也有了对应的适应性调整。该地区北边的中国人和南边的印度人则没有调整的必要。这种调整在一个名为 EPAS1 的基因上有所体现，西藏居民这个基因的序列明显与周边居民不一样，在生成血红蛋白上拥有更强的能力。而研究指出，他们这个不同寻常的基因就来自丹尼索瓦人。基因渗入现象让这群居民拥有了生活在世界屋脊上的能力，而你我到了那里，可能就会举步维艰。

我们还无法确定尼安德特人和丹尼索瓦人有多少染色体。看起来他们和我们一样，染色体是 23 对。我们与他们的杂交能产生具有生育能力的后代，也支持了这一假设。人科之下，现存有四个属：黑猩猩属、猩猩属、大猩猩属和人属。前三属的生物都有24对染色体，只有我们是23对。但是，所有的人科生物包括我们，在基因组中的大部分基因都是一致的。主要的差别在我们的2号染色体上，这是我们携带DNA第二多的染色体。但让人吃惊的是，它实际上是黑猩猩属、猩猩属和大猩猩属生物中两条中等大小的染色体首尾相连融合后的产物，这两条染色体在功能上起到了同样的作用，排序也一样。我们还看到了人类2号染色体结构上的一些残余，它们是在两条染色体结合后不再需要的部分。染色体的中部很细，就像在长气球的中间系了一个结，它被称作“着丝粒”（centromere）。黑猩猩属、猩猩属和大猩猩属的这两条染色体上，各有一个着丝粒，而人类的2号染色体上只有一个明显的着丝粒，还有一个很不明显的着丝粒残留。这泄露了我们与这些长毛四足动物拥有共同祖先的事实。我们可以在DNA序列上看到这一点，尼安德特人和丹尼索瓦人的基因组图上也出现了这个现象。也就是说，在智人、尼安德特人和丹尼索瓦人分化之前，人属生物在染色体上的独特变化就已经出现了。

教宗若望·保禄二世（Pope John Paul II）在1996年表示，进化论不只是一个理论。这可以看作是宗教领域对科学界的一次友好的示意，尽管他依旧对科学有所误解。科学理论不同于本地方言，乃是知识分子的共同语言，是对自然真正本质的至高表述。而他试图调和上帝造人理论和人类从原始猿类进化而来的无可辩驳的证据。教宗认为，进化过程有着“存在论的不连续性”——如果我们要寻找上帝造人的时刻，那就是这两条染色体合二为一之时。假如事实如此，那尼安德特人和丹尼索瓦人也就进入了我们这个受到上帝特别眷顾的群体。否则，这种不连续性就不存在，有的只是人类进化至今的崎岖与不易。

丹尼索瓦人身上发生了什么？我们还不太清楚。这个人种几乎完全隐藏在迷雾之中。尽管有传闻称在西伯利亚的丹尼索瓦洞中又发现了其他骨骼，但目前我们可以依赖的仅有那截指骨和那颗牙齿。2015 年年底，洞里发现了第二颗牙齿，据说还有更多的牙齿正被发现。我看了它的基因组图，基本上也属于那个女孩（第一颗牙齿来自一个年轻成人），我们也知道这些人既不是智人，也不是尼安德特人。尽管在后来的某些时刻，他们中的一群人又与智人相遇、交配并产生了后代，这些后裔最终在东方，尤其是美拉尼西亚群岛上繁衍生息（最近的研究显示，丹尼索瓦人与尼安德特人之间也发生过性关系）。

来自过去的幽灵

迄今为止，在丹尼索瓦人的故事中，有一个难以说通的地方（而且我肯定在未来的几年中，疑点会越来越多）。2013 年，给本书贡献大量素材的哈佛大学遗传学家大卫·瑞奇进一步研究了丹尼索瓦人的基因组图（采用了一些复杂而敏感的数据分析），发现了一些无法解释的事情。尼安德特人和丹尼索瓦人在大约 40 万年前，与我们出现分化。不过如果你仔细观察，会发现丹尼索瓦人与我们的基因差别比理论值更大一些。瑞奇和其他人认为，这说明丹尼索瓦人还与其他物种进行了异种交配，而那些物种的 DNA 我们目前还没有获得。这群“幽灵”人的存在，只能通过与他们性交后在DNA留下的痕迹才隐约可见产生的DNA差别才隐约可见。他们究竟是谁，学界众说纷纭。伦敦自然历史博物馆的英国人类学家克里斯·斯特林格（Chris Stringer）等人认为，他们可能是我们已经从骨骼上确认存在过，却无法从其上提取DNA的物种——海德堡人。他们也可能是一种新的人属生物，从而把已经混乱不堪的人类进化图涂抹得更加复杂。在广西壮族自治区的龙岭洞穴内，还有一些已经发现的奇怪人类的化石。他们大约逝世于1.4万年前至1.1万年前，正是更新世（Pleistocene）与全新世（Holocene）的交界处。到了这个时期，理论上还存在的人属生物应该只有智人。但这些家伙并不是智人。他们与我们有许多共同点，但还保留了不少原始人的特征。在洞穴中，我们发现了许多烹饪马鹿后的残余物，所以把他们称作“马鹿洞人”。给他们进行分类的科学家之一科林·格罗夫（Colin Grove）表示，他们“与我们很相近，但不是我们”，可能会被归为另一个人属物种。迄今为止，对马鹿洞人的DNA提取均告失败，一些科学家猜测他们可能是丹尼索瓦人和现代人类交配的后代。不过只有在我们取得了DNA以后，才有可能解开这个谜团。

现在，我们的研究成果大概就是这样。如果你想要坚持旧的物种定义，那么就不能把尼安德特人称作一个不同的物种。丹尼索瓦人目前也还没有被分类法正式划为一个物种。毕竟DNA并不是划分物种的依据，而且光有指骨和牙齿，证据也不够充分。但丹尼索瓦人确实与我们不同，也与尼安德特人不同，而我们却能与他们快乐地交配并产生后代。这是个古怪的难题。它与我们用来分类生物的体系相抵触，也与上帝的创造是完美的这一理论相矛盾。达尔文的伟大想法推翻了那个理论，他意识到生物会随着时间推移不断进行进化。唯一不变的只有死去的生物。

显然，蠕虫和猴子有着很大的差异，它们经过了数亿年的分别进化，之间不可能产生后代。黑猩猩与我们只分离了 600 万年，尽管还能发生性关系（听起来有些不适，但确实如此），却也无法产生后代。而从 DNA 的结果来看，100 万年来的地理隔离导致的人属生物在数千代进化后累积的身体差异，还不足以阻止彼此之间成功交配，并产生具有生殖能力的后代。

如今，地球上有 70 亿智人，根据我们取得的所有证据，智人之外的其他人属生物在 4 万年前几乎都已经消失。矮小的弗洛勒斯人可能是个例外，因为他们生活在孤立的海岛上，进化历程较为特殊。大部分人属生物与智人都没有很大的差异。在未来，我们会继续详细研究这些引发了大量争论的古代人类骨骼。有些争论会随着 DNA 成功提取而消失，另一些则会愈演愈烈。不过有一件事似乎是不可避免的：古代基因组图将证明，在我们成为仅存的人属生物之前，其他人属生物已经在世界各地留下了自己的足迹。过去 100 万年的历史已经由 DNA 记叙下来，而我们寻回历史的历程也已展开。曾经直白明了的进化树已经被抛弃，我们正努力绘制着充满大河、小溪、池塘的，错综复杂的进化水文图。

这种描述只是浅薄地展现了我们的遗传史。随着科技的迅速发展，化石的陆续出土，我们还会发现更多人属生物在远古时代的性接触。如今，几乎每周都有关于尼安德特人和丹尼索瓦人的新研究，这些早期人类之间发生关系的时间、地点和带来的影响在不断得到修正。现在我们已经清楚，以前对于我们从哪里来的简单认知是错误的。弯腰驼背的猿人逐渐站立起来，这样的进化图已经一去不复返了。美国垮掉派诗人[1]爱德华·桑德斯（Edward Sanders）发明了一个词，用于形容一种极度混乱的状况，我认为用在这里十分贴切。这个词就是 clusterfuck，意思是“群交”。回看我们的进化史，简直就是一场持续 100 万年的盛大群交。只要人类相见——无论是智人、尼安德特人还是丹尼索瓦人，都会进行交配。生活可真美好！

在接下来几章中，我们会发现家族树从来就不像我们在家谱上见到的树形图那样，或是科学论文中见到的亲缘种那样，或是达尔文 1837 年在他的笔记本上胡乱涂抹的那样。由于我们既好色，又好动，所以这种分支关系错综复杂。尼安德特人、丹尼索瓦人，以及其他尚未发现的“幽灵”近亲，由于与我们分离了太久时间，导致外形上与我们产生了区别，很快我们就要进一步了解他们。尽管他们已经在地球上消失，但实际上他们也变成了我们，我们在自己的细胞中就能发现他们的踪迹。我们的身体承载着过去。没有开始，也没有缺失的一环，生命就像潮涨潮落一样，一代代延续着。这些古代人类从来没有绝种——只是与我们合为一体。

[1] 垮掉派是第二次世界大战后风行于美国的文学流派。这一派的作者以浪迹天涯为乐，蔑视社会的法纪秩序，反对一切世俗陈规，寻求绝对自由。——译者注

第 2 章

第一个欧洲联盟

距今 8,000 年，卢森堡的劳施布洞穴

在欧洲、欧元、德意志第三帝国、德意志第二帝国和延续 844 年的神圣罗马帝国之前；在老鼠带来的黑死病肆虐欧洲之前；在“驼背的暴君”理查三世诞生之前；在《大宪章》(*Magna Carta*)颁布之前；在 1066 年英格兰最后一次被入侵并征服之前；在神圣罗马帝国的奠基人查理曼加冕称帝之前；在维京人和北苏格兰人踏上遍布火山的荒凉冰岛之前；在小亚细亚第一次召开尼西亚会议（Council of Nicaea），给基督教带来深远影响之前；在罗马帝国几度兴衰之前；在亚历山大挥师东征和他高明的导师亚里士多德之前；在希腊城邦诞生之前；在米诺斯文明和迈锡尼文明出现之前；在北方的撒克逊人、皮克特人、哥特人之前；在所有这些人、部落、传统、文化、战争、入侵、技术、著作出现之前，在有一切历史记载之前，我们就已经存在于这个地球上了。从东部的草原到大西洋沿岸的特拉法加角，整个欧洲都存在着我们的痕迹。智

人作为人属生物在欧亚大陆的唯一居住者，已经存在了超过 3 万年了。

早期人类漫步于这块大陆，则有着长达 200 万年的历史。这其中包括直立人。直立人成功地离开了非洲故土，走向了世界，他们最东来到了爪哇，往西则踏遍了整个欧洲西部。保加利亚的山洞里，曾经出土过一颗 140 万年前的直立人牙齿。在格鲁吉亚、法国和欧洲其他地方，也零星发现过他们的遗骸。人类在英国留下的痕迹也可以追溯到近 100 万年前，在那段时期，大不列颠岛与如今荷兰的位置之间，大部分时候都有陆路可通。在英国的北诺福克（North Norfolk）的海滩上，我们还发现了他们使用的工具和加工的猛犸象骨。如今，被迅速侵蚀的海岸暴露了这些痕迹。不过，尽管我们发现了他们留下的零碎物件，但他们的骨骼太老了，也可能太潮湿了，无法保留基因中记录的历史。

我们在第 1 章已经讲到，尼安德特人的足迹遍布德国（这也是他们名字的由来）、法国、东欧、威尔士、以色列及更东的地方。他们是第一批土生土长的欧洲人：在 50 万 ~ 60 万年前，他们离开了我们最有可能的共同祖先海德堡人，缓慢地向欧洲中部迁移，抵达德国的时间不晚于 20 万年前。我们现在知道，智人经由非洲来到中东，再一路向北、向西，直到大约 5 万年前才抵达尼安德特人的栖息地。我们现在也知道，在欧洲，智人与这些原住民进行了交配，导致我们体内携带了他们的 DNA。智人与尼安德特人在欧洲大约共存了 5,000 年，从进化的角度来看，这不过是弹指一挥间。但值得注意的是，我们有记载的人类历史也不过 5,000 年，这段时间足够诞生 200 代人，出现大量的迁移、文化发展、性接触、死亡和谋生活动。尽管尼安德特人才是先到的那批，但最终是我们笑到了最后。我们可能捕猎了他们，一些科学家认为我们甚至会屠杀和吃掉他们。到大约距今 3 万年的时候，尼安德特人可能就已经消失殆尽，因为我们没有发现过年代更近的尼安德特人骨骼或工具了。

所以，过去几万年来，欧洲成了我们的领地。之前几年，尤其是 2015 年，许多新的研究结合考古学和语言学，通过对古代人类和现代人类 DNA 的研究，改变了我们对欧洲人起源的看法。在尼安德特人消失和有文本记载的历史开始之间，欧洲的定居者们在身体上和文化上都出现了变化。在接下来，我们将看到基因和文化，主要是耕种，如何塑造了现代欧洲。就像在第 1 章讨论我们远古时代的祖先时一样，我们将利用骨骼和 DNA 来修复过去，不过遗骸过于稀少，彼此相距很远。“彼此相距很远”的问题还不算太大，因为遗骸之间的距离可以让我们很好地推测物种的分布。“稀少”却是个大问题，因为遗传学是一门比较性质的科学，我们拥有的数据越多，掌握的信息就会越清晰。但是现实就是，这些人已经逝世几千年了。

最古老的欧洲人的基因组来自一个 3.7 万年前的方下巴男子。他如今被称作考斯顿克（Kostenki）。考斯顿克的 DNA 显示，他与年代更近的欧洲狩猎–采集者，例如在其 3 万年后的西班牙人的基因非常相似，却与东亚人的区别很大。我们知道，欧洲人与东亚人的关键特征大约是在 3 万年前形成的。浓密的直发、发达的汗腺和特别的牙齿形状，是当时中国出现的人类的特殊特征，尽管这些可见的差异都来源于一个基因，但人类基因的整体不同和差异也远远不只是肤色这么简单。

最古老的完整的现代人类基因组则来自更东边一条俄罗斯河流的样本。额尔齐斯河（Irtysh）是鄂毕河（Ob）的主要支流，从中国向北一路穿过俄罗斯中部，汇入北冰洋的喀拉海（Kara Sea）。俄罗斯艺术家尼古拉·波西托夫（Nicolai Persitov）善于以猛犸骨骼雕刻饰品和雕塑。2008年，他在寻找这种原材料时，被额尔齐斯河南部受到侵蚀的河岸边露出的一截大腿骨绊了个趔趄。腿骨的主人死于4.5万年前，根据被发现的位置，他被命名为乌斯季伊希姆（Ust-Ishim）。莱比锡的斯凡特·派伯团队和哈佛的大卫·瑞奇团队合作，成功还原了他的基因组图。与考斯顿克和东亚人没有什么关联不同，乌斯季伊希姆的DNA与东亚人和西欧人都有相似之处。因此，他可能是欧洲人和亚洲人的后代。这也至少从基因上证实了，走出非洲来到亚欧大陆的那一批人在几千年后开始分开，一部分人走往了日出的方向，另一部分则向西追逐落日。

对于欧洲的遗传学分析，最近主要集中在距今1万年以内的时段，这个时期，人类掌握耕种技能的证据已经十分明显。他们还驯化了猪、山羊、绵羊、骆驼等动物（狗成为人类朋友的时间要更早一些，可能是在距今1.5万年以前，他们可以用来守家和捕猎，而且只需要残羹冷炙即可养活），种植植物，加工石器。我们何时学会了耕种，这一点众说纷纭。这段时期，欧洲的气候变得更加稳定，很可能更加湿润。在寒冷时期活跃的披毛犀、猛犸和其他巨型动物开始逐渐灭绝。随着欧洲逐渐变得稳定，气温宜人，驯化变得更简单，也很有必要。规律的食物链可能有助于人类健康，不过一些考古学家的发现显示，驯化动物后人类比以前更矮一些，这往往是食物营养不足导致的，所以当时究竟情况如何仍有争议。“原始人饮食法”（Paleo Diet）现在是个流行词，指的是避免精加工的食物和碳水化合物，转而食用石器时代狩猎－采集者所能获取的产品：没有乳制品，没有精制谷物，没有扁豆、黄豆、豌豆或人类种植的其他蔬菜。坚果是可以吃的，但花生不行。它是种植而培育出的作物，在当时还没有出现。这几乎完全是空想，就像大部分流行的膳食方案一样。在农业革命之后，我们编码唾液淀粉酶的基因大量增加，这种唾液中的酶类有助于让你消化复杂大分子。有些人拥有 18 个这样的基因，而黑猩猩只有两个。淀粉酶能够帮助消化富含淀粉和碳水化合物的物质，从中获取葡萄糖，从而为进化程度更高、更加强大的大脑提供更多能量。而食物经过烹饪以后，碳水化合物的吸收效率更会成倍增长。我们不确定人类何时学会了烹饪，因为这方面的证据维度很广。但至少早在 30 万年前，我们就食用以火烤制的食物了，那时我们还算不上是现代人类。关于淀粉酶基因、烹制的食物、脑容量扩大的证据，都在旧石器时代发现，它们也有利于我们食用营养丰富的植物块茎。尽管目前，这还属于推断，但却十分符合人类的进化图，以及基因和文化互相影响的整体观点。科学家很难找到保存下来的远古食物，但遗传学的线索暗示着旧石器时代的人类会吃很多坚果，尽管那时候还没有花生。

尽管流行的饮食法多少都有益处，但这可能不是由其规定的食物所致，而是遵循饮食法会让人们吃得更少，同时去反思他们吃的东西，也不会在晚餐期间大量摄入面食或薯条。所以坚持饮食法吧，但别假装这是经过人类进化的先例而验证过的。而且记住，无论我们在过去干了什么，我们现在的寿命和生活水平才是人类历史上的顶峰。

无论如何，在现在的全新世之初，农业革命就已经展开。在这个时期，我们发现了最早的证据。尽管农业革命的原因我们还不清楚，但它却不可逆转地改变了一切。这种向家庭生活的转变，从根本上影响了我们的骨骼和基因，我们很快就要来讲述这一点。土地也有了更明显的改变，因为耕地不是自然产生的。我喜欢在英国坐火车，起伏的群山总是让我情不自禁地为之惊叹，每次出国时，也会很想念它们。我会去思考它们究竟被改造得多么不自然了，数千年来人类对它施加了怎样的力量。人们怎样设置了灌木篱墙隔开庄稼和动物，阻止捕食者，保护财产。即便是英格兰北部和苏格兰丘陵野蛮生长的灌木，几千年里也被无数次地改造过。

在 1.2 万年前，被农业革命淘汰的狩猎 – 采集者，数量大概有 200 万人。农业就像病毒一样，从中东（以及非洲和中国的一些零星地方）迅速席卷了整块大陆，也将成为人类历史上大部分时期的主要工作。如今，农业已经产业化，巨头公司几乎掌控了我们吃的所有食物。不过本书并不讲述这个。起初，农民开垦出小块耕地，用围墙把它们保护起来，并在周围长期居住。农作物是季节性的，从事农业也需要设立计划，并在罐子里储藏食物，以备荒年。这些多余的食物也会吸引其他人加入进来，渐渐就发展出了团体。我们人类是一个善于掌握技术的物种，科学与我们的灵魂紧密结合。最初，人类只是简单地改造土地，之后为了获得更好的收成，人类在耕种上也有了更加彻底的创新。随后，就产生了经济差距：一些人的食物有富余，另一些人的食物不够，这意味着一些家族会变得越来越大，拥有更多后代，培养更好的文化，掌握更好的技术，这个循环会持续下去。到罗马帝国时期，地球上已经有了 2.5 亿农民。这时候的狩猎 – 采集者可能最多只剩几百万人，他们位于欧洲的角落、澳大利亚、南美和非洲腹地。

几十年来，人类学家对于农业革命的影响、发生地点和幅度的争议很大，而且这种争议注定将持续下去。如今，我们的证据中又加入了 DNA 这一项，再配合对古代农业的考古研究、地势、破碎的瓦罐、炊事用具、储藏间，以及我们和野兽的骨骼。欧洲人向来乐于对农业进行争论。40 年来，我们一直纠结于欧盟的农业问题，以及《共同农业政策》（*Common Agricultural Policy*）。

这个故事也会涉及农业政策。故事开始的地点，离布鲁塞尔不远。8,000 年前，地球上大约有 500 万人，大概相当于现在挪威的人口。这个时候，人们已经抵达了南美、澳大利亚和之前的大部分地方（尽管还没有到南太平洋的岛屿和新西兰），我们也发现了几百具来自这段时期的遗体。我们才刚刚开始在他们的基因组上获得重大的进展，现代人类的进化历程就已经在重写了。大部分工作都是通过遗传学者、考古学家和历史学家组成的大型团队完成的，而遗传学的主要研究则位于大卫 · 瑞奇在哈佛大学的实验室。2015 年，瑞奇的国际团队从 9 个人的遗体上提取了 DNA。其中一个来自卢森堡的劳施布洞穴，一个来自斯图加特，其他人则来自瑞典的莫托拉镇（Motola）。他们的逝世时间都超过了 7,500 年，尽管这些人没有意识到，但他们确实站在了一场革命的边缘，这场革命将永远塑造欧洲和世界。

劳施布洞穴的那具遗体，生前是一位猎人。在他最后安息的地方，周遭都是死去的动物遗体、燧石，以及用来切割肉类、剥下兽皮的叉子和长矛。在 8,000 年前的北欧平原上，这些野兽是野猪和鹿。不过，他是最后一批猎人中的一个，之后东边来的移民带来了新的习俗、新的知识，放牧随后取代了捕猎。

劳施布洞穴的猎人遗骸早在 1935 年就被发现，不过科学家直到 2014 年才从一颗臼齿上提取出他的 DNA。斯图加特的遗骸于 1982 年出土，她的 DNA 也取自臼齿。她生活在大约 5,000 年前，是一位农民，随身用具包括拥有装饰的罐子和葫芦状容器，还有石器和畜牧工具，有着典型的线纹陶文化（Linear Pottery Culture）风格。莫托拉的那几位则是近十年内才从坟墓中被取出，科学家获取的样本包括 9 块头骨上的牙齿和另一个人的胫骨和大腿骨。像劳施布洞穴中的死者一样，这些人都是猎人。

这三处人类的基因都不一样。斯图加特和劳施布洞穴的人有着黑发基因。劳施布洞穴和莫托拉的人有着蓝眼基因。斯图加特人有着 16 份淀粉酶基因，表明他们的饮食中富含碳水化合物。劳施布洞穴和莫托拉的样本中，这种基因则要少一些。这些指标大概描绘出了他们的外形，以及关于他们文化习惯的一些特性。不过，通过研究他们 DNA 中的细微之处，大卫·瑞奇和他的团队得以揭露欧洲人这 1 万年来的遗传基础。我们对欧洲人遗传基础的了解，过去都来自对活着的现代欧洲人的基因的研究。这种方法有很多优点，但我们也知道，现代人类的 DNA 与几千年前人类的 DNA 未必一样。将劳施布洞穴、莫托拉和斯图加特样本取得的基因组，与 2,345 名现代欧洲人的基因组进行比照，瑞奇发现早期欧洲人对现代欧洲人的整体结构产生了许多影响。欧洲人来自三个不同的人类族群。劳施布洞穴、莫托拉和斯图加特的样本并不能代表他们，但他们之间的差异，凸显了我们如今发现的 DNA 的不同。

第一批欧洲人，是离开非洲，通过欧亚大陆，大约在 4 万年前来到欧洲的狩猎－采集者。他们与欧洲的原住民尼安德特人进行了交配。在距今 9,000 年至 7,000 年之间，来自东部的农民的基因也渗入了这个群体，但他们并没有将狩猎－采集者驱逐或是抹杀。我们发现，这两种人的居住环境并不重合，但与此同时，狩猎－采集者的基因也慢慢进入了农民的基因组。

之后在大约 5,000 年前，另一大批人从东方而来。他们是坐着马车、赶着羊，来自俄罗斯大草原的颜那亚人（Yamnaya）。颜那亚人可以制作青铜饰品，在给死者下葬前，会在他们尸体上涂赭色颜料。他们迅速来到了欧洲中部，给那里带来了文化和基因，还有他们的白皙皮肤。农业占据了主导地位，最终完全取代了狩猎和采集。白皙的皮肤也取代了黑色皮肤，我们将在本章继续讲述这一点。

如果你是白皮肤，那你几乎肯定是这三波欧洲移民的后代。我们正逐渐通过这些基因流动的新模型重新评估人类历史。在不久以前，我们还认为人类的历史只是一系列进化生物学家所谓的“奠基者事件”——许多小部落离开非洲故土，建立营地，发展起来，随后这些部落里又分离出新的小部落来到新的地方，重复上一过程。早期的遗传学研究（这里，“早期”指的是十年前，这门学科的发展就是如此惊人）显示，这个模型可能非常准确，因为小部落中的样本里获取的 DNA 都较为相似。你可能还会认为，随着我们离开非洲越来越远，遗传变异的幅度也会越来越小，我们在很多样本上都看到了这个现象。但是利用不同的标准对同样的数据进行分析，尤其是考虑到一个地理区域内现有的居民，未必能够很好地代表遥远过去的居民，那么情况又不一样了。为了比较明显地说明这一点，我们可以看看现代欧洲人的迁徙现象：澳大利亚和北美的大部分居民，都是过去 500 年内从欧洲移居的，所以他们的基因组无法代表澳大利亚和北美原住民的基因组。不过这种情况在更古老的人类身上不一定适用。例如，假如认为，西伯利亚的农民是与美洲大陆的第一批定居者基因最相似的人，因为这两块大陆在 1.5 万年前有白令大陆桥（也就是如今的白令海峡）相连，那你就错了。实际上，古代骨骼的 DNA 显示，如今的西伯利亚人更接近东亚人，古代的西伯利亚人更像美洲原住民，又带有一些欧亚大陆北部人的特征。这一切都让我们做出假设：迁徙的模式更加趋近线性化，就像涟漪荡开一样。直到过去几年的研究才表明，我们每时每刻都在往各个方向移动，我们的基因并不是规律地从非洲扩散开来，而是混乱地交织在一起。海洋和高山是基因流动的巨大障碍，不过在开阔的大路上，没有什么能成为阻碍。基因就这样从亚洲扩散到了美洲。

这些古代基因组告诉我们的，不仅仅是迁徙。DNA 是我们用来追溯过去的工具之一，我们利用考古学和地理学，重现了以前的景象。DNA 还揭示了人类的行为。在墓穴、洞窟、壁画、器具之外，我们的细胞中也深埋着人类文化的印记。

奶（与蜜）

我们喝奶，这是很奇怪的一点。当然，哺乳动物就是因为能通过乳腺分泌乳汁来给幼体哺乳而得名。这是哺乳动物的特色。但是它们在长大之后就不再会吮吸乳头，也不再会喝奶了。

只有人类是例外。尽管不是所有的人类文明都这样，但西方人直到成年以后，还会饮用各种各样的奶类。爱喝奶的还有非洲和中东的牧民。但这并不是理所应当的。如今的大部分成人，以及历史上的几乎所有成人，甚至都没有消化奶类的能力。所有人类都有乳糖酶，这是由一个名为 LCT 的基因决定的，它的唯一任务就是消化奶类。奶类的甜味来源于乳糖，而胃黏膜会分泌乳糖酶，将乳糖分解为葡萄糖和半乳糖。生物学家起名字总是这么没有美感。

在人类历史的大部分时候，只有婴儿身上才有活跃的乳糖酶。断奶后，LCT 基因的功能就大大削弱，因此多数时候，对多数成年人而言，奶类都不是他们菜谱上的选择。他们在断奶之后再喝牛奶，往往会遇到很多问题，包括腹胀、腹痛、腹泻、腹鸣和呕吐，总之，肚子会激烈抗议。由于乳糖酶的缺乏或活性不足，乳糖无法在小肠内得到分解，进入了结肠。结肠的细菌会将乳糖发酵，发酵产生的气体就是腹胀的直接原因，这里的压力增加又会导致腹泻等等。这就是所谓的“乳糖不耐受症”。需要承认的是，尽管它让人很不适，大部分情况下却并不致命，也是一种相当常见的现象，如果人类在成年之后还喝奶的话。当然，这也是大部分人不喝奶的原因。

除非你有着欧洲血统。如此一来，你的乳糖酶将继续发挥作用。这种不同寻常的情况称作“乳糖耐受”，尽管在茶里加奶，或是在热巧克力里面加奶，对欧洲人来说再寻常不过，但那才是不寻常的。另外，一部分非洲人、东南亚人和少部分中东人的乳糖酶也继续保持着活性，但对于其他地区的大部分现代成人而言，喝奶就意味着肚子不舒服。

科学家已经搞清楚了乳糖耐受的原因。乳糖酶基因和它周围基因的一点小改变，促成了这种现象。大部分英国人和欧洲大陆西北部的人（以及被他们殖民过的地区的人），在乳糖酶基因位置之前的大约 1.3 万个碱基对处，有一个 C 碱基变成了 T 碱基。这种基因变异并不罕见，不过这个地方的变异确实起到了关键的作用。遗传学与语言逻辑不同。好比这本书的每一个章节、每一个段落、每一个句子之间都是有机联系在一起的，表达的观点是连续的、统一的。在这个句子之前 1.3 万个字处，假如出现了一个错别字，并不会影响你对这本书的理解，我甚至会让你忽略这个错误。但在遗传学中，一个基因可能会直接影响到另一个基因，尽管彼此之间相隔了很远，甚至都不在一条染色体上。这样的情况在基因组中相当常见。

在这个例子中，乳糖酶基因之前大约 1.3 万个碱基对处，正是控制乳糖酶基因活性的区域。这个位置的突变，导致了喝奶人群的出现。研究喝奶人群基因组的这一区域，并将之与世界上其他人类的基因组进行比照，我们就能估计乳糖酶变异的时间大概是在公元前 500 年至公元前 1000 年。这些特殊的基因型都是自然选择所青睐的变异。

现在，除非它能表现出其他优势（而目前没有真正的证据表明这一点），否则我们很难搞清在没有新鲜奶类供应的地区，乳糖耐受拥有怎样的进化优势。所以我们将它看作一个利用自身行为引发基因变化的经典案例。这是基因和文化的共同进化，只有在能够产奶的动物被驯化，乳品业繁荣的群体中，才会出现这样的变化。能够饮用奶类和能够消化奶类带来的优势似乎很明显：实际上，这是一种很聪明的猜测。能够定期获取营养丰富的食物是原因之一，避免在荒年作物歉收导致挨饿可能是另一个原因。

到距今 6,000 年前的新石器时代，奶类已经成为当时欧洲人生活中的一部分。在罗马尼亚、土耳其和匈牙利出土的陶瓷碎片中，拥有结成块状的泥类物质。布里斯托尔大学的理查德 · 埃弗谢德（Richard Evershed）的团队用气相色谱仪对它们进行了分析。在那个长长的薄壁管中，在氦气等惰性气体之中，样品的成分被分离开来，以不同的速度流动，并被精确地辨认。在这些被埋藏数千年的物质中，存在乳脂的成分。如果这些陶瓷容器没有被用来存储奶类，则不太可能出现这种现象。到公元前 5500 年前后，人类已经可以制作奶酪。2012 年，波兰出土了制作现代奶酪所需的滤网和陶瓷滤器，这些古代器具上的物质也被送去进行了研究。当时落后的清洗技术又一次暴露了其上的乳脂。奶酪本身就是一种奇怪的食品，我们愿意吃它就显得更奇怪。它是变质的奶类，可能是人类第一批经过处理的食物，但是将营养丰富的奶类变成固体进行保存，会方便很多。我们之后会发现，罗马人会食用羊奶做成的奶酪，将牛当成负重的动物，而德国人和英国人则喜欢饮用牛奶。

这些几千年前没有洗干净的容器，出土的数量很少，发现地点相距也很远，所以我们需要其他方式来探寻过去。乳糖耐受如今普遍存在于欧洲人当中，在非洲和中东人身上也有出现，尽管这些都是不同的突变导致的，似乎不是来自同一个源头。往前追溯到大约 8,000 年前，这种情况就消失了。所以接下来的问题就是研究乳糖耐受是何时出现的，又是何时传播的。2007 年，英国和德国的遗传学家从德国东部、匈牙利、立陶宛和波兰的 8 个地点发现了遗骸，它们都来自距今 5,800 年前至 5,000 年前。德国的墓穴中长眠的是陶工，他们当时已经掌握了农耕技术，可能是欧洲北部最古老的一批。从他们的牙齿、肋骨和其他骨骼上，科学家获取了 DNA。这些人的基因没有出现乳糖耐受的变异，他们并不能消化奶类。

这些遗传和考古数据建立了大概的时间框架。必须承认，它们不够精确，但历史就是这样。而乳糖耐受基因出现的地点，则更加难以确定。

不过，一切皆有可能。伦敦大学学院的马克 ·托马斯探寻乳品业的起源已有多年（与此同时，他还进行着遗传学的其他研究）。2009 年，他建立了一个计算机模型，将遗传学和考古学的证据放入其中，仿佛七巧板一般拼出了乳品业的起源。根据乳糖耐受基因在如今包括斯堪的纳维亚半岛和爱尔兰的西北欧的分布，科学家推测乳品业的起源大概是在这片地区。这种进化优势可能也与这些北方部落的维生素 D 含量更低有关，饮用奶类可以弥补日照不足的影响。不过这不是马克 ·托马斯团队的发现。他们的计算机接入了考古学数据，模拟了乳糖耐受现象广泛扩散的情景——例如用碳 14 分析乳品业器具的年龄，详细比对狩猎－采集者、不饮用奶类的农民和饮用奶类的农民这三种古代人的遗传学差异。我们知道耐受基因是进化选择出来的，并不是普遍存在的，所以计算机模拟时采用的设定是，耐受基因取代了狩猎－采集者和不饮用奶类的农民身上的对应基因。它描绘的不是耐受基因诞生的地方，而是取代人群中对应基因的地方。最终的模拟结果显示，这个地方最有可能位于斯洛伐克，或是它北边的波兰和南边的匈牙利。这与考古学的结果相吻合，匈牙利和波兰农场遗迹中的残余物都显示了这一点。在 7,500 年前，这里的农民拥有结构分明的农场，种植小麦、豌豆、扁豆和小米。他们豢养了牛类、猪类和羊类，在耕种之外，偶尔也会捕猎鹿和野猪。这些人没有金属器具，而是使用燧石、木制工具、陶瓷瓶罐，从上面的符号我们可以知道他们的名字。

研究陶瓷碎片上泥类物质的布里斯托尔大学的团队，也对其他古代陶器进行了调查，试图寻找有关我们祖先饮食的线索。他们在 2015 年发现古代人还食用蜂蜜。通过对土耳其、丹麦和阿尔及利亚出土的数千块陶罐碎片的分析，他们找到了蜂蜡的痕迹。在另一些研究中，他们又发现了肉类的残留。把这些拼凑起来，一幅古代人烹饪、耕作、采集蜂蜜、放牧牲畜、挤奶、把奶类储存到陶罐里、制作奶酪的图画就展现在我们眼前。人类发展出了这些技能，并将它们传播到了整个大陆。耐受乳糖的基因对我们来说也因此价值连城。

这个故事让我们学到了两点重要的经验。首先，人们常常问：我们还在进化吗？这个问题现在有了答案。如果单单着眼于现在，我们很难做出回答，因为我们无法轻易看到全球不同人群中不同基因的流动变化。进化是一个四维时空的过程，它既关乎时间，也关乎空间，进展也非常缓慢。所以评估其影响时，我们需要百倍耐心，目前我们只是还没有足够的数据。但是我们可以肯定地说，我们在不久以前的过去还出现了进化。自然选择的压力毫无疑问改变了我们的行为和文化，而饮用奶类的故事表明，每个存在过的生物体内，随着时间的推移，基因都会持续改变。

第二点在于，我们身处的这个世界会因为我们而改变，但我们的行为和文化，我们的存在，以及我们的 DNA，也会反过来因为这个世界而改变。基因改变了文化，文化改变了基因。农业可能是影响人类文化和生物学的最强大的力量。所以，明天早晨在你的粥中倒入牛奶或蜂蜜时，要想到，正是你的欧洲祖先发起了一场文化和 DNA 的革命，你才能享用这样一份美味的早餐。祝你有个好胃口！

金发蓝眼

在乳糖耐受与否之外，现代人类之间一个更加明显的差异是肤色。我们根据肤色，粗鲁地对人类进行了实际上没有意义的分类，例如黑人和白人。种族问题将在第 5 章进一步探讨，我将会解释为什么遗传学家认为以肤色判定的人种论没有任何科学意义。在非洲、澳大利亚的部分地区和印度洋的岛屿上，那里的人类有着最深色的皮肤，几乎是纯黑。而在苏格兰和瑞典北部，一些人的皮肤苍白到了甚至透明的地步。而从白到黑之间，各种色调皮肤的人类都大量存在着。这不是自由幻想，而是事实。

尽管如此，欧洲人的身体特征确实有些不同，就像我们对奶类的喜爱一样。我们当中有许多人都是金发，一些人有着蓝色的眼睛和苍白的皮肤。甚至还有些人天生红发。这些是基因变异的结果。正如我们在前文提过的，它意味着 DNA——基因型——与早期人类相比出现了变化，导致外在表现型有所不同。

在决定肤色和发色上，至少有 11 个基因有着直接的影响。归根结底，它们影响的是你体内制造的黑色素类型和浓度。黑色素共有两种：真黑素和棕黑素。真黑素呈现黑色或棕色，而棕黑素略带红色，也是出现红色头发的根源，我们将在之后简要阐述。黑色素细胞位于表皮中，根据太阳中紫外线照射在皮肤上的情况产生黑色素，用于保护 DNA 免受紫外线伤害（DNA 的双螺旋结构在紫外线下会被打散），所以人们在太阳下会被晒成棕黑色。而在头发的毛囊中，黑色素细胞会给正在生长的头发“染”上颜色，所以你们的头发也会呈现出不同的颜色。

黑色素位于整个新陈代谢链条的末端。头发和皮肤的颜色范围，会受到你拥有的黑色素类型和浓度影响，不过还有其他一整套基因决定你的黑色素在头发和皮肤上的表现。真黑素为细胞核提供的保护，正是人类对阳光灿烂的天气的一种适应。白种人需要把皮肤晒成棕色才能保护自己，这在某种程度上算是一种事后补救，但是那些在赤道附近的烈日下生活的人们从出生开始就获得了大量真黑素的防卫。

利用这些已经确定的基因，我们可以相对容易地搞清楚这种变化是在何时何地发生的。当然，这不是简单明了的直接变化，而是以不同形式，发生在不同时间的变化。不过我们可以自信地说，在5万年前来到中东和欧洲南部的非洲人都是深色皮肤，8,000年前劳施布洞穴的狩猎－采集者也是深色皮肤。而在这两个时期之间，我们没有找到浅色皮肤出现的证据。2015年，伊恩·马西森（Iain Mathieson）和其他科学家确定了SLC24A5和SLA45A2这两个重要的基因，并表示它们的变异与色素消退，也就是苍白皮肤有关。7700年前，莫托拉洞穴中的瑞典人同时拥有这两个导致苍白皮肤的基因，以及HERC2和OCA2这两个导致浅色皮肤、金发和蓝眼睛的基因。看起来，瑞典人有这种特征已经很长时间了。

基因组学的发展，让我们得以确定某些特征是否是由于进化选择的压力方才出现的。2015年冬天，遗传学家进行了迄今为止最全面的一次调查，并在欧洲学界发表了大量研究论文。伊恩·马西森里程碑式的论文中，包含了在公元前6500年至公元前300年间逝世的230个人类的基因组图。其中一些人已经在上文提到过：劳施布洞穴和莫托拉洞穴中的死者，一些匈牙利人和波兰人。还有几十个新发现的死去已久的人类，他们的颅骨里隐藏的DNA也被科学家取得。用手摸到耳朵的后面，会感觉到你的头骨有一个硬硬的凸起。这里叫作乳突。从这里往颅骨深入一英寸，有一块类似锥形的物体，叫作颞骨岩部，这里仿佛岩石一般坚硬，所以是一个保存DNA的好地方。

所以，这群样本中有了安纳托利亚人（Anatolians）、伊比利亚人（Iberians）、颜那亚人、波尔塔瓦人（Poltavkans）和施鲁巴纳人（Srubnayans）。所有这些人都来自西班牙北部到西伯利亚阿尔泰山脉沿线，最早的距今 2,300 年，最古老的距今 8,500 年。在如此庞大的样本下，人们更容易发现自然选择的痕迹，这正是马西森团队所寻找的。为了探寻这种特征在何时出现，该团队在基因组中寻找了超过 100 万个单核苷酸多态性的自然选择模式。最先出现的是乳糖耐受，以及其他饮食相关的基因型，这些几乎都是由于农业带来的饮食变化导致的基因的适应性改变。其中一些基因的变化还与维生素 D 密切相关，这也暗示着饮食的变化，以及我们获取必要膳食补充品的能力的变化。

该团队还发现了与肠病相关的 DNA 的选择，它是一种同小麦蛋白相关的肠道激躁症。不过这种 DNA 可能是与其他膳食的适应性改变一起被自然选择的。这种 DNA 的突变有助于消化天然氨基酸麦角硫因，后者在小麦中很少见。早期种植粮食作物的农民可能会因为这个基因获得优势，而肠胃过敏的特征也就随之被附带了。科学家还发现了浅色皮肤和蓝色眼睛的基因选择，尽管我们知道莫托拉的人已经是金发蓝眼了。来自东部的浅色皮肤人迅速席卷了欧洲，随着时间的推移，人口结构、外形和耕作方式也发生了变化。这批人看上去很高，我们知道，这在很大程度上是受到基因的影响，同时环境也会起到少量却十分重要的作用（详见第 6 章）。颜那亚人是游牧民，可能是俄罗斯草原西部的牧羊人，根据骨骼推断，他们的个子也很高。我们也可以在颜那亚人的 DNA 中发现高个基因，这是他们在 4,800 年前从东边带来的。这些基因伴随着耕作和饮食的改变，席卷了整块大陆。不过受到影响的主要还是欧洲中部和北部的人口。在意大利和西班牙，自然选择更青睐矮个，可能是因为那里气候较为寒冷，食物也不太充裕。

1 万年前欧洲联盟的景象慢慢变得清晰起来。这些研究显示，自然选择下的进化在过去 1 万年里，一直在发挥着作用。这幅景象展现了人类活动和文化（尤其是农耕文化）渗入之间的相互作用，以及它们对历史的深远影响。在死者的基因组中，我们看到了自然选择的力量，虽然我们没有完全搞清为什么某些基因会被选择。这些不是我们在电视的自然史节目上看到的那种明显变化——例如对雌性动物展现的獠牙，或用来破开坚果的各色鸟嘴。然而它们也是进化论下的进化——DNA 的微小变化，以及特定基因在人群中所占比例的微小变化。基因在人口中的扩散，就是一种自然选择。随着我们发现欧洲祖先的更多遗体，获取更多他们身上的 DNA，自然选择的迹象也会显露得更加突出。这些技术也正应用于亚洲和美洲，以及人类在地球上最后抵达的区域——南太平洋和新西兰。历史学、考古学和如今的 DNA，正在刷新人类对于迁徙路径乃至进化路径的认知。对于自己如何变成现在的模样，人类有了更深的了解。

红发人的出现

> “没有红发的人，不知道其中的苦恼。”
>
> ——L. M. 蒙哥马利，《红发安妮》，1908 年

灭绝是一件令人烦恼的事情，安妮没有说错，如果人们都相信报纸的话。浅色皮肤和金发可能是对北方的适应，对非洲人、东

亚人、南亚人和美洲原住民而言，这种金发很罕见。不过还有另一种很不寻常的头发，那就是红发。

红发是单一基因变化导致的性状，红发人在全球整体人口中占 4%~5%，这让他们显得既美丽又罕见。它在苏格兰（还有威尔士和英国，以及北欧其他地区）的流行，可能源于我们祖先在某段历史时期一定程度的孤立，不过确切原因我们还不清楚。大约 40% 的苏格兰人至少携带一份红发的等位基因，十分之一的人拥有红发，但从全球来看，红发是最不寻常的发色。

这个基因有着神奇的故事。它编码的蛋白质称作黑皮质素受体 1（Melanocortin 1 Receptor, MC1R），属于 G 蛋白偶联受体（G protein-coupled receptor）的一种。这些都是跨细胞膜的螺旋分子，可以接收细胞外部合适的分子信号，并引发细胞状态的改变。以 MC1R 为例，脑垂体向黑色素细胞发出的分子信号，会让这些细胞生产黑色素。尽管大部分人类都可以制造棕色或黑色的真黑素，但 MC1R 出现红发变异的人产生的是棕黑素。当毛囊中的真黑素变成棕黑素时，头发就会变成红色。

当然，人类遗传学没有上面说的这么简单，红发的情况要有趣得多。这个蛋白质的长度是 317 个氨基酸，其上的几种变异都会导致真黑素变成棕黑素。所有的人类蛋白质都是由 20 种氨基酸构成的，每种氨基酸都是基因上相邻三个碱基编码而成。MC1R 存在的情况下，如果你的第 151 个氨基酸是半胱氨酸，而不是更常见的精氨酸，那么你就会有红发；如果你的第 294 个氨基酸是组氨酸而不是天冬氨酸，那么你的头发也会变成红色。还有其他几个变异也会产生同样的效果，在此我不再详述，但它某种程度上解释了为什么红发人的情况也不尽相同。

1997 年 6 月，J. K. 罗琳的笔下诞生了一个名为哈利 · 波特的男孩。他最好的男性朋友是罗恩 · 韦斯莱。韦斯莱家里有很多红发的孩子，包括双胞胎弗雷德和乔治。神奇的巧合是，在“哈利 · 波特”系列的第一部作品上市之后三周，针对红发双胞胎的第一份大型研究报告也发布了，其中涵盖了 25 对类似韦斯莱兄弟的双胞胎。研究确定了 3 个与红发强烈相关的变异，但对照组出现了有趣的情况。对照组包含异卵双生的双胞胎，其中有一个人是红发，另一个不是。然而，这 13 对受试者中，有 5 对拥有完全一致的 MC1R 基因。因此，红发基因的出现，并不能保证这个人拥有红色的头发。基因从来不是独立作用的，而且几乎所有基因都不止有一个作用。双胞胎头发颜色的不同，表明另有遗传修饰因子会影响 MC1R 基因的表达，从而决定表现型是否是红发。

尼安德特人的基因组——样本之一来自西班牙西北部的艾尔席卓恩（El Sidron），另一个来自意大利的里帕罗 · 墨西拿洞穴（Riparo Mezzina Cave）——显示，他们的 MC1R 基因在 307 号氨基酸的位置上出现了变异，甘氨酸代替了我们的精氨酸。在第 1 章我们讲过，这个变化在现代的红发人身上没有出现过，而在时间洪流的冲刷下，现在我们也没有尼安德特人的头发样本。不过，通过一些巧妙的测试，我们也可以设法搞清楚他们的头发是什么颜色。将在西班牙发现的尼安德特人样本中 DNA 表达出的蛋白质植入培养皿中的细胞里，我们就能研究细胞的活动，根据其行为猜测头发的颜色。现存红发人类在基因上的变异，会从多个方面抑制黑色素细胞的功能，而这些细胞测试，也确实显示出黑色素细胞的功能遭到抑制。这意味着尼安德特人有红发吗？有可能。这两个基因组的主人之间的物理距离很远，表明他们不太可能是两个特例，我们并不是碰巧取得了两个罕见的红发尼安德特人的样本。尽管几乎可以肯定金发和苍白皮肤是对北方生活的适应，但红发不太像是这个原因。想想如今大部分意大利人和西班牙人的黑头发。我们往往会根据获得的线索，拼凑过去，建立一个可以测试和验证的假设。但在红发这个案例中，我们目前确实还没有找到它出现的原因。

2014 年 7 月，气候变化和遗传因素可能导致红发人的灭绝这一消息让全球为之震惊。我第一次看见这条消息，是在苏格兰的《每日纪事报》（*Daily Record*）上。考虑到加勒多尼亚（Caledonia，苏格兰的古称）的红发人占比很多，这种担忧可以理解。几乎所有的英国主流报纸，包括《每日邮报》（*The Daily Mail*）、《泰晤士报》（*The Times*）、《卫报》（*Guardian*）、《每日电讯报》（*Telegraph*）、《独立报》（*Independent*）、《镜报》（*Mirror*）和《太阳报》（*The Sun*），都对此进行了报道，还附上了性感的红发明星的照片，如克里斯汀娜 · 亨德里克斯（Christina Hendricks）、朱利安 · 摩尔（Julianne Moore）和戴米恩 · 路易斯（Damian Lewis），还有哈里王子。社交媒体上弥漫着恐惧。《国家地理》（*National Geographic*）等国际性杂志也纷纷予以关注。《独立报》当时的标题就是一个典型："科学家警告：气候变化或导致红发灭绝"。

显然，报纸的论调来源于研究人员。气候变化会让苏格兰的阴天变少，晴天变多。因此，自然选择会倾向于淘汰红发特征，对人类来说红发不再有任何用处，终将被伟大的进化进程所抛弃。

下面这段话摘自《独立报》的文章，后面还附有那些红发名人的照片：

> 位于加拉希尔斯（Galashiels）的公司 ScotlandsDNA 的总经理阿利斯泰尔·莫法特（Alistair Moffat）博士表示："我们认为，苏格兰、爱尔兰和英格兰北部的红发特征，是对气候的适应产生的。"我认为，白皮肤和红头发出现的原因在于我们没有接触足够的光照，必须想尽一切办法获得维生素 D。如果气候发生变化，阴天更多或更少，都会影响基因。如果未来阴天更少，阳光更多的话，那么没错，携带红发基因的人就会减少。

好吧，然而并不是这样。

这个警钟用了我们很多人熟悉的基因和自然选择理论。但正如本书之前提到的，我们有很多证据表明，白皮肤是对欧洲北部寒冷天气的适应，但没有证据显示红发也是因此出现的。此外，我也没看到有任何可靠的证据表明气候变化会导致苏格兰的阴天变少。

阿利斯泰尔·莫法特是谁？ScotlandsDNA 是什么公司？实际上，这是一家基因遗传测试公司，是 BritainsDNA（详见第 3 章）的子公司。亚里斯蒂尔是该公司的创始人和董事长。这个故事来自 ScotlandsDNA 的新闻稿，其中宣传了他们新推出的一项服务，可以测试用户基因组中是否存在红发基因。

唉，真相甚至还没有睁开惺忪的睡眼，谣言就已经飞遍了全球。许多人迅速把过错归于新闻稿本身，谴责他们把广告写得像研究报告一样，让记者信以为真。

在这个案例中，我们很难想象红发会灭绝。报道中说，红发是人类对苏格兰阴天的适应。我们没有证据表明这一点。假设这是对的，自然选择会淘汰红发，那红发一定得是个非常不利的性状，拥有红发的个人在他生活的环境中会受到伤害。

我没必要详述红发为什么并非不利性状。非常明显，它不是，相反，红发还非常可爱。说红发会受到自然选择的影响，最终消失，这无论对红发人或是遗传学家来说，都是荒谬的冒犯。即便是那些真正不良的、会导致疾病的遗传问题，例如囊包性纤维症或杜氏肌营养不良，被彻底淘汰的可能性都不高，因为它们都是隐性遗传，携带一个致病基因的人依旧能健康地生活，但却有可能把这个基因传给子嗣。通过基因筛查和专家的建议，我们希望能减少这些问题，但完全消除它们的存在，目前来看还不现实。

在仔细思考了大约 40 秒钟之后，我想出了三种红发灭绝的可能性。

1. 人类灭绝；

2. 红发人，以及所有携带红发基因的人都被消灭[1]（这意味着地球上的所有人都需要接受检查）；

3. 所有红发人都得永久禁止性行为，此外所有携带红发基因的人也不得发生性行为（同样意味着地球上的所有人都需要接受检查）。

---

[1] 在著名动画片《南方公园》（*South Park*）中，主人公之一埃里克·卡特曼（Eric Cartman）可能是最邪恶的角色。因为他声称红发的都是野蛮人，没有灵魂，他的朋友为了惩罚他，把他染成了红发。与往常一样，他立刻改变了立场，声称没有红发的人都该被赶尽杀绝。如果他的计划成功实现，那么剩下的人类基因池里就只有 MC1R 的红发基因了。

老实说，选项 1 是最可能发生的。真相是，就像许多人类的特征一样，红发变异是否属于生理学上的优势，我们并不清楚。我们也不知道人类产生红发，是否是为了适应苏格兰和斯堪的纳维亚半岛的阴沉天气。它也许有性选择上的优势，因为有人认为红发非常具有吸引力，可以引发性冲动。它也可能完全是随机变异出现的中性特征，没有特殊的影响，只是偶然诞生于欧洲北部这片相对孤立的地区，并在这些人群中发生漂变，最终促成了我们现在看到的比例。

我很确信，红发不会像报道中说的那样灭绝。我曾经在《卫报》公开发表文章，表明这种观点，并认为如果红发人种在繁殖人口上积极努力，那么未来几代中红发人的占比甚至还会提高。当然，在生育后代的问题上，我也征求了妻子的意见（我也向她解释了红发灭绝的极度不可能性）。

实际上，我已经完成了生育后代的使命。我曾经在上文提到的 BritainsDNA，也就是那家引发轩然大波的公司，测验过我的基因组。我在这个地方的基因是 MC1R Val60Leu，有红发的变异。在 MC1R 蛋白质的第 60 个位置上，我的亮氨酸取代了常见的缬氨酸。在我祖上的某一代，DNA 上的一个碱基出现了变化，G 变成了 C。这有点令人惊讶，因为我是黑发（尽管最近有些灰白，毕竟年纪大了，黑色素细胞的功能也减弱了）[1]，对于一个印度后裔来说，

---

[1] 2016 年 3 月，第一份关于头部和面部毛发的综合性遗传学研究报告发表了。其中列出了一系列我们已知的等位基因，它们与一字眉、络腮胡、男性型脱发和头发灰白的倾向性有关。撰写本书时，这些基因的变种尚未被纳入商业基因组测试的数据库中，不过我认为这是迟早的事情。基因被发现，而且拥有许多已知的功能，进一步说明了基因对身体的影响。尽管我的头发灰白可能是遗传，但往往也是生物学与后天环境复杂的相互作用所致。

这再正常不过。我的父亲有着深棕色的头发（如今已是满头白发），据我所知，他的家庭中大部分人也都不是红发。不过卢瑟福家族来自英格兰东北部和苏格兰，这片地区的红发人非同一般地多。在青春叛逆期，我曾经有一整个夏天都不刮胡子，蓄起了络腮胡。而夹杂在黑胡子中的，还有许多赤褐色的胡子，仿佛烧焦的田地里的罂粟花。我拔下了几根这种胡子，在显微镜下与朋友的红发进行对比，发现没有什么差别。所以我的基因组里肯定有红发基因。我的妻子是金发，三个孩子有两个是金发，不过这两个孩子的眼睛并不都是褐色。有一个金发的儿子，他的眼睛是蓝色的，看起来简直像是瑞典人。这些孩子很可能携带了 MC1R 基因。我妻子的姐妹有着略带金黄的红色头发，丈夫是红发，他们的孩子有着你可以想象的最鲜艳明亮的红色头发。所以，这一欧洲北部的特质怎么可能灭绝？不可能的。

只在胡子中出现红色，这种现象也并不罕见，尽管我们还不知道原因。原谅我们吧，这不是过去几十年来遗传学的研究重点。红发双胞胎的研究显示，我的变异 Val60Leu 是“浅发、金发和淡棕色头发”人群最常见的一种，尽管我不属于这三类人。这也是遗传学中常见的情况——基因突变的出现或消失，不太可能是整个人群的集体现象。人类的变异就是如此神奇：我们有着极大的可变性。其中一种变异在爱尔兰的红发人身上更常见，一种变异可能与持有者疼痛临界点的降低有些许关系，一种变异又似乎会轻微影响持有者对麻醉剂的反应。这只是一个基因，但它有很多版本，表现型也各不相同，尽管在我们大多数人看来，它导致的结果就是一头鲜艳的红发。即便我们已经对红发基因、它的遗传模式、它的历史、携带者的迁徙模式、自然选择对它的影响，乃至它的表现型，对所有这一切都有了相当的了解，它给人类带来的影响依旧包裹在谜团中，令我们拍案称奇。

英国人的登场

让我们怀着对祖国的荣誉感，把目光投向这座岛屿，开始对这个遗传问题进行探究：究竟谁是英国人?

考古学家有时会用技术成果来给人类文化下定义。这些技术往往都很具特色。例如，宽口陶器人就是因为在大约 5,000 年前开始制作与众不同的水杯和水罐而得名。他们还拥有加工青铜和其他金属的能力，掌握了射箭技术，足迹遍布欧洲。在此之前还有线纹陶文人，他们同样有着广泛的分布，而且制造陶器（他们的陶壶有着雕刻的线状条纹，因而得名）。这些模糊而宽泛的定义有助于我们了解辽阔区域和广大人口在文化上的巨大转变。这些农民带着他们的陶器，在新石器时代渐渐淘汰了西北的猎人。

自从第一个人类踏上欧洲的土地，欧洲的人口流动就一直持续着。连续的陆地地块让迁徙变得相对容易，而英国和法国、荷兰和斯堪的纳维亚半岛之间的海域，则在历史上延缓了人类的脚步。自 1066 年起，大不列颠岛从未被入侵过。不过，这里并不一直都是一个岛国。我的家乡东安格利亚（East Anglia）过去并不位于海边，而是通过陆地与如今的荷兰连在一起。这块陆地被称作多格兰（Doggerland），泰晤士河与莱茵河都从这里汇入如今的英吉利海峡。它如今已经被海水淹没，成为一块 7,000 平方英里的海底沙洲，名为多格滩（Dogger Bank）。2.1 万年前，冰川覆盖了欧洲北部，海平面比现在低 100 米，多格滩周围的地区同样也是陆地。

在上一次冰川期之前和之间，猛犸和长毛犀牛，还有人类，跨越这条冰桥，来到了大不列颠岛。我们不太清楚这些人都是谁。科学家曾在威尔士北部发现过尼安德特人的牙齿。不过除此之外，这里发现的人类遗骸极少。我们发现过博克斯格罗夫人（Boxgrove Man），他属于 50 万年前的海德堡人，大概 40 岁，我们得到了他的一块胫骨，上面有着牙印，可能是食人族或食腐动物留下的。在他的长眠之地南部丘陵（South Downs），还出土过数百柄阿舍利文化（Archeulean）的石制手斧，这些器具的制造年代还要向前追溯到距今 80 万年。还有萨福克郡（Sufflok）的佩克菲尔德（Pakefield），70 万年前，这里乃是多格兰的中心地带，也出土了早期人类使用的石制工具。工具所用的石头材料，如今在萨福克海岸上仍然十分常见。

古代骨骼的主人，几乎总是被称作“某某人”——如尼安德特人、克罗马侬人（Cro Magnon Man），这些名字听起来有些乏味而冗长，毕竟发现地点都不在英国境内。1912 年，英国的苏塞克斯发现了皮尔丹人（Piltdown），这可真正引起了轰动。有段时间，皮尔丹人几乎成了英国的名人，尽管最后科学家揭穿了这个无耻的骗局，它只是中世纪人类头骨和猩猩牙齿拼凑起来的赝品。导演这一骗局，欺骗大家多年的是查尔斯 · 道森（Charles Dawson），他可能太迫切地想成为一名成熟的科学家，加入英国皇家学会，一鸣惊人。[1]

在美丽的诺福克（Norfolk）海滨，有个名为黑斯堡（Happisburgh）的小村庄。这里有一座灯塔、一座教堂、一家小酒馆，除此之外没有太多的东西。北海（North Sea）每时每刻都冲刷着这里的海岸，村里的房子也离深色的海水越来越近。因此，过去的痕迹就被海水吞没，又被送到了海滩上。2000 年，一位遛狗的男士在海滩上捡到了旧石器时代的斧子。随后科学家通过发掘，又找到了更多工具，打猎和屠宰野牛的痕迹，以及犀牛、大象、野马、麋鹿、海狸的残骸。到 2013 年，这里出土了人类的遗迹化石。这些化石留住了人类遗留下来的活动痕迹，也是除骨骼之外人类曾经在此生活过的证据。在退潮时才会显露的黏土夹层上，有着人类的脚印，看起来像是 43 码的长靴踩出来的，但脚印的历史有将近 80 万年。在海水和时间的影响下，我们没有办法得到其他细节，也不知道这些脚印是哪个人类留下的。[2] 但无论如何，在近 100 万年前，大不列颠岛就已经有人类居住了。

后来，冰川开始向北退却，海平面开始上升。一些科学家认为，巨大的海啸冲垮了多格兰，让它永远沉入了海里。到公元前 6500 年，农民来到欧洲西部时，不列颠已经是岛屿了。这让它受到了征服者和遗传学者的密切关注。对于考古上发现的文化和地理

[1] 我希望他没有这么做。创造论的信仰者反复引用皮尔丹人的示例，试图说明人类进化学说完全是愚蠢的幻想，尽管 1953 年学界已经正式揭穿了道森的骗局，没有任何科学家还会相信皮尔丹人的存在。

[2] 英国的人类进化专家克里斯·斯特林格认为，这些脚印是先驱人留下的。这是生活在距今 120 万年至 80 万年之间的人类。在西班牙中部的阿塔普埃尔卡山（Atapuerca），我们曾发现过先驱人的踪迹。斯特林格在这方面的推测上准确率很高，值得参考。

源头相似的人群，我们会统一命名：凯尔特人（Celts）、皮克特人（Picts）、盎格鲁人（Angles）、撒克逊人（Saxons）。一些人群的定义会更加准确。罗马人虽然来自罗马，然而，来到不列颠并占领这里 400 年的罗马人大部分都是从高卢（Gaul）征召的士兵。对于所有想要给过去的人贴标签的行为，遗传学总是习惯于否定它们。

大不列颠岛自 1066 年以来，从未被大规模入侵过，尽管外来的移民一直没有断过。而在此之前，这里遭遇过大量侵略，有些统治者来了就常驻此地，另一些统治者来了又走，却留下了他们的文化。对于 21 世纪而言，问题在于这些人是否留下了他们的基因。这是 2015 年的宏大项目“不列颠群岛上的人们”的主题。项目的主持者是彼得 · 唐纳利（Peter Donnelly）和沃尔特 · 博德默爵士（Sir Walter Bodmer），这两位遗传学家不仅精通历史，还对遗传疾病尤其是癌症十分了解。不过基因组就是 DNA，DNA 就是数据，从致病基因的有害变异，到与进化和历史息息相关的良性变异，这之间还是有一些不同。当然，从整体来看，我们的基因组都无比相似。不过如今，我们可以利用空前精密的统计技术，从 DNA 中获取很多细节，并通过其他方式——例如用法医分析来研究细微的指纹——揭露过去无法察觉的秘密。

该项目精心选取了 2,039 位英国人，他们在试管内留下了唾液，贡献了自己的历史。这些受试者的选择煞费苦心：他们的祖父母的出生地与自己的出生地之间不得超过 50 英里，这样就能排除 19 世纪和 20 世纪移民浪潮的影响。他们当中很多人已经退休，所以他们的祖父母都生活在维多利亚时代，那时的英国相对孤立，我们又能较为不受干扰地把跨度再往回推几千年。来自其他 10 个国家的 6,000 名欧洲人则成了样板，用于比对英国人和欧洲大陆人的异同点。

你在研究 DNA 上选择的镜头会决定你最后得到的图像分辨率。把范围从“人类”缩小成“非非洲人”，再缩小成“广泛意义上的北欧人”。仔细检视不列颠人的 DNA，我们发现的不仅仅是统治者的历史，还有普通人的历史。这个镜头是公平的，胜利或政治很少能影响这种史料来源。基因组是对性的中立记录，有时是广义上的，也得承认，有时会反映出当时的政治情况。但是这类研究不仅限于国王和女王。先人留下的痕迹可能会改变或巩固历史。这些都是无形的模式，不过因为统计数字的精妙，缺失得以补足。从试管的唾液中，识别出在这些英国人基因组中的 50 万个突变位点。我们得到了这些英国人的基因组，它们被录入计算机，包括所有的单核苷酸多态性，以及中性的变异，这意味着它们没有给携带者带来任何明显的优势或劣势。2,039 位英国人的基因组被用于相互比照，又与 6,000 名欧洲人的对照组进行对比。这是依靠计算机的计算能力展现的历史。

按照基因组上的 50 万个变异，计算机把基因相似的人群归为一组，不过按照程序设计，它并没有纳入地理因素作为考量。最后，沃尔特·博德默的团队得到了 17 组数据。根据受试者祖父母所在的位置，团队把得出的结果放到了英国地图上，结果如图。

在这个分辨率下，英国人的差异体现了出来。如果我们都是

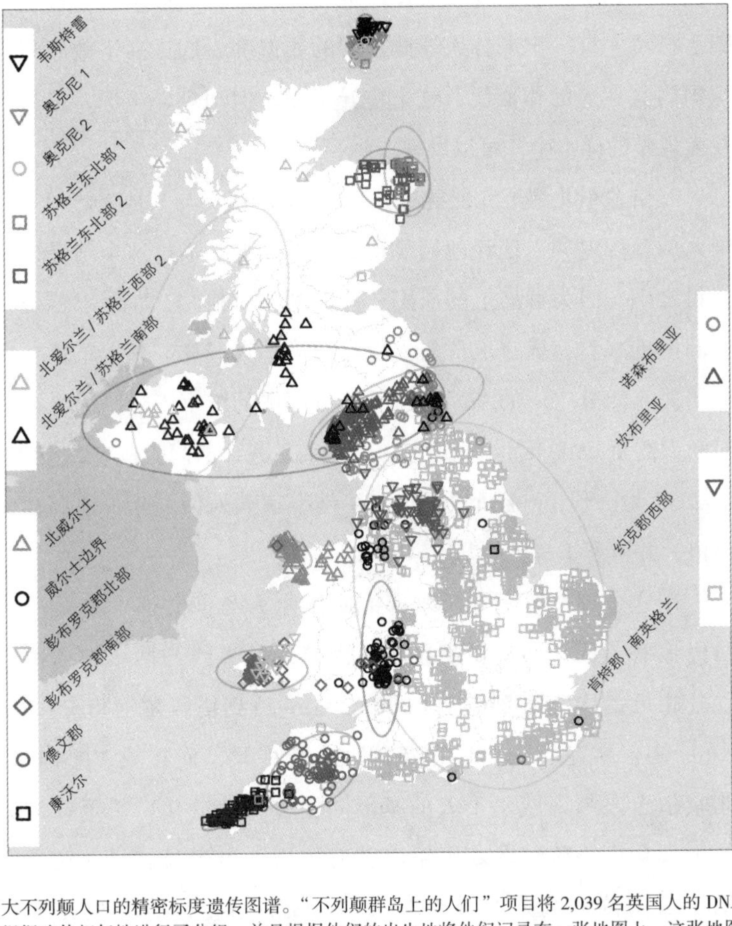

大不列颠人口的精密标度遗传图谱。“不列颠群岛上的人们”项目将 2,039 名英国人的 DNA 根据遗传相似性进行了分组，并且根据他们的出生地将他们记录在一张地图上。这张地图显示出了能够反映不列颠群岛历史的局部人群构成。

完全同质化的，那么这张地图看起来就像是布满鹅卵石的沙滩，如果样本更少，它会变得更像。但并不是这样。英国的古代遗传图谱显示，有一小部分人彼此之间的相似度要远远高于他们与英国国内其他人的相似度。这个差异很小，但却令人震惊，也只有在大规模的样本中才可以发现。

苏格兰东北部奥克尼群岛（Orkney）的居民与其他人之间有着最大的基因差异，这让他们显得有点不合群。不过这个结果也在意料之中，因为群岛上的居民一直以来相对独立。即便以苏格兰人的标准来看，奥克尼群岛人也与他们不太一样。根据推算，群岛居民有四分之一的基因组似乎来自挪威的维京人，基因交换的时间大约是1,100年前（根据基因变化的数量，其间大概有29代人，每28年为一代）。公元916年，正是维京人入侵之际，他们在此停留，并留下了自己的基因。

在这个视角下，康沃尔郡的康沃尔人与德文郡（Devon）的居民也有不同，而且出现这种基因差异的界线与两个郡的边界十分相近，从博德明荒原（Bodmin Moor）到塔玛尔河口（Tamar Estuary）。威尔士人与其他英国人也有差异，而在威尔士内部，北威尔士人与南威尔士人的基因同样存在着分化。甚至在南威尔士，文化的差异在基因组里就有体现，出生时就已注定。威尔士最南部的高尔半岛（Gower Peninsular）上，有一根无形的线从中划过，把彭布罗克郡（Pembrokeshire）和东边的卡马森郡（Carmarthenshire）隔了开来。自16世纪起，彭布罗克郡就被称作Anglia Transwalliana，意思是“威尔士的小英格兰”，这条线被称作兰斯克线（Landsker Line）。两边的基因差异是1,000年来的语言差异导致的，彭布罗克郡说英语，而威尔士其他地方都说威尔士语（至少在历史上是这样，如今几乎全世界人都开始说英语）。这条无形的界线随着人口的移动和风俗的变化，在几个世纪以来可能有几英里的移动，不过依旧存在着。

这个宏大的项目发现，威尔士的小英格兰的居民跨越了南威尔士的距离，与150英里以外的英格兰居民在基因上更加相似。先前威尔士的基因图谱没有发现这一点，还认为威尔士作为英国的一部分，与英格兰在基因图谱上没有什么区别。这不是遗传学家的失误，只是最新的科技帮助我们找到了大体相似的基因图谱上的隐约差别。

这些都是最细微的差异，但它们展现了那些相对停留不动的民族的后代。从图上看，西约克郡（West Yorkshire）的居民与周遭居民存在着基因差异，这里过去曾建立过艾尔迈特王国（Elmet）。坎布里亚郡（Cumbria）也一样，这里曾是凯尔特人的聚集地雷吉德（Rheged）。这张地图讲述了复杂的历史，以及英国人在过去的分布状况。与欧洲大陆人的DNA对比，揭示了现代英国人的基因组的源头。古代意大利人几乎没有给英国人留下痕迹。尽管考古学上有大量证据表明罗马人占领不列颠岛达400年，但罗马本地人和英国人的基因联系却相对较少。

我们往往会浪漫地认为，坚韧不拔的威尔士人、苏格兰人、布列塔尼人（Breton）和爱尔兰人都是凯尔特人的后代。他们有着标志性的艺术和文化，抽象的盾牌和十字架图案。他们当时从大不列颠岛西海岸的康沃尔登陆，把势力扩张到了威尔士和苏格兰，与北边的皮克特人和东边的撒克逊人并存。

然而，凯尔特人并非一个紧密结合的群体。根据基因组的比照，苏格兰的凯尔特人与威尔士的凯尔特人之间的差别，比他们和其他任何英国人之间的差别都大。同样的情况在康沃尔人身上也有体现，他们的基因类似于法国南部的布列塔尼人，尽管彼此之间有 250 英里的距离。凯尔特人过去的聚集地，如西约克郡的艾尔迈特、坎布里亚郡的雷吉德、德文郡的杜姆诺尼亚（Dumnonia）和康沃尔郡，在这样的基因分辨率下，居民的基因组并不相似。他们在文化上，例如耕种技术或是装饰风格上可能类似，但是 DNA 显示他们的祖先不一定是同一批人。他们的基因可能在某些时候进行过交换或是复制，或者只是巧合。但是，根据遗传学的分析，并没有一大群基因相似的民族在某个时段内来到了不列颠群岛，建立了我们所称的凯尔特人文化。“凯尔特人”只是现代人设想出来的人，而在英国人的 DNA 中并没有体现出来。

在诺曼人（Normans）之前，多个世纪里一波又一波的入侵不断改造着英国的文化，书写着英国的历史。将英国人与欧洲大陆人的基因组进行对比，可以得知哪些人来过不列颠并与这里的本土居民进行过亲密接触，留下了他们的生物特征。

在这张地图的南部，有着密集的符号。这个地区大致是以纽卡斯尔（Newcastle）、肯特郡和多塞特郡为顶点的一个大三角形。我们把这里的人称作盎格鲁－撒克逊人，但他们并不是。他们更像是欧洲大陆东北部默西亚（Mierce）、杰维塞（Gewisse）或西撒克逊（Westseaxe）等部落的结合体。公元 5 世纪，罗马王朝在不列颠的势力消退之后（可能他们也是促成这一点的原因），这批人从如今的挪威南部、丹麦和比利时来到这里。他们可能也是为了躲避从东边来到欧洲的匈人（Huns）、保加利亚人（Bulgars）和阿兰人（Alans）。在罗马帝国退场之后，接下来这些年发生了什么，有很多种说法。有人把这段时期称作黑暗年代——罗马是光，它消失了，带来的文明也如同退潮般消散——尽管这种观点非常愚蠢。没错，在罗马人撤离后，我们的确没有留下太多记载，但是文化和农业依旧延续着。一些理论认为，好战的撒克逊人登陆了英国，屠杀了被抛弃的当地人，或是让他们脱离了罗马帝国的暴政。基因地图显示的灰色方块区域，就是罗马帝国统治和撒克逊人后来占据的地区。看起来，老一代不列颠人和欧洲大陆新来的撒克逊人进行了结合。撒克逊人融入了已有人群的生活中——一个迁徙、通婚、同化的过程。与罗马人不同，他们留了下来，他们的基因也延续到了现在。

人类历史上有一件事是确定的：没有什么是永垂不朽的。公元 9 世纪，维京人从北方而来。丹麦人从公元 800 年左右开始就不断骚扰不列颠沿岸，进行劫掠。公元 865 年，“无骨者”伊瓦尔（Ivar the Boneless）、“蛇眼”西格德（Siggurd Snake-in-the-Eye）、“白衣”哈夫丹（Halfdan the White Shirt）带领军队抵达萨福克郡，征服了盎格鲁 - 撒克逊的领土。随后，他们挥师向北，占领了约克郡和坎布里亚郡，又花了几年时间占领了伦敦和东安格利亚。他们建立了丹麦法区（Danelaw），征服了英格兰的大部分地区，只有西边的威塞克斯王国（Wessex）还由阿尔弗雷德大帝（Alfred the Great）统治。维京人的统治持续了两个世纪，直到 1066 年，在斯坦福德桥战役（Battle of Stamford Bridge）中，丹麦国王哈拉尔 · 哈德拉达（Harald Hardrada）咽喉中箭身亡。威塞克斯国王哈罗德 · 戈德温森（Harold Godwinson）之后短暂统治了英格兰，却又于同年在黑斯廷斯（Hastings）与“征服者”威廉（William the Conqueror）的战斗中中箭身亡。至此，北欧的海盗时代宣告结束。不过，实际上英国人的基因组里，并没有丹麦人的痕迹。盎格鲁人、撒克逊人，甚至挪威人，都在苏格兰北部居民的基因里留下了印记，而丹麦人统治英国很长时间，却没有出现这种情况。这暗示着200年的统治中发生了什么？他们没有与英国人融合。他们可能划分了土地，确立了疆域，定下了法律（还有一些谚语，如“嫁给一个愚笨的丈夫，是地狱般的选择”），但似乎并未留下任何特别的DNA。维京人可能不像流行的描述中那样嗜杀残忍，他们也会务农，创造了优秀的艺术作品。他们与英国人的初次接触是通过海盗的掠夺，其间可能发生了强暴和抢劫，但前者没有留下基因的痕迹。或许就像之前的罗马统治者一样，维京人只是自上而下地统治着英国，并没有与这里的当地人发生长久持续的性接触。

我在本书中花了大量篇幅，解释我们都是一小群人的后代。而在不久以前的过去，我们的祖先还有着十分混乱的关系。每个英国人都是维京人的后代。虽然从上文来看，我像是把英国人分成了无数个群体，但那只是特定尺度下的判定，“不列颠群岛上的人们”这个项目没有推翻先前的结论。每个人都有着许多先祖，总会出现重合。但是相比盎格鲁人的血统，英国人可能会有更多维京人的血统，而源自挪威维京人的血统肯定又多于丹麦维京人，后者似乎根本没有留下英国的后裔。尽管他们统治了英国两个世纪，但却像之前的罗马人一样，没有深入不列颠的群众当中。尽管在这次研究中，威尔士人显得和不列颠群岛的其他人都不一样，但毫无疑问他们也会是很多英国人的祖先。北威尔士与南威尔士的居民在基因上的差异，堪比南英格兰人和苏格兰人的差异，或是德文郡人和康沃尔郡人的差异。而即便你比邻居拥有更多威尔士人的血统，那也只是细节上的，你还有维京人、撒拉逊人（Saracens）、盎格鲁人、撒克逊人，以及我们很快将要看到的神圣罗马帝国皇帝的血统。

这张不列颠群岛的基因图是前所未有的。它将历史和人类——那些来到英国，定居在这里，与当地人融为一体的普通人——捆绑在了一起，既体现了这块土地的同质性，又展现了它的多样性。看到这些标志根据过去民族的分布聚集在一起，让人既振奋又安心，太美丽了。我们都是同样的人，我们有一点区别，这点区别又展现了不列颠群岛波澜壮阔的历史，以及几个世纪以来的稳定。我想到了我的孩子，他们的母亲有着南威尔士和爱尔兰的血统，而我有着英格兰东北部和苏格兰的血统。他们仿佛是一道掺杂了英国各地食材的地道英国菜肴。随着全球化的加剧，英国的人口组成越来越复杂，也许以后我们的家庭还会有亚洲、非洲等血统的加入。

公元 930 年，冰岛，布劳什戈贝夫（Bláskógabyggð）

在更北边，还有其他神奇的故事。在人类第一次登陆冰岛后 60 年，辛格维利尔（Thingvellir）男爵谋杀了一名当地人。很快，他就在一片广阔的火山岩平原上接受了审讯。作为惩罚，他的土地被没收，人们决定流放他。不是到国外，而是到冰岛深处。这里贫瘠荒凉得宛如月球表面，他很快就会死去。冰岛率先实现了国家民主，有了集会和立法的基础。冰岛议会如今已经移到了首都雷克雅未克（Reykjavík），不过议会仍然被称作“阿尔庭”（Althing）。冰岛是一块荒凉、野蛮但翠绿的土地（当没有被积雪覆盖的时候），坐落在亚欧板块与北美板块交界处。这两个板块不断作用，以每年一个手指甲长的速度撕扯着冰岛。这也是冰岛原生岩石的来源。巴达本加火山（Bárðarbunga）和艾雅法拉火山（Eyjafyallajokull），以及其他一些小火山，至今仍然活跃着。

冰岛是一个不可思议的地方。它的环境仿佛外星球一般，冰川、荒原、峡湾、火山交织在一起，这里的文化和语言非常多样化。冰岛纬度很高，冬天时几乎全天黑暗，夏天时太阳几乎不会落下地平线。即便是其他斯堪的纳维亚半岛的居民也会认为冰岛人有点奇怪。这个国家有着极其不平凡的历史，对于遗传学家而言简直是天堂。这是我在地球上除了家乡以外最喜欢的地方。[1]冰岛第一批居民的故事，在冰岛的萨迦（Saga）中有所记载，这可能是欧洲最重要的文本之一。在超过60年的跨度内，它收录了一些改变世界的重要事件，包括莱夫·埃里克松（Leif Ericson）第一次踏上文兰（Vinland），这是北美洲的土地；以及谷德里德·索尔比亚德纳尔多蒂尔（Gudrid Thorbjarnardottir），第一个出生在新世

[1] 我不是第一个讨论冰岛国家成立的亚当·卢瑟福。另有一个亚当·卢瑟福，他是20世纪备受尊敬的埃及古物学学者。有人曾经把我和他搞混了两次，这真的令人遗憾，因为他已经逝世好几十年了，而且是个虔诚的基督徒。1937年，他写了一本小册子，详细阐述了冰岛的建立。然而那时候并没有现代基因组学。也许出于传播他的基督教激进主义的需要，他认为冰岛人是来自以色列的十二支派之一的便雅悯（Benjamin）支派。这完全是错误的。

界（指西半球或南、北美洲及其附近岛屿）的欧洲后裔。其中还有大量关于鬼魂、食人族、暴力、性爱、饮酒的描述，这都是维京人名声在外的特色。

实际上，几乎每一位冰岛定居者的谱系都被记录在案。加达尔·斯瓦瓦尔森（Garðar Svavarsson）可能是第一个来到冰岛居住的人[1]，不过他只待了一个冬天就消失在北大西洋深处。根据《殖民之书》（*Landnámabók*）[2]的记载，下一个来到冰岛的是挪威海盗弗洛基·维尔格达森（Flóki Vilgerðarson）。公元 874 年，殷格·亚纳逊（Ingólfur Arnarson）带着家人，成了冰岛的第一批永久定居者。他选择的居住地是西南的峡湾，并把这里称作雷克雅未克，意思是“烟雾之湾”。同年，更多定居者涌入这里，《殖民之书》列出了超过 400 个家族。等到 930 年阿尔庭成立时，冰岛已经有 1,500 个农场和地名，居民超过 3,500 人。

岛屿居民往往有着奇特而有趣的基因组。因为岛屿很小，我们掌握的日志里记录了 9 世纪以来冰岛的每一位居民。从那时起到现在，冰岛人共有 35 代人，而且几乎没有大规模的迁入事件发生。冰岛人口从未超过 40 万。这一切大大简化了谱系和遗传学的研究，尤其是萨迦和《殖民之书》还提供了详尽的记叙。冰岛人知道这一点，而且极具前瞻性地把 DNA 也纳入了他们的身份数据库中。如今，他们的基因组得到了科学家最为全面的研究。

---

[1] 几乎可以肯定，在北欧人之前已经有人来过冰岛。他们可能是盖尔人（Gael）僧侣。这些人没有定居下来，也没有后裔，因为僧侣不太可能留下后代。在公元 8 世纪到 9 世纪之间，这里可能建立过临时的小棚屋，不过等到公元 870 年以后人们陆续抵达冰岛时，棚屋早已被废弃。由于本书着重于从基因组揭示冰岛人的故事，而那些更早的僧侣们没有留下基因，所以在此不再阐述。

[2]《殖民之书》撰写于 12 世纪，记载了从第一批居民来到冰岛直到成书时冰岛所发生的事件。

21 世纪初，学界开始将目光投向冰岛的遗传谱系。按照惯例，线粒体 DNA 和 Y 染色体最先得到关注，因为它们留下了最明显的谱系痕迹。这些痕迹很有特点。三分之二的居民的线粒体 DNA 与苏格兰和爱尔兰联系紧密，而剩下一部分人的线粒体 DNA，以及大部分人的 Y 染色体都来自斯堪的纳维亚半岛。由于移民较少，人口也不多，这个比例让我们更容易关注 DNA 的来源。假如是英国这样的混合民族国家，以及欧洲大陆这样的大片连续陆地，我们要做这类研究就会困难许多。

这意味着什么？意味着斯堪的纳维亚半岛的男性与苏格兰和爱尔兰的女性进行了交配。在上文所述的“不列颠群岛上的人们”项目中，奥克尼群岛的人与其他英国人有着最大的差异。挪威的维京人经常来到这些美丽的岛屿，而且与来到不列颠的丹麦人不同，他们很享受当地的环境，基因的痕迹非常明显。众所周知，苏格兰和爱尔兰都是挪威和丹麦的维京海盗周期性劫掠的目的地。他们显然更进一步地向西和向北前进，并在一路上留下后代。这些生下孩子的女子究竟是被迫的还是自愿的，就不得而知了。

这里的叙述，主要是依据这一代冰岛人的 DNA。不过由于他们的历史很短，所以回溯过去并不太难。在过去几个世纪中，冰岛的考古学家在火山灰中四处探寻，希望找到第一批移民的埋葬地。2009 年，冰岛遗传学家卡里 ·斯特凡松（Kári Stefánsson）带领着他的团队，从 10 世纪的 95 名冰岛居民的口中取得了牙齿，并从中提取了 DNA。据此，他把自己的先祖一直追溯到了公元 910 年。在萨迦中，诗人称他的祖先是一位极其不讨人喜欢的战士。

冰岛的墓穴有许多都位于雷克雅未克及周边地区，北部也有一些，不过大部分位于岛屿边缘。毕竟，冰岛内部的环境十分严酷。这些人的死亡时间估计都在公元 1000 年之前，可能还包括辛格维利尔男爵谋杀案审讯时的陪审团成员。冰岛国家博物馆中，保存了 780 具冰岛居民的骨骼，不过它们大多没有经过碳素年代测定，所以这些骨骼的主人所生活的时期还不太明确。不过这里有一个根据史实推断出的小小的作弊手段，冰岛大约在 1,000 年前开始信奉基督教，所以丧葬方式也有了变化。挪威人会把死者埋葬在家附近的南北朝向的墓穴里，一般是一人一穴，有时候会一家人埋在一起。陪葬的物品包括武器、珠宝、动物或船只，供他们死后前往瓦尔哈拉殿堂或冥界。基督徒喜欢墓园，而东西朝向的墓穴里也不会放置有意义的陪葬品。

从这些居民身上提取的 DNA，一定程度上确认了之前对线粒体 DNA 的研究，同时也展现了很多有趣的新现象。古代冰岛人的线粒体基因组类似于现代苏格兰人、爱尔兰人和斯堪的纳维亚人的区域，要大于类似于现代冰岛人的区域。这是遗传漂变带来的影响。当一个种群中个体数量较少，某些特征的比例不能反映全体人类中该特征的比例时，就容易出现遗传漂变。例如，你有一袋玻璃珠，其中有 50 个是蓝色，50 个是绿色。如果你从袋子里取出 80 个，其中蓝珠子和绿珠子的数量可能会接近各 40 个，以此为比例配置一袋新珠子，那么蓝绿珠子的比例基本与原来那袋一样，还是各 50%。但是如果你只取出一个珠子，并以此为比例配置一袋新珠子，那这袋新珠子只可能是全部绿色，或全部蓝色。这被称作“始祖效应”，也就是冰岛第一批居住者的基因组并不具备代表性，却成了冰岛所有人口的基因组的基础。这批先驱者的基因组类似于他们的故乡不列颠群岛和斯堪的纳维亚半岛的居民。但由于在冰岛超过 30 代的繁衍中，都没有其他基因来源大量加入，导致现在冰岛人的基因组与先驱者故乡的居民已经相去甚远。

随着基因组学的飞速发展，遗传学家对冰岛的兴趣也与日俱增。卡里·斯特凡松和他的公司 deCODE 是所有关于冰岛遗传学研究的重要推进力量，他们的进展已经将其他人甩在了后头。2015 年，他们发表了最完整的人类基因组图，完成了 2,636 名[1]冰岛人的全基因组测序，并获取了超过 10 万名冰岛人的样本。这个范围的研究揭示了个体研究无法发现的问题，找到了许多罕见或未被观察到的致病基因或疾病相关的基因。例如，MYL4 基因的某个版本会导致心房颤动。还有一些基因会导致胆结石，或与阿尔茨海默病强烈相关。从一些人甲状腺的奇怪情况，科学家又推测如果某个变异基因从母亲处传给后代，它将会促进荷尔蒙分泌，如果从父亲处传给后代，则会抑制荷尔蒙分泌。这很难解释，不过它凸显了人类遗传学的复杂性，在这方面我们只是刚刚开始了探索的步伐。

他们还发现了一些其他的东西：冰岛人有很多基因完全没有发挥作用。基因中的许多变异会轻微地——有时是巨大地——改变编码的蛋白质的形状，以及蛋白质的表现方式。这些微小的改变是我们看到的人类差异如红头发、蓝眼睛的主要来源。一些变异会在蛋白质编码基因结束之前插入终止密码子，就像在句子还没结束时插入句号。另一些变异则额外插入了碱基，导致整个蛋白

[1] 据我所知，他们完成了多达 1 万名冰岛人的基因组测序，只是并未全部发表。

质编码基因的读码框出现了改变，好比投影仪映射的图像不完全射在屏幕上一样。这种突变叫作移码突变（frameshift mutations）。假如我用 3 个字母的单词造句，原句可能是这样：

the big red fox ate cat pie（一只红色的大狐狸吃了猫馅饼）

如果在这个序列的开始处随机加了一个字母 x，却继续维持 3 个字母组成 1 个单词的结构，这一段就会变成：

txh ebi gre dfo ata eca tpi e

像这样的一句错位的话，会使得每个词都失去任何意义，假如是基因的话，这样编码出的蛋白质就不会有任何功能。这种情况叫“功能丧失突变”。deCODE 公司在 2015 年的报告中表示，冰岛人基因中的功能丧失突变比全球大部分人都多。他们的人口中，有 1/12 都存在这种情况，无法正常实现功能的基因共有 1,171 个。这些样本都取自活着的人，所以显然，它们既无益于健康，也对身体没有致命损害。人类大概有 2 万个基因，所以你可能认为少掉一两个不是什么大事，不过这确实取决于你少的是什么基因。冰岛人身上的这 1,000 多个无用的基因是我们研究的起点，而我们要研究的不仅是这些基因在正常情况下能产生什么作用，还有为什么我们的生物学要纳入这么多似乎无关痛痒的冗余基因。

小岛上的人们

考虑到冰岛的岛屿环境，以及较少的人口基数，科学家们发现冰岛纯合性（homozygosity）的比例很高时，并没有感到奇怪。也就是说，冰岛上的后代从父母那里遗传了同样的基因，增加了隐性基因表现的概率。这是近亲交配的后果，也就是遗传学家所谓的“有效群体”太小产生的效应。在这样小规模的人口中，近亲通婚恐怕在所难免。我们知道近亲通婚会影响家族成员的健康（详见第3章），冰岛人也知道，所以这里就产生了疑问。当你在一个小镇上，被拥有类似姓氏的人搭讪时，可能会感到惊讶。这里的传统并没有对可能的近亲约会加以规避，因为光从名字我们很难判断一个人属于哪个家族。冰岛人的命名体系保留了千年前维京人的特点，父亲的名字会成为下一代的姓氏，如果是女儿，则在后面加“多泰尔”（sdóttir），如果是儿子，则在后面加“松”（sson）。举个例子，冰岛现在最著名的歌手显然是比约克（Björk）[1]，她的姓氏是古蒙兹多泰尔（Guðmundsdóttir）。她的父亲名为古蒙多·贡纳松（Guðmundur Gunnarsson），她父亲的父亲则叫贡纳·古蒙兹松（Gunnar Guðmundssón）。2013年，软件开发商悲伤工程师工作室（Sad Engineers Studios）推出了一个名为ÍslendingaApp的应用，它会从“冰岛人名册”（Íslendingabók）这个收录了超过1,000年冰岛居民数据的数据库中调用信息。用户可以在约会前通过应用看看自己与对方祖上是否有血缘关系，如此一来，就可以方便地避

[1] 她是个无与伦比的天才。

免乱伦的出现了。

多么有趣的岛屿，多么有趣的人们。地球上恐怕没有另一个国家的人们的 DNA 会受到如此多的研究了。与世界上的其他地区相比，冰岛的历史很短，冰岛人的遗传多样性水平也较低。不过他们的基因带来的科学成果却十分丰富。所以，多样性不足也未必是坏事，只要你有足够的远见和想象力来探寻其中的奥秘。

鼠疫杆菌的力量

让我们暂时抛开人类基因组，研究一种影响了整个欧洲大陆的帝国和文化，导致了重大灾难的生物。毕竟，展现历史的不只是我们的 DNA。鼠疫杆菌是一种非常典型的杆状细菌，它只有一个细胞，长约 2 微米（只有头发丝直径的几十分之一），与其他许多微生物一样，没有主动移动的能力。鼠疫杆菌的特性平平无奇，1894 年，它被出生在瑞士的法国人亚历山大 · 耶尔森发现，又在 20 世纪 60 年代得到了正式的名字。现在假设你是一只跳蚤，正在寻觅美味的午餐，好了，目标出现了，是一只土拨鼠。你跳到了它的身上，用锋利的口器划开了它的皮肤，开始了吮吸。你的唾液注入了土拨鼠体内，它的血被吸了出来。尽管土拨鼠会感到又痒又烦，不过跳蚤的进食就是这样的。

所有动物身上都有细菌，无论是体内还是体外。这些细菌大部分都无害，有些还非常有益。不过所有动物都不一样，土拨鼠和跳蚤不同，跳蚤和人类又不同。鼠疫杆菌对亚洲大草原上的土拨鼠没有什么影响。作为一只饥渴的跳蚤，你吸取的血液中含有一些鼠疫杆菌。在你温暖的中肠中，鼠疫杆菌开始迅速繁殖，它们会制造蛋白质，让血液凝成血块，并形成一层薄膜把血块包裹起来。这样你就很难消化这些吸收的血液，会仍然觉得很饿，只好再去叮咬其他动物。此时，新鲜的血液会流入你的中肠，挤出这些血块。富含鼠疫杆菌的血块就会从你的口器中流出，注入被叮咬的动物体内。鼠疫杆菌没有腿，甚至也没有很多细菌都有的鞭毛。不过它们显然知道怎么样到处传播。

对寄生生物来说，这种循环再正常不过。所有已知的生物体都有寄生生物，宿主和寄生者之间的相互关系是许多进化的重要推动力量。不过如果那只跳蚤第二次叮咬的生物碰巧不是土拨鼠，而是人类这种双足哺乳动物，那就很糟糕了。人类的皮肤往往是阻止感染的第一道防线，但是跳蚤为了吸血，已经划开了皮肤。鼠疫杆菌直接进入了人类的血液。在那里，它们开始了进一步的繁殖，而宿主的生命则会因此而走向终点。鼠疫杆菌会制造蛋白质，附着在你的肠胃、口腔、血管内部的上皮细胞上，并入侵这些地方。它们的蛋白质还会让自己免受吞噬作用（phagocytosis）的影响——你体内的巨噬细胞（macrophages）本来会如其名字一般，吞噬入侵者并消化掉它们。之后，鼠疫杆菌会破坏细胞膜，从而感染更多细胞。他们会在淋巴结中迅速增殖，在这里，它们可以躲避人类高度进化的免疫系统防护，继续它们邪恶的计划。宿主的细胞会破碎，淋巴结里大量繁殖的病菌及毒素进入细胞，引发免疫系统的典型反应——肿瘤、发红、高烧和疼痛。人体的新陈代谢流程也会被鼠疫杆菌病态地激活，巨噬细胞会听从这些入侵者的命令自我毁灭。细胞的自我毁灭是健康代谢中的一环，因为细胞之间也会相互竞争，有些细胞需要消失，例如未出生的婴儿指间的蹼。不过巨噬细胞的自我毁灭显然不是身体计划的，这会导致多米诺骨牌效应，进一步削弱人体的免疫系统。疼痛和发烧会演变成严重的头痛，你会开始全身肿胀。血管中细胞死亡，导致氧气和营养物质无法被运输到四肢。你的手指和脚趾会因此坏死发黑，渗出脓汁；腋下和胯下的淋巴则会肿得像紫色的气球。不过这时候你已经极度虚弱，基本上做不了什么了，黑死病已经彻底毁了你。大概在饥饿的跳蚤叮咬你之后的两周内，随之入侵的鼠疫杆菌就能夺去你的生命。

鼠疫杆菌可能还会侵入你的肺部，通过咳嗽和呼吸进入空气中，传播给其他人。[1]它们也可能感染你的血液，引起败血型鼠疫，致死率极高。如今，我们有了治疗的方法，抗生素可以阻止鼠疫杆菌的繁殖，如果在感染数日内接受处理，鼠疫很容易就能得到控制。尽管如此，鼠疫如今也会偶尔暴发，例如2015年在美国的科罗拉多州。现在，鼠疫的蔓延范围被严格限制在个人，确诊、隔离和治疗的手段也很成熟，阻止了这种疾病的大规模扩散。

[1] 常有人认为童谣《一环一环的玫瑰花》(*Ring a Ring of Roses*)描述的就是鼠疫横行的情况。红玫瑰象征着感染流血，“口袋里装满了花束”象征着当时传统的草本疗法，“我们一起跌倒”当然就象征着感染者不可避免的死亡。然而，这大概只是20世纪人们的事后分析罢了，大部分民俗学研究者对此并不认同。

尸体中的线索

在罗马帝国的末期，情况要糟糕得多。很少有一种疾病能够如此巨大地影响整块大陆的历史进程，而鼠疫杆菌却至少做到了两次。黑死病的第一次屠杀发生在公元 6 世纪，感染的中心是君士坦丁堡（Constantinople）。那里居住着拜占庭帝国的统治者查士丁尼一世（Justinianus Ⅰ）。当时的鼠疫只持续了一年，即公元 541 年，不过在顶峰时期却是一场大灾难。拜占庭历史学家普罗科匹厄斯（Procopius）在他当时的著作《秘史》（*Secret History*）中详细描述了君士坦丁堡的惨状。他写道，疾病最肆虐的时期，城里每天要死 1 万人。尽管现代的历史学家给出的数字保守一些，但当时每天的死亡人数也至少有 5,000 人。这次鼠疫导致了罗马帝国大约 2,500 万人死亡，尽管具体数字如今已经很难核实。随着接下来几个世纪黑死病的反复出现，死亡人数还将翻番。这种疾病的魔爪罩住了整个欧洲，包括德意志、法国、意大利、西班牙，甚至连北非也无法幸免。历史学家推测，接下来几个世纪里如此多人口的死亡，大大加速了罗马统治的终结。军队人数因为黑死病而削减，也让中东人有了可乘之机。

普罗科匹厄斯描述了埃及苏伊士港口中的黑死病受害者身上典型的巨大紫色淋巴。这是关于它致命症状的最早记载。有玉米的地方就有老鼠，因此他认为，与埃及人进行玉米贸易，就是导致人类感染的源头。

不过遗传学得出了不同的推断。随着古遗传学的迅速发展，过去几年针对黑死病的研究十分火爆。黑死病导致的死亡很多，因此我们如今在全球得到了大量黑死病患者的样本，并取得了他们的 DNA。从慕尼黑附近阿夏姆（Ascheim）的墓穴中，我们找到了 12 具公元 6 世纪死于黑死病的遗骸，并在上面取下了 19 颗牙齿，上面展现了查士丁尼一世时代的情况。2013 年的一项研究从这些牙齿上提取出了 DNA，并发现其中毫无疑问有黑死病的痕迹，而且与现在我们所见的黑死病完全一样。这打消了多年以来的瘟疫是否只是腹股沟腺炎的争论。通过这些 DNA，我们也可以看看墓穴中这些人的进化树，就像之前确认人类和其他物种的进化树一样。正如一些史实显示的一样，这些人来自东方，而不是非洲。看起来，可能是与中国通过丝绸之路进行的贸易，把这些可怕的细菌带来了西方，尽管它们在东方可能与人类相安无事。如今，携带鼠疫杆菌的主要是欧亚大草原上的啮齿类动物，尽管这只是推论，但是我们有理由猜测，这些啮齿类动物身上的跳蚤正是导致数千万人死亡的罪魁祸首。

黑死病

第二次黑死病大潮同样来自东方。在伦敦的两大标志性建筑史密斯菲尔德肉类市场（Smithfields meat market）和巴比肯剧院（Barbican Theatre）之间，是东史密斯菲尔德墓地。自 1986 年起，人们一直在挖掘这里。庄严繁华的伦敦外表之下，如今精致时尚的这里，掩埋着一段可怕的故事。在 1348 年至 1350 年间，伦敦土葬了大量死者。当时，黑死病从欧洲大陆蔓延到了英国，截至 1350

年，它已经夺去了英国三分之一人口的生命。这个墓地就是伦敦黑死病死者被大批埋葬的第一个地方。

与其说它是墓地，不如说是人类尸体的堆积场。从当时的社会意义来看，基督教葬礼的程序是必要的。不过伦敦人的死亡速度实在太快，埋葬死者的人手严重不足。有人估计死亡人数大概为每天 200 人。因此，史密斯菲尔德被匆忙划为数千名死者的土葬地，丧葬仪式也只好统一举行。它被称作“灾难墓地”，里面的尸体有些被整齐地排列好，另一些只是随意摆放就被匆匆埋葬。被埋葬人群的比例，与 14 世纪人口的死亡比例很不一样。实际上，它反映的是当时活着的人口的比例。墓穴中有四分之一都是儿童，大部分死去时不足 5 岁。剩下的是成年人，其中多数也不到 35 岁。这个比例证明，黑死病的蔓延迅速而猛烈，杀死了大量本来健康的人类。

约翰内斯 · 克劳斯（Johannes Krause）从墓穴中提取了 DNA，不过他的团队研究的是疾病，而不是人类。他们第一次获得了伦敦黑死病的鼠疫杆菌的完整基因序列，揭露了鼠疫杆菌的进化，以及它所经历的可怕旅途。更早的一项研究已经证实，与公元 541 年的君士坦丁堡黑死病一样，14 世纪 40 年代的黑死病同样源自中国。利用公开的基因序列数据库，我们可以将历史和遗传的信息进行比对。我们发现，在 5 年的时间里，鼠疫杆菌从中国来到了现在的俄罗斯，然后抵达君士坦丁堡、墨西拿（Messina）、热那亚（Genoa）、马赛、波尔多（Bordeaux），最终来到伦敦。所有这些港口城镇都被鼠疫当作根据地，借以进军内陆。一路上，鼠疫杆菌大约杀死了 500 万人。

14 世纪黑死病之后的几个世纪中，一波又一波的黑死病暴发继续削减着人类的数量，直到 1666 年伦敦大火之后，这种流行病才被扑灭。克劳斯的研究也显示，黑死病从未真正消失，如今鼠疫杆菌造成的症状和当年依旧一模一样。

接下来让我们回到人类的 DNA。黑死病给整个欧洲的楼房、教堂和堆积尸体的墓地都留下了黑色的印记。这股自然的力量是如此强大，攻击性十足，也会给我们的 DNA 留下印记。在 2014 年的一次研究中，科学家发现在欧洲人的免疫系统中，存在着进化选择的压力带来的印记。罗马人的先祖来自印度西北部，尽管他们通过各种途径来到了欧洲，并在 11 世纪时永久定居在了东欧。对于研究古遗传学的学者而言，这是一种不同寻常、意义非凡的人口结构，因为罗马尼亚的欧洲人和罗马尼亚的罗马人之间没有过多的接触。而且至少这 1,000 年来，两种人都处在同样的环境、同样的气候和同样的进化压力之下。在自然的力量中，黑死病属于强大的一种。由印度人与欧洲人组成的团队研究了黑死病对我们 DNA 的影响。荷兰遗传学家米哈伊 · 内特阿（Mihai Netea）与罗马尼亚、西班牙和印度科学家一起，从公开的基因组数据中探查了各种免疫基因，研究了 20 万种单核苷酸多态性——这些差别导致了我和你还有其他人之间的许多差异。在数据库中，他们找到了一些基因经历正向选择导致进化的证据。这个过程被称作“选择性清除”，在第 1 章已经有过详细阐述。该现象在罗马人曾经的故乡印度西北部（以及非洲和中国）都没有出现过。罗马人和欧洲人的正向选择迹象，以及基因交流的缺乏，证明在过去 1,000 年里，这两种人有着类似的进化驱动力，而印度人没有经历这种驱动力。黑死病从来没有给南亚次大陆的人们带来欧洲那样深切的灾难，而死亡的压力是进化的巨大驱动力。这是否是运气导致的，欧洲人如今又是否天生带有对鼠疫杆菌的免疫力，目前还不得而知。

研究结果暗示了很强的关联性，不过内特阿的团队还是进行了仔细的梳理。针对黑死病，DNA 上出现明显进化的区域有一系列基因，它们被称作 Toll 样受体（Toll-like Receptors, TLRs）。[1] TLR 编码的蛋白质位于巨噬细胞或岗哨细胞（sentinel cells）等免疫细胞的表面，警惕地等待着拥有特定标志的微生物的到来。一旦识别出入侵者，免疫警报就会拉响，保护我们的免疫系统就会激活。TLR1、TLR2、TLR6 和 TLR10 共同作用，就可以识别鼠疫杆菌，罗马人和罗马尼亚人在这片区域的基因出现了轻微但可以观察到的进化，而世界上其他地方的人都没有。黑死病就这样给我们的基因留下了印记。

普罗科匹厄斯的《秘史》中，对君士坦丁堡的黑死病以及它引发的症状如发热、腋下和胯下的肿胀等，进行了详细的描述。不过随着我们越来越擅长从古代的遗骸中提取 DNA，对过去的了解也深刻和丰富了许多。这些遗传信息告诉了我们一个不同的故事。截至本书英文版出版时，关于这次大规模死亡的最新研究报告是丹麦遗传学家西蒙·拉斯马森（Simon Rasmussen）在 2015 年秋天

[1] 许多基因都是在果蝇身上发现的，因为相对大型动物，对果蝇基因的控制和改变要简单许多，而且也没有那么多伦理上的问题。之后，研究哺乳动物的遗传学家会寻找老鼠或人类身上的类似基因，而且人类对应的基因往往也会沿用果蝇基因的名字——因为是果蝇，所以起名通常比较随意。Toll 样受体就属于这种情况。诺贝尔奖得主、胚胎学家克里斯汀·纽斯林–沃尔哈德（Christiane Nüsslein–Volhard）在 20 世纪 80 年代发现并命名了 Toll 基因。之所以命名为 Toll，是因为她发现基因的时候大喊“Das ist ja toll!”意思是“这真是太棒了！”

发表的。与之前研究墓穴中鼠疫杆菌的遗传痕迹不同，他的团队调查了欧洲青铜时代的各个墓穴中 101 个人的基因组。这项技术展现了古遗传学过去几年的发展，因为研究人员非常有效率地从遗骸的牙齿上获得了 890 亿段 DNA 的片段。就像所有的古 DNA 一样，很多片段被污染了，还有很多不是人类的 DNA。其中一些可能来自利用腐烂尸体繁殖壮大的生物体。一些可能还存在于活着的人体上，它们大部分可能是无害甚至有益的细菌，数量远超人类的细胞数。还有一些可能是有害的病原体，甚至是能吞噬病原体的生物。在研究中，科学家需要搞清楚自己寻找的是什么。拉斯马森从这些 DNA 碎片中，找到了波兰、俄国、爱沙尼亚和亚美尼亚的鼠疫杆菌的基因组。

拉斯马森的团队解码了这些鼠疫杆菌的基因组，将之与其他菌株以及相近的物种假结核耶尔森氏菌（*Yersinia pseudotuberculosis*）进行了对比。后者是一种存活于土中的细菌，致病性不强。通过比对，研究人员知道了这些细菌是何时出现分化的[1]，并计算了它们最近共同祖先的存在时间。最后的结果是 5,783 年前，尽管这比最早记载的感染案例要提早了几千年。不过通过这些基因残骸，拉斯马森设法找到了编码大约 55 种已知蛋白质，赋予现代鼠疫杆菌致命毒性的 DNA 片段。只有一种蛋白质对应的片段没有找到，它叫作耶尔森菌鼠毒素（*Yersinia Murine Toxin*, YMT）。这种毒性蛋白质可以让鼠疫杆菌成功存活在跳蚤的

[1] 有许多方法可以得出这样的数据，不过权威度和可信度各不相同。拉斯马森使用的是"怪兽 2"（BEAST2）软件中的马尔科夫链蒙特卡罗算法（Bayesian Markov Chain Monte Carlo）。我们在命名人类基因上可能不是那么擅长，不过在命名算法上彻底发挥了才华。

肠子里而不会被消化，如此一来，跳蚤才能传播鼠疫。但这种鼠毒素 5,000 年前并不存在，根据计算，它是在公元前 1000 年左右出现的，而且还是其他细菌“捐赠”给鼠疫杆菌的。这种情况被称作侧向基因转移（lateral gene transfer），也是细菌进化的重要途径。细菌可以伸出菌毛，其上附带的一小段 DNA 可以整合到另一种细菌的基因组里。那么，青铜时代的鼠疫杆菌无法通过跳蚤来感染，它们的其他基因也还没有进化出产生完全版黑死病的能力，因此，它们造成的感染可能无法导致腹股沟肿胀这种最为致命的形式，而是引发肺炎和败血症。大概 8,000 年前，由于农业的诞生，欧洲人口波动很大，繁荣和萧条交替出现。其中一次的萧条大概发生于公元前 4000 年至公元前 3000 年之间，现在我们知道那时已经存在鼠疫杆菌了。因此，我们有理由推测鼠疫杆菌可能影响了那段时间欧洲的发展，尤其是考虑到它们在有记载的历史中造成了那么高的死亡率。

鼠疫纠缠我们的时间可能比我们能记住的时间还要久远许多。它是目前所知在历史上最为致命的细菌，如今仍然困扰着我们——就在 2015 年，美国的北卡罗来纳州仍然出现了感染的案例。这些菌株与在伦敦东部墓穴中发现的品种几乎一模一样，但是感染的严重程度却轻了很多。这不是因为鼠疫杆菌的 DNA 出现了变化，也不是因为现代医学的治疗手段高超，而是因为我们已经更善于应付它们，无论是在基因上、社会上还是文化上。流行病总是有暴发的可能，但鼠疫已经不太可能像历史上反复做到的那样席卷整片大陆。鼠疫杆菌仍然存活在地球上，而且可能还会长久存在下去，但我们已经拔掉了它的大部分毒牙。

讽刺的是，鼠疫杆菌根本不在意我们。它们主要凭借喜爱的宿主跳蚤，在小型哺乳动物身上来来去去地存活并繁衍着，也不会给它们造成特别的伤害。我们确实会被跳蚤和虱子叮咬，但是被叮咬的频率也远远低于那些多毛的哺乳类远亲。鼠疫杆菌这5,000 年来给人类带来了无情的死亡，它们屠戮了军队，颠覆了帝国，影响了整个欧洲，然而这些症状、灾难和痛苦，只是冷漠无情的自然选择所产生的副作用。是人类带来的农业、贸易和繁荣让自己惹祸上身：有粮食，就有老鼠；有老鼠，就有跳蚤。进化就是一场军备竞赛，宿主和寄生者的基因不断变化，只为争取活下去的权利。鼠疫杆菌找到了跳蚤，让它们成为奴隶；跳蚤喜欢老鼠；老鼠则在我们的阴影中窜行着。5,000 年来，跳蚤肚子里的鼠疫杆菌，抱着通过自然选择的普世法则努力生存下去的单纯愿望，它们改变了自己的基因，向我们出招了，而我们的基因随之出现改变作为回应。欧洲乃至全世界的历史，就这样记录在了我们的 DNA 里。

走出非洲

从非洲来到欧洲的我们，遭遇了许多的征服和战争。不过，欧洲人的冒险故事比起人类从东非故土缓慢走出的历程，显得十分现代。尽管很难想象，但走出非洲的历程可能花费了几千年之久。越接近现代，我们的移动速度越快，人类的进化也越有迹可循。

现在我们需要花点篇幅来讲讲时间尺度。“非洲起源说”是一种有着海量数据支持的理论，在目前基本有着不可动摇的地位，由于我们掌握的证据太多，它已经很难被推翻。不过当我们考虑到数百代人花费了数千年时间来迁移，这个理论似乎有点太过简单了。也许“迁徙”这个词本身就具有误导性。它在现代历史上有着特别的意味，目前也是一个争论激烈的话题。而在进化的时间尺度上，迁徙就是完全不同的现象。1,000 年来 1,000 英里的移动，几乎根本算不上是迁移，考古学的证据显示这些移动也散乱不堪。不过那段时间也提供了基因流动的必要证据，以及它们怎样随着时间的推移通过一代代人传递下去，微妙而很大程度上不可见的进化力量又是怎样选择和淘汰了它们。从某种程度上说，考古学正是在等待着遗传学的到来，从而提供一种不可思议的时间测量的方式，让那些考古的发现得到阐释。

这里需要再次强调，尽管从古代的骨骼中得到 DNA 比过去要容易，但依然有着极高的难度。我们的目的是获得未经污染的基因组样本，不只是碎片，而是 23 对染色体的大块 DNA。实际上，那些可以提取 DNA 的化石中，只有 1% 是有机体本身，剩下的则被以尸体为生的微生物污染了几千年甚至几万年。而正是利用这里取得的 DNA，我们才能进行复杂的比对和分析，了解历史上人类的运动。实际上这些 DNA 的数量还很不足，而且尽管我们已经获得了现成的古代欧洲人 DNA，但古代非洲人的 DNA 仍然几乎为零。原因主要在于温度。在寒冷干燥的山洞中，骨骼可以相对妥善地保存 DNA，而温热潮湿的山洞里，DNA 长久存在的概率极低。尽管在人类的故乡非洲已经出土了大量骨骼，但她还不准备轻易把 DNA 透露给她孕育的孩子们。[1] 不过大量的新石器时代人类的 DNA，以及现代欧洲人的基因，再加上来自欧洲洞穴和非洲故土的丰富考古结果，正以丰富的细节修复着欧洲的历史。随着人类在世界上移动的复杂轨迹在考古学、语言学、文化和 DNA 的帮助下进一步明晰，这些成果未来可能会发生改变，或至少是被完善。我们如今可以知道基因来自哪里，文化，尤其是农耕文化怎样永久地改变了我们的 DNA。那些基因组中隐藏的幽灵只是在等待着被发现，它们可以展现出自己的主人是怎样生活的。接下来我们要随着时间进一步推进，从遥远的历史来到最近的 1,000 年里，进入国王和女王的时代。他们的历史已经被前所未有地记录了下来。瑞典的莫托拉小镇和卢森堡的劳施布洞穴，以及所有我们在 DNA 层面复活的，都只是普通人。几乎所有存在过的普通人都会被遗忘，只因为 DNA 是忠实的历史记录者，所以他们所扮演的角色才被我们所揭露。不过随着欧洲乃至全世界的发展，部落变成了国家，最终变成了帝国。罗马帝国逐渐消失，基督教开始发展。在公元 9 世纪之初，随着你的祖先之一的加冕，帝国开始此起彼伏地在欧洲大陆上涌现。

---

[1] 2015 年秋天，《科学》杂志发表了一篇惊人的论文，作者表示，他们从埃塞俄比亚高原的一个山洞里埋着的男性身上，获得了古代非洲人的基因组，这在历史上还属首次。人们以山洞的名字“莫塔”给这个古代非洲人命名。他有着深色的皮肤和眼睛，生活在大约 4,500 年以前，被埋葬时面部朝上，身体平躺，双手交叠置于下巴以下。莫塔的基因组由剑桥大学的安德里亚・马尼卡（Andrea Manica）带领的团队完成了测序。论文中提到，现代的欧洲人后来还回到过非洲，给非洲人的基因组带来了广泛而深刻的影响。这在当时是巨大的新闻。不过 2016 年 1 月，马尼卡和他的团队宣布他们搞错了。他们不小心遗漏了一步计算机的统计分析，也就意味着现代人类的回流规模被大大高估了。马尼卡的同事发现了这个错误，他也令人赞赏地表示对错误完全负责。基因组的数据仍然被视为有效，我们期待着对莫塔的进一步分析。这就是科学研究，就其本身而论，是一个不断自我纠错的追求知识的过程。

第3章

当我们还是国王

查理曼

查理曼是法兰克王国加洛林王朝的国王、“罗马人的皇帝”、伟大的欧洲统治者，也是你的祖先。这里我先假设你是广义上的欧洲人后裔，尽管从统计学上来说很有道理，但是也并不绝对。如果你不是，也请耐心一些，我们很快就会讨论到你的皇室祖先。

与亚历山大和阿尔弗雷德一样，查理曼是少数被后人尊称为“大帝”的国王之一。他的早期生活是个谜团，不过根据各种记载的描述，他似乎出生于公元742年左右，也就是君士坦丁堡的黑死病正在垂死的罗马帝国东部肆虐，夺取数百万人的生命之时。他的具体出生地也不明，可能是现在德国的亚琛（Aachen），或是比利时的列日（Liege）。甚至他的忠诚仆人、传记作者艾因哈德，在他谄媚的作品《查理大帝传》（*The Life of Charles the Great*）中，对查理曼的早期经历也语焉不详。这部作品可能是欧洲统治者的第一部个人传记，它的存在可能证明了查理曼的重要性（或至少他看起来的重要性）。在许多欧洲的语言中，“国王”这个词本身就来自查理曼的名字。

查理曼是“矮子”丕平（Pippin the Short）[1]之子。后者是一位干劲十足的法兰克国王，致力于扩张领土。公元 768 年，在征服阿基坦（Aquitaine）的反抗者后返程途中，“矮子”丕平患病去世。查理曼继任后延续了父亲未竟的事业。他与东北的撒克逊人、意大利的伦巴底人（Lombards）和西班牙的穆斯林轮番交战。与此同时，他还维持了之前父亲与罗马教廷的良好联系。公元 800 年，罗马教皇利奥三世（Pope Leo Ⅲ）在圣彼得大教堂为查理曼加冕。这次仪式如此重大，以至于查理曼作为感谢，回赠了利奥三世中世纪最重要的圣物——圣包皮（Holy Prepuce），也就是耶稣割礼时留下的包皮。[2]

查理曼是一位精力旺盛的统治者，各色妻妾给他生下了至少 18 个孩子，其中第二任妻子文兹高的希尔德加德（Hildegard of Vinzgouw）就有 9 个。这些孩子包括小查理（Charles the Younger）、“驼背”丕平（Pippin the Hunchback）、梅茨的德罗戈（Drogo of Metz）、赫罗多德（Hruodrud）、罗德莱德（Ruodhaid）、阿达尔海德（Adalheid）、罗多德（Rotrude）和休（Hugh）。查理曼把这些子嗣派遣到帝国的各个重要职位上，借此巩固了他的统治。皇

---

[1] 矮子丕平实际上并不是很矮，这可能是法语 Pepin le Bref 的误译，实际上可能是“小丕平”（the younger Pippin）的意思。查理曼本人很高，他的胫骨有 17 英寸（约 0.43 米），这意味着他至少有 5 英尺 10 英寸（约 1.78 米），最高可能有 6 英尺 4 英寸（约 1.93 米）。当时的男子平均身高为 5 英尺 6 英寸（约 1.68 米）。

[2] 这是有记载的第一块耶稣的包皮。尽管随着时间的推移，后来在全球的各种典礼上，相继出现了至少 18 块耶稣的包皮。17 世纪罗马教廷的图书馆员列奥·阿拉提乌斯（Leo Allatius）曾表示，耶稣的包皮升上了天堂，成为了土星的光环。对于这种论述的支持当然少得可怜。

室血统在历史上被记载得十分完善，而查理曼的血统开枝散叶，一直延续到现在。我们可以根据时间一直追踪下来，从他的儿子“虔诚者”路易（Louis the Pious），到洛塔尔（Lothar）、贝莎（Bertha）、威拉（Willa）、罗泽尔（Rosel）、鲍德温（Baldwin），一直到21世纪一个姓氏为巴克尔－德克斯（Backer-Dirks）的荷兰家庭。他们的家谱可以在网上直接查到。

这个家谱中碰巧还包含了约阿希姆·诺依曼（Joachim Neumann），一个17世纪的新教传教士。根据传说，他远离了杜塞尔多夫（Dusseldorf）政治上的尔虞我诈和教堂的喧嚣，来到了杜塞尔河旁的小山洞中寻求安宁和慰藉。他把自己的名字诺依曼改成了尼安德（Neander），在希腊语中，这意味着“新人类”。不过他并不是第一个住进该山洞的居民。一个世纪以后，我们在这里发现了第一个真正意义上的新人类——尼安德特人。

多么光辉的血统！对于帝国皇室的后裔而言，拥有这样高洁的品质，并不令人意外。实际上，任何名人的后裔都会获得声望，因为大部分人类的诞生和死亡，都没有在历史上留下任何印记。能够进入君王的家谱，更不用说是查理曼的家谱，是非常不容易的，

克里斯托弗·李（Christopher Lee）是一位著名演员，他扮演的角色包括德古拉（Dracula）、托尔金（Tolkien）笔下的白袍巫师萨鲁曼、《007：金枪人》（*The Man with the Golden Gun*）中的金枪人斯卡拉孟加（Scaramanga）、绝地杜库伯爵（Jedi Count Dooku）和《柳条人》（*The Wicker Man*）中的夏岛勋爵（Lord Summerisle）。他就曾宣称查理曼是他的直系祖先，自己的母亲埃斯特拉·玛丽女伯爵（Countess Estelle Marie），娘家姓卡兰迪尼·迪·萨尔扎诺

（Carandini di Sarzano），是古老家族的后裔：

> 卡兰迪尼家族是欧洲最古老的家族之一，历史可以追溯到公元 1 世纪。据说他们与查理曼有千丝万缕的联系，还被腓特烈一世巴巴罗萨授予了佩戴神圣罗马帝国盾形徽章的权利。[1]

也许这么说是为了增强他威严而邪恶的银幕形象，毕竟他扮演了许多电影中最坏的角色。大部分人没有盾形徽章，不过我可以自信地说，如果你是欧洲人的后代，那么你就像这位银幕上最伟大的黑暗王子一样，也是查理曼的后裔。向大帝致敬！

我们都很特别，不过这也意味着我们都不特别。这只是一个数字游戏。你有一对父母，两对祖父母，四对曾祖父母，以此类推。每往前一代，人数翻倍。不过这样简单地回溯并不能无限下去。否则回推到查理曼时代，法兰克王国的人数就超过 1 万亿了，这比现在地球上的总人口，甚至存活过的所有人口都多。在 36 代人之前的中世纪，第一批冰岛人正在建立全球第一套议会民主制度。假如某个人的家谱是完全伸展的，那他回推到此时，就应该有 137,438,953,472 个祖先。因此，实际上谱系在几代人之前就开始折叠起来，不那么像是一棵树，而更像是一张网。某一个人可能多次成为你的祖先。你的曾曾曾曾曾曾祖母可能会在你的家谱中出现两次甚至更多次，她的那部分后代可能又和你有了交集。我们回溯得越久，这些连线就会集中到越少的人身上。家谱 pedigree

[1] 都柏林大学在 2011 年授予克里斯托弗 · 李律师协会终身名誉会员的仪式上如是说。

这个词来源于中古法语 pie de grue，意思是鹤脚，鸟的足趾就从胫骨的底部（大概类似于我们的踝关节处）伸展开来。这样的结构描述了家谱中一代人或者几代人的情况，不过如果进一步增加代数，它就完全不准确了。实际上，每个人都是基因流动的节点，除非他（她）完全没有留下后代。

我认为这一点相对容易理解。有个很简单的逻辑，现在地球上的人数创造了历史之最，也就是有一部分少得多的人，是我们的共同祖先。那我们怎么可以如此充满信心地说任何欧洲人都像克里斯托弗·李一样，是伟大的查理曼的直系后裔呢？

早在强大 DNA 测序技术和古遗传学分析技术诞生之前，答案就已经确定了。揭开谜底的是数学。耶鲁大学的统计学家约瑟夫·张（Joseph Chang）希望通过数学，而不是遗传学或家谱来分析我们的祖先。他建立了一个数学模型，其中包含一个人估计会有的祖先数（每个人都有一对父母），再考虑到现有的人口数，以及所有这些家谱的线出现汇聚的时间，他计算了欧洲人拥有共同祖先的时间。最后的结果是仅仅 600 年之前。在 13 世纪活着的某位男性或者女性就可能成为整个欧洲人可以追溯到的共同祖先，如果我们能找到证据的话（当然并没有）。这看起来太难以置信，不过要考虑到这个人只是你和其他人的几千个族系在某一时刻的相交点，也只是你整个的家谱网络中很小的一部分。不过如果我们可以记录每个人的家谱，并向前追溯 600 年，在无比混乱之中，每个活着的欧洲人都能在理查二世时代找到一条划过其他所有人家谱的线。

如果再向前回溯到距今 1,000 年前，张的计算结果会更加令人疑惑。千年前生活的人中，有五分之一不是现在任何人的祖先。他们的血统逐渐减少，在某个时间完全消失了，没有留下自己的后代。剩下 80% 则是现在所有人的祖先。所有现代人的血统往前追溯，都能汇聚到公元 10 世纪的这些人身上。

思考这个问题的一个方法，是接受你在 10 世纪拥有几十亿个祖先的事实，但 10 世纪没有那么多人，所以你的祖先最多只能是当时那些人。数学解法在这里明显陷入了僵局，几十亿条家谱的线只能收拢到这一小拨人之中，尽管这就是当时的所有人口了。所以，据此推理，如果查理曼生活在公元 9 世纪，而且我们知道他确实有后裔活在现代，那他就不是血统断绝的那批人，也就是说他是我们现在所有欧洲人的祖先。

这甚至和他有 18 个孩子没什么关系，尽管这在任何时代都是相当可观的数目。如果他只有一个孩子，但他的家族也设法把血脉延续到了现代，那么我们的结论也不会改变。他有 18 个孩子，只是增加了他成为 80% 的那批人的概率。与他同一辈的大多数人都没有 18 个孩子，很多人只有一个，然而这也不妨碍他们明显而确定地成为你的家谱的一部分。

至少，数学理论给出了这样的结果。随着 DNA 测序的难度与成本降低，验证这个数学模型的机会来了。DNA 是生物学上血统的载体，你所有的 DNA 都来自双亲，大致上各 50%。他们也从各自的父母那里获取 DNA，所以你有四分之一的 DNA 与你四个祖父母的分别一样。如果你有堂（表）兄或堂（表）弟，你与他大约有八分之一的 DNA 一致，因为你们有一对祖父母一样。尽管这些 DNA 的相同之处并不在同一部位。而且在家谱上追溯时，要记住

DNA 的遗传并不是精准的双方各 50%。我们在之前说过，精子和卵子结合时，遗传物质会洗牌，每次洗牌都不一样，不过大自然洗牌的方式比较笨拙。在全新的牌组，也就是你自己的基因组中，大块遗传物质都与你的父亲或母亲一样。你父母的亲属关系越近，他们的 DNA 也就越相似。这就是为何同卵双胞胎几乎是完全相同的（所有 DNA 几乎都一样），兄弟姐妹和父母会很像（他们的 DNA 有一半一样）。在遗传学上，我们称这些 DNA 属于血缘同源，它们在判断两人的亲缘关系上非常有用。

2013 年，遗传学家彼得·拉尔夫（Peter Ralph）和格拉汉姆·库普（Graham Coop）的研究显示，DNA 的分析与张的数学模型得出了相近的结果：我们的家族树完全不是树，而是错综复杂的网。他们研究了欧洲各地共 2,257 个人的血缘同源 DNA 的长度（为了减少最近的移民带来的影响，所有参与研究的被试者的四个祖父母都来自同一国家或地区）。通过测量这些共同的 DNA 的长度，科学家可以推测基因洗牌的时间，从而了解某两人的血缘相关程度。计算机大大促进了这个领域的发展，在之后的数据处理中我们可以体会到这一点。

约瑟夫·张的数学模型忽略了一个明显的特质，那就是我们的交配并不是随机的。我们往往会在相近的社会经济阶层中选择配偶，地理位置也不会相距太远，两人使用的语言也较为相近。不过根据拉尔夫和库普的研究，忽略这个特质的影响不算太大。基因可以在几代人里面快速传递。例如，亚马孙（Amazon）的部落可能孤单生活了好几个世纪，但是没有人可以无限与世隔绝，只要有一小部分人与外人进行了交配，在接下来的几代里，外人的

DNA 就会迅速在整个部落的基因库里扩散开来。

张在对欧洲之外人口的共同祖先的研究中，考虑了这个因素，并在 2003 年得出结论。对于现在所有生活在地球上的人，我们最近的共同祖先大概生活在 3,400 年前。

他使用了两种计算方法，第一种是单纯用数学来推算祖先，另一种则包含了简单的城镇、港口和人类迁徙的模型。在计算机的模型中，港口拥有更高的迁徙率，人口增长率也更高。综合考虑这些因素以后，计算机给出的结果大约是在公元前 1400 年。共同祖先生活的地点位于亚洲某处，不过这更像是考虑迁徙以后的地理中心点。这个时间似乎太近了，而且有些令人疑惑，因为南美的偏远地区和南太平洋的零散岛屿有很多，在当时我们不知道有谁在那些地方长期保持着隔绝状态。西班牙人进入南美，意味着他们的基因会迅速渗入当地部落，并最终影响那些最为偏远的居民。而太平洋中部的平格拉普环礁（Pingelap）和莫基尔环礁（Mokil）等在 19 世纪被发现，当地人的基因库中也流入了欧洲人的基因。即便是撒玛利亚人（Samaritans）这样在宗教上与世隔绝，只有不到 800 人，隐居在以色列的民族，也会通过选举决定外出寻找配偶，以扩充他们有限的基因库。之后，张又引入了非常保守的新变量，例如每过十代就减少通过白令海峡迁徙的人数。修正以后，我们最近的共同祖先则生活在大约 3,600 年前。

这个数字还是让人难以相信，当我在课堂上提到它时，学生们总是皱着眉头表示怀疑。我们不太擅长想象与世代相关的时间，因为在我们的整个一生中，家庭都是固定和独立的个体。但是在我们视线之外的更长时间中，家庭是流动而连续的，家族树也在各个方向蔓延生长。

不过，在约瑟夫·张这份高度数学化和技术化的研究报告的最后，他完全没有谈到这一切。这段总结文字优美，作为一份学术报告很不寻常，我认为这里值得全文引用，与大家分享：

> 我们的结果暗示了一个值得注意的现象：无论我们说什么语言，有什么肤色，我们的祖先都曾在长江的岸边种着水稻，都曾在乌克兰的草原上驯化着骏马，都曾在北美和南美的丛林中狩猎着巨型树懒，都曾洒下辛勤汗水建立胡夫大金字塔。

你是皇室的后裔，因为每个人都是。你是维京人的后裔，因为每个人都是。你是撒拉逊人、罗马人、哥特人、匈人、犹太人的后裔，因为每个人都是。所有现代的欧洲人都源自他们。每个生活在10世纪而且血统延续至今的人，包括查理曼，以及他的孩子德罗戈、丕平、休，都是我们欧洲人的祖先。如果你是东亚人，那成吉思汗一定就在你的家族树上的某处。如果你是地球上的人类，那么你的祖先里一定包含奈费尔提蒂（Nefertiti）、孔子，或其他任何古代名人，只要他们的血统没有断绝。我们越往前推演，名人成为我们祖先的概率就越大，而我们对这些祖先的了解就越少。这既有趣，又疯狂，但又似乎意义不大。

上文并不是要毁谤遗传谱系学和血统。只要得到正确的使用，DNA就是研究家庭和人类迁徙史的强大工具。它可以找到未知的兄弟和父母，在记录遗失或损毁时确认收养儿童的亲生父母。将传统的家庭调查工作（如使用姓氏或寻找记录出生、死亡、结婚的档案等）与遗传学结合起来以后，谱系学得到了极大的丰富。而新技术和旧技术存在着同样的问题：我们追溯得越遥远，过去就越晦暗难明。

你家族过去的荣耀或恶名能够带来巨大的影响。克里斯托弗·李是查理曼的后裔，这让他声名更著。尽管这只是个空虚的声名。他可能根本没有携带查理曼的 DNA，就像你也没有一样，虽然我们和这位大帝的亲缘关系基本一样。在这些家族历史的藤蔓上，只有数学是这些不可避免的结论的基础，而除了全球少数计算遗传学家之外，其他人可能都对此难以理解。我们依靠媒体来报道和翻译这些复杂的故事，它们本来只以深奥的语言发表在学术期刊上，被同领域的其他专家阅读。这就是科学研究的报道方式。记者往往做得很好，他们写出了公众可以理解的内容，同时也没有脱离研究数据所表达出的意思。尽管人们往往被历史的光辉所迷惑，但家族和历史对我们意义重大。记者们也可能在证据模糊的情况下着眼于叙述，因为叙述总是令人激动。当我们回顾过去，寻求以遗传谱系学来了解和解释如今的行为时，与占星术的准确度也差不了多少。你祖先的基因对你几乎没有什么影响，除非你的家族让你携带了特别的遗传性疾病。基因的不断洗牌、世代的稀释效应，以及基因对你实际行为的高度可变和极其复杂的影响，意味着你的祖先几乎无法决定你的任何东西。

即便如此，随着基因测序技术的发展，我们如今可以深入揭示每个人的历史。人类的细胞里携带着祖先的痕迹，如今只要花上几百到几千美元，你就可以破译出自己的过去。许多公司如今都提供这样的服务，我自己也让两家公司 BritainsDNA 和 23andMe 分析过我的基因组。取样的仪器非常简单，放置在一个精致的书本大小的包裹内，里面是包含密封液体的塑料试管。在取样开始前，你需要禁食一个小时，从而避免嘴里还有很多食物中所含的 DNA。随后，你需要分泌大量唾液。唾液会被存入试管，与那些密封的液体混到一起。它们会保护你的 DNA，直到试管被送回实验室。在实验室，科学家会提取、清洁、提纯你的 DNA，读取特定区域上的序列。这不是类似 2001 年人类基因组计划那样的整个基因组的分析，而是针对某些不同人存在着差异的部分，其中透露的信息已经被科学界确定，而且会引发付费客户的兴趣。

取样结束后，他们会生成文件，精确记录你基因组中所有这些有趣的单核苷酸多态性位点。文件会被放入数据库中，与其他付费客户的基因组进行对比。遗传学是一门概率性的科学，所以在特定位置上的 T 而不是 G 碱基，可能预示着你更有可能拥有某种特质。某些单核苷酸多态性可能会透露你的血统，另一些则会影响你的头发颜色、眼睛颜色等物理特质，或决定你对酒精和咖啡因的反应，对香菜的好恶，对乳糖的耐受程度，秃顶的概率，或者耳垢的干湿。有一些还与罹患阿尔茨海默症、恶性乳腺癌、肺气肿的概率有关。

这些都不是确定的，只是一个概率，并没有决定你的命运。好比足球队里有一个莱昂内尔·梅西（Lionel Messi），并不能保证你夺得世界杯冠军一样。遗传学的预测立足于这些疾病在所有人口中暴发的概率，以及患病者的基因序列。举个例子，我的序列中没有与帕金森病相关的单核苷酸多态性，并不意味着我不会得帕金森病。只是说明我的这个特殊基因发生变异导致帕金森病的概率属于平均水平。相反，23andMe 的测序告诉我，我的基因型拥有更高的罹患阿尔茨海默症的概率。这也不是说我以后一定会得阿尔茨海默症，只是概率比大部分人高一些。如果你没有这种基因型，也不是彻底对阿尔茨海默病免疫。了解我的身体风险并不能影响我，也没有改变我的日常行为。

对于外貌特征，基因的影响是有趣而令人难忘的。23andMe 的结果显示，由于我的一个 HERC2 基因有一个 A 碱基，而另一个带有一个 G 碱基，所以眼睛的颜色"可能是棕色"。如果是 AA，我眼睛是棕色的概率会更大，如果是 GG，眼睛的颜色则会更倾向于蓝色或绿色。我确实是棕色眼睛，从镜子里就能看到，不过在分子生物的层面证实了这一点也很棒。这些特征的描述使用了"可能""倾向"这样的字眼，表明他们也很了解遗传学上的不确定性。它们只是表明大部分有这种基因序列的人都是棕色眼睛，但公司无法推断你是不是。另外一点有趣的是，23andMe 的报告中显示我的 MC1R 基因并不是与红发有关的变种，但 BritainsDNA 认为是。这只能说明，MC1R 基因上有许多等位基因都会导致红发，而两家公司寻找的基因特征不一样。

在祖先上，测序的结果值得更进一步的研究。首先值得一提的是，我不太确定我们指的"祖先"是什么。这是个不精确的词，尽管某个常用的定义可能是"你家族里较早的上代"。它完全取决于你想要追溯到哪个时代。在考虑祖先时，很多人会考虑种族或地理位置的划分。我父亲出生于斯卡伯勒（Scarborough），母亲和她双亲出生于圭亚那（Guyana）的乔治城（Georgetown）。因此我的上一代来自英格兰东北部和圭亚那。但是我母亲的祖父母出生在印度。每回溯一代，祖先的数量增加，他们的出生地点也在变化。等到 500 年前，我的祖先可能遍布欧亚大陆，再到 2,000 年前，范围可能更会扩大到全球。

关于你远古的祖先，只有少数事实我们是可以肯定的。第一个是 10 万年前，我们都是非洲人。就我们目前所知，那时候除了非洲以外，地球上没有其他地方存在智人。不过在人类走出非洲后，再确定他们的位置就难了很多。第二个可以确定的是尼安德特人。23andMe 认为我的基因组中有 2.7% 来自尼安德特人祖先，这是大部分欧洲人的平均值（尽管比学术论文给出的估计值略高）。我可以自信地说这部分 DNA 最晚也是在 3 万年前进入了我们的基因组的，因为那时候尼安德特人就已经灭绝了，他们的基因渗入一定已经结束。目前来看，尼安德特人从来没有再回过非洲（尽管他们的基因借助欧亚人的身体返回过这里）。因此我们可以相对肯定地推测某些特殊的单核苷酸多态性的起源时间，不过这些情况有数百万种，出现在我们的基因组中的时间也各不相同。至于它们在何地出现，由于全球人类不断地流动和迁徙，目前几乎已经不可能考证。“祖先”这个词在现实世界中的用法，已经不太符合科学要求的研究精度了。

我们有必要牢记，商业的 DNA 祖先测试显示的未必是你的地理起源，而是如今你与哪些人拥有共同的祖先。23andMe 显示我有一部分基因与现在斯堪的纳维亚的居民一致。千年前，维京人就来自斯堪的纳维亚，我是他们的后代吗？没错！但不是因为这个分析，而是因为欧洲的所有人都有维京人祖先。不可否认，根据地理位置的不同，维京人基因的比例在人们当中也有区别。这些微妙之处让遗传学上对祖先的探寻变得有迹可循。我们可以看到人们缓慢迁移的痕迹、入侵的痕迹，以及消失的痕迹，正如之前第 2 章“不列颠群岛上的人们”项目一样。

BritainsDNA 在媒体上做了很多宣传工作，来推销他们的 DNA 测序服务。过去几年里，英国媒体上有许多引人注目的报道，说他们通过 DNA 研究发现了某些激动人心的奥秘。2014 年那个气候变化将导致红发灭绝的谣言也与他们有关。《泰晤士报》在头版登出的威廉王子拥有一部分印度人 DNA 的报道，也是这家公司提供的数据。[1]

2012 年，BBC 广播 4 频道的早间新闻栏目《今日》(*Today*)对 BritainsDNA 的首席执行官亚里斯蒂尔 · 莫夫特进行了采访。他声称公司通过测试发现了希巴女王(Queen of Sheba)的后裔。顺带一提，希巴女王来自《圣经》的记载，没有确切的证据表明她是真实人物。多个世纪以来，她活跃在中东地区的许多传说故事里。在《旧约全书 · 列王记》中，她用骆驼驮着香料、宝石和许多金子，拜会了以色列的国王所罗门。不过我们不知道她来自哪里。希巴可能指的是阿拉伯南部的古国塞巴(Saba)，如今的也门。我们能说她一定真实存在吗？不一定。如果她存在过，我们能说有人是她的后裔吗？我希望自己能给出更加学术性的答案，不过

[1] 然而这个结论本身并不可靠。遗传谱系学家黛比 · 肯尼特(Debbie Kennett)仔细分析了报纸上的论述，它是根据威廉王子的线粒体 DNA 做出的推断。那个 DNA 类型相当罕见，不过是否与印度相关却不一定，因为这个数据没有发表在科学杂志上，没有经过同行评审，只是发表在报纸上。所以黛比的结论是，《泰晤士报》“发布这样一篇社论式广告实在是有损自己的名声”。

现在只能耸肩摊手表示无奈。

名流往往也会牵涉其中。英国喜剧演员埃迪·伊泽德（Eddie Izzard）在2013年BBC电视1频道的纪录片中，利用他的基因组作为指引，走遍了世界上据说是他祖先存在过的地方。这段旅途中他遇到了许多有趣的人。最后几集纪录片是在丹麦拍摄的，因为根据线粒体DNA中的某段特别的序列推断，他拥有维京人的血统，而且是完全从母亲那边传下来的。不过整部片子也存在许多谜团，其中之一就是BritainsDNA的遗传学家和共同创始人吉姆·威尔逊（Jim Wilson）所说的，这段线粒体DNA的序列拥有2,000年的历史，然而维京人那时候并不存在。目前没有关于维京人DNA的测试，不过我可以向你保证，如果你是白人，你就有维京人祖先。

2012年4月，演员汤姆·康蒂（Tom Conti）因为一位知名的祖先登上了新闻。《每日电讯报》是这么报道的：

> 他的祖先大约在10世纪时定居意大利。随后，其中的乔瓦尼·波拿巴来到了科西嘉岛，他那个分支后来诞生了拿破仑……他（康蒂）显然是拿破仑的近亲。只有DNA才能揭露这段历史。

这里提到的DNA位于Y染色体上，名叫E–M34，只能通过男性传播，在埃塞俄比亚、近东和欧洲比较常见。2011年，法国的一项研究从已证实的拿破仑藏品中获得了三根胡子，并从中提取了DNA。确实，他的Y染色体上有E–M34，不过其他几百万人也有E–M34，这个基因在几千年前就有了。此外，就像查理曼的后裔一样，当今的名流与历史上的著名人物有亲缘关系这类新闻总是抓人眼球。不过我们之前已经提过，通过数学和遗传学，你的祖先在 10 世纪时也定居在意大利，无论你是汤姆·康蒂、埃迪·伊泽德、美国总统奥巴马、泰勒·斯威夫特、阿道夫·希特勒、教皇方济各、女王伊丽莎白二世、麦当娜、马拉多纳、查尔斯·达尔文还是我楼下的屠夫，都一样。

所以大概就是这样。BritainsDNA（在其他地方也有 ScotlandsDNA 和 CymruDNA 等分公司）向来就喜欢以模棱两可和经不起推敲的对历史的判断，吸引那些容易上当的媒体，登上它们的头条。唯一可以无比确定我们的遗传学起源的办法，就是挖出 1,000 年前所有人的遗体，提取他们的 DNA 并进行对比。答案将会是：他们所有人都是我们的祖先。

BritainsDNA 给我的检测结果中，基于我的 Y 染色体序列，将我的祖先类型归为“日耳曼人”。某些满脸络腮胡，编着马尾辫，上身赤膊，穿着松紧带裤子，拿着盾牌和短剑的愤怒的家伙，看起来非常乖戾。

> 你的 S21 YNDA 标识显示你是居住在莱茵兰和低地国家的日耳曼人的后代。他们通过只有史前人类才能利用的隐秘路线来到了不列颠。而到了有历史记载的时期，许多拥有这个标识的人也来到了英国。
>
> 随着公元 5 世纪西罗马帝国崩溃，许多日耳曼人开始迁移。一些人越过阿尔卑斯山来到意大利，另一些人扬帆向北，来到不列颠。公元 405 年至 406 年交界的那个冬天十分寒冷，

莱茵河结了冰。汪达尔人（Vandals）、斯瓦比亚人（Swabians）和阿兰人等日耳曼民族越过结冰的河流，突破了罗马帝国脆弱的前线防卫，洗劫了高卢行省。也许过河的战士多达7万人。你的祖先就活跃在这个动荡的历史时期，德国历史学家将之称为“欧洲民族大迁徙”。

滑冰的阿兰人！

我的天哪，真是一段激动人心的叙述。尽管我的祖先居然滑稽地穿着松紧带裤子，毫无时尚感，令人有些失望。这里的“日耳曼人”是BritainsDNA自己的分类，而不是历史上或科学上的分类。如果你不想寻根究底，那么这样的描述想必十分生动有趣。然而认真分析的话，这段话没有任何意义。首先，我是2,000年以前生活在欧洲北部的某群人的后裔吗？这倒很有可能。如今DNA的分布图显示，拥有我这种DNA的人主要生活在荷兰，据BritainsDNA所说，时间大约是在公元1500年以前（尽管我不知道他们怎么知道的，这个推论可能是真的，作为一家商业公司，他们的数据和方案没有公开）。这种Y染色体的基因型在从挪威的斯瓦尔巴特群岛（Svalbard），到直布罗陀海峡附近，一直到符拉迪沃斯托克的区域也广泛存在着。

然而，Y染色体上的DNA比例很小，只占我DNA总数的不足2%，甚至还不如我和大部分欧洲人从尼安德特人那里继承而来的DNA多，至少他们的竞争对手公司23andMe给出的结果是这样。因此把我的“祖先类型”归为这种穿着过时松紧裤，在冰河上滑行的日耳曼人是很荒谬的。单纯从DNA的比例上看，我的祖先也更可能是尼安德特人，而不是这种夸张的大胡子战士。

另外，在我测试时，BritiansDNA 的数据库中还没有纳入线粒体基因组的数据，也就是我母亲那边的遗传情况不得而知。毕竟，这类遗传公司只有客户足够了，他们的数据库才有办法扩大。23andMe 的报告中显示，我的线粒体基因组在印度人身上最为普遍。这倒不令人意外，因为我母亲就来自印度。线粒体的基因组中只有 37 个基因，Y 染色体上有 458 个。人类有大约 2 万个基因，除掉这 495 个仅能通过父亲和母亲遗传的基因以外，剩下的都位于常染色体上，遗传自父母双方。这些基因的来源是你所有的祖先，精子和卵子的结合不断让他们的遗传物质打乱洗牌。

另一家公司 Prosapia Genetics 提供了一项服务，可以定位你在千年前的祖先住在哪个村庄里。显然，这种说法又很奇怪，因为 1,000 年前你有几百万个祖先，不需要中世纪的历史学家来给你解释，你也知道他们不可能来自同一个村庄。正如张、拉尔夫和库普，以及其他许多研究人员的成果所显示的那样，越往前回溯，你的家谱就会越发变成错综复杂的一张网，直到 1,000 年前所有的人都变成你的祖先，所以定位到某个特定的村庄基本没有任何意义。

我们对这些故事的渴求，就是这些基因测序公司的商机。你的同胞是勇敢的日耳曼战士！你的祖先是希巴女王！你的 DNA 来自中世纪的某个村庄！你与拿破仑有亲缘关系！

然而，这些只是故事：很大程度上未经证实，可能半真半假，或是对几百万个客户都适用，只是由一点点微不足道的 DNA 数据推导出来的。这就是所谓的巴纳姆效应（Barnum Effect），当用一些普通、含混不清、广泛的形容词来描述一个人的时候，这个人往往很容易接受这些描述，却认为描述中所说的就是自己。1948年，心理学家巴纳姆·福勒（Bertram Forer）给他的学生进行了一次性格测试，并告诉了他们测试结果。随后，学生需要对测验结果与本身特质的契合度进行评分，0分最低，5分最高。实验得出的平均分是4.26，学生们认为测验结果非常符合对自身的描述。然而，福勒给学生的测试结果完全是一样的，它们只是模糊地描述了一些普遍而受人喜爱的性格特质：

> 你祈求受到他人喜爱却对自己吹毛求疵。虽然人格有些缺陷，大体而言你都有办法弥补。你拥有可观的未开发潜能，尚未彻底发挥自己的长处。看似强硬、严格自律的外在掩盖着不安与忧虑的内心。许多时候，你严重质疑自己是否做了对的事情或正确的决定。你喜欢一定程度的变动，并在受限时感到不满。你为自己是独立思想者而自豪，并且不会接受没有充分证据的言论。你认为对他人过度坦率是不明智的。有些时候你外向、亲和、充满社会性，有些时候你却内向、谨慎而沉默。你的一些抱负是不切实际的。

所谓的占星学，就是这样流行起来的——占星的结果都是这些陈词滥调，适合所有人。我们喜欢那些吸引人的描述，然后欢乐地抛下了剩余的事实。真是感情用事！在这些公司的测序结果里，我们的祖先为什么从来都不是傻瓜，或是修鞋匠，或是帮人削萝卜的仆人？他们总是令人恐惧的士兵、穿梭丛林的猎手、骁勇善战的撒拉逊人。用伦敦大学的马克·托马斯的说法，这些利用我们的 DNA 寻找祖先的商业服务，更像是“遗传占星学”。每个人都喜欢过去的奇谈怪事，也都渴求着自己祖先的壮美传说。这都没问题，但它们都不是科学。

这意味着什么？事实上，即便你居住在赫布里底群岛（Hebrides）最偏远的角落，或是希腊爱琴海的岸边，我们在几百年前都有着共同的祖先。追溯到 1,000 年前，所有欧洲人的共同祖先就生活在那时；再追溯到 3,000 年前，当时的那批人是现在所有地球人的共同祖先。某种程度上说，我们都是兄弟姐妹。这点很有趣，也很温暖。

对祖先的探寻是一件既混乱又困难的事情，对遗传学的探寻也同样如此。人类是好色的，生命是复杂的。隐秘的历史就隐藏在我们基因组的马赛克中。不过要谨记：没有哪种科学研究能够精确地告诉你某些 DNA 来自过去的哪个村庄或城镇。人类的历史就是一段迁徙史，部落、国家、文化、帝国，从来都不是永恒的。从长远的时间角度来看，对于那些历史人物的描述也不会一成不变。而仅仅回溯 1,000 年，你的 DNA 就已经混杂在各个文化、部落和国家的数百万人当中，难辨踪迹。如果你想要付钱给那些身穿白大褂的工作人员，让他们告诉你：你的祖先是日耳曼的无畏战士，你是维京人、撒拉逊人、撒克逊人甚至查理曼的后裔，那都请便。不过我和全球的数百位遗传学家也可以耸耸肩，免费告诉你同样的结果：你的确是。尊贵的查理曼的后裔，您甚至都不需要在试管里留下尊贵的唾液。

理查三世

“每一条申诉都指控我是个罪犯。”

莎士比亚《理查三世》第五幕第四场战场另一边

鼓角齐鸣。理查三世与里士满伯爵登场。两人交战。理查三世战死，双方退场。里士满伯爵重新登场。

里士满伯爵：“赞颂上帝与你们的功绩，胜利的朋友们。今天我们战胜了，吃人的野兽已经死了。”

莎士比亚的故事基本到了结尾。兰开斯特家族的里士满伯爵最终获得了博斯沃思战役的胜利，终结了玫瑰战争。里士满伯爵表示：“英格兰早已疯狂，伤痕累累。”他很快加冕为亨利七世（Henry Ⅶ），并与约克家族的伊丽莎白联姻，红玫瑰族徽象征的兰开斯特家族和白玫瑰族徽象征的约克家族合为一家。《理查三世》的第五幕，以及理查三世的恐怖统治也就此结束。

全剧终。

这就是莎士比亚笔下的理查三世，国王中的败类。他几乎是莎翁笔下邪恶人物的代表，不仅在道德上有所扭曲，身体上也是扭曲的。全剧自始至终，都预示着他的死亡。里士满伯爵毫不意外地将他杀死，甚至都没有让他说出几句哗众取宠的死亡宣言。他的标志形象是“驼背暴君”，伦敦古物专家学会曾经有过这样的肖像画。在其中，理查三世面色苍白，表情严肃地摆弄着自己的戒指。他真的长这样吗？这幅画像来自 16 世纪，关于他的最早的肖像画也是在他死后 20 多年才出现的。所以我们很难了解真相。更多的时候，英国艺人劳伦斯·奥利弗（Laurence Olivier）扮演的样子才更加深入人心——薄嘴唇、驼背、跛足，夸张而轻蔑的开场白：

现在我们严冬般的宿怨……

我们对这位约克家族的男性了解多少？理查三世出生于 1452 年 10 月，是塞西莉·内维尔（Cecily Neville）和第三代约克公爵理查·金雀花（Richard Plantagenet）的第十二个孩子。政治上的云谲波诡贯穿了他的一生，而他的死亡也拉开了都铎王朝的序幕。理查三世的兄长爱德华四世（Edward Ⅳ）在 1461 年至 1470 年，以及 1471 年至 1483 年担任了英格兰国王，其间亨利六世（Henry Ⅵ）曾经短暂复位。1483 年 4 月 9 日，爱德华四世病逝，他临终前把王位传给了他 12 岁的儿子爱德华五世（Edward Ⅴ），并任命弟弟理查三世为护国公，在爱德华五世未成年之前享有摄政权。

不过理查三世另有算盘。他把自己这个侄子送进了伦敦塔，然后宣布爱德华四世与这个侄子的母亲的婚姻不合法。爱德华五世就这样成了私生子，不再拥有继位权。理查三世随后加冕为英格兰国王，而爱德华五世之后再未露面过，他的尸体也不曾被发现。理查三世究竟有没有处死他，历史学界至今仍有争议。

不过理查三世的统治也并不稳固。1483 年当年就发生了暴乱，而流亡在外的亨利·都铎也被提名为正统国王。双方交战数次，最终在博斯沃思展开决战。亨利的军队人多势众，包围了理查，将他杀死。

> 我盗用《圣经》的话语，
> 来掩饰赤裸裸的罪愆。
> 外表是圣人，内心是魔鬼。

当时是1485年8月2日，理查三世年仅32岁。他的尸体被剥光衣服，绑在战马上示众。根据法国年代史编者让·莫利内（Jean Molinet）的记载，理查的死状惨烈，他的马陷入沼泽，而他的后脑遭到长戟重击。这也许是莎士比亚的戏剧中他那句"一匹马！我的王国换一匹马！"的来历。长戟给理查三世造成了致命的伤害，他成了持续300余年的金雀花王朝的最后一位统治者，也是最后一位战死沙场的英国国王。之后亨利七世一直统治英格兰到1509年逝世，传位给亨利八世（Henry Ⅷ），再之后是爱德华六世（Edward Ⅵ）、玛丽一世（Mary Ⅰ）、伊丽莎白一世（Elizabeth Ⅰ）。

在示众后，理查三世的尸体被送到莱斯特郡（Leicester）的方济各会教堂埋葬。具体的细节不得而知，不过应该只是匆忙随意的土葬。10年后，亨利七世给这位前代的统治者竖立了一块大理石碑。然而，亨利八世与罗马教皇反目，推行宗教改革，解散了修道院，方济各会教堂也自此消失。理查三世的长眠之处就这样被抹去了。

自此以后，我们一直在以某些方式寻找着理查三世。托马斯·莱格（Thomas Legge）1580 年的《理查三世》（*Richardus Tertius*）很可能是英国第一部历史剧，尽管托马斯·莫尔（Thomas More）和其他人，尤其是拉斐尔·霍林斯赫德（Raphael Holinshed）的《编年史》（*Chronicles*）已经在此之前很久就定下了都铎王朝对理查三世的宣传基调。剧作家本·琼森（Ben Jonson）曾经在 1602 年写过一本《驼背理查》（*Richard Crookback*），不过没有出版。当然，1594 年莎士比亚的版本最为著名，流传至今。从亚历克·吉尼斯（Alec Guinness）到肯尼思·布拉纳（Kenneth Brannagh），再到伊恩·麦凯伦（Ian McKellen）、阿尔·帕西诺（Al Pacino），乃至最近的本尼迪克特·康伯巴奇（Benedict Cumberbatch），甚至暗杀亚伯拉罕·林肯的约翰·威尔克斯·布斯（John Wilkes Booth），都争相扮演剧中扭曲而邪恶的理查三世。

不过理查三世最引人注目的再次亮相是在 2012 年 9 月。[1] 解散的修道院的遗址，仍然为当地的历史学家所知，这块地方仍然被称作方济各会教堂。莱斯特郡充满了对他感兴趣的人士。自 1924 年起，理查三世学会（Richard Ⅲ Society）就试图重新评估被莎

[1] 许多人都在背后努力推动着这项激动人心的探索，我都还没来得及列出这个令人钦佩的项目背后的名字。理查三世学会的菲利帕·兰利（Philippa Langley）促成了这项研究的开展，理查德·巴克利（Richard Buckley）领导了挖掘团队并统筹了整个项目，图里·金领导了遗传学团队，乔·阿普比（Jo Appleby）领导了古生物学团队，约翰·阿什顿－希尔（John Ashdown-Hill）负责确认了理查三世的后裔。以下是 2014 年发表的科学论文《理查三世遗骸得到确认》（*Identification of the remains of King Richard III*）的全部作者：图里·金、格洛丽亚·冈萨雷斯·福特斯（Gloria Gonzalez Fortes）、帕特里夏·巴拉瑞斯科（Patricia Balaresque）、马克·托马斯、大卫·鲍尔丁（David Balding）、皮耶尔保罗·麦萨诺·德尔瑟（Pierpaolo Maisano Delser）、丽塔·诺依曼（Rita Neumann）、沃尔特·帕森（Walther Parson）、迈克尔·纳普（Michael Knapp）、苏珊·沃尔什（Susan Walsh）、劳雷·多纳索（Laure Tonasso）、约翰·霍尔特（John Holt）、曼弗雷德·凯瑟尔（Manfred Kayser）、乔·阿普比、彼得·福斯特（Peter Forster）、大卫·艾克瑟德简（David Ekserdjian）、迈克尔·霍夫雷特（Hofreiter）和凯文·舒尔勒（Kevin Schürer）。

士比亚定义为卑鄙的这位国王的统治成果。2012 年 8 月，莱斯特大学由遗传学家和理查三世研究者组成的团队宣布他们正在寻找墓穴的位置。关于这方面的书面记载没有起到决定性的帮助作用，而雷达也被地下建筑阻碍，显示的只有管道和一些公共设施。不过在综合采用各种技术后，他们推测理查三世的遗骸最可能位于一个公共停车场的地下。所以 8 月 25 日，他们开始动工挖掘了。

他们几乎立刻就获得了成功，这让人有些意外。任何参加过考古挖掘的人都知道，这项工作无比枯燥，你要花费几天乃至几周的时间在泥土和灰尘中搜寻，试图在一堆脏东西里找到逝世已久的死者的线索。这些线索很容易遭到忽略，或是稍不小心，就永远消失在铁铲之下。在第一天，他们就找到了腿骨，尽管脚掌部分已经缺失了。

接下来几天里，在英国司法部的许可下，他们继续挖掘，还发现了被掩埋在地下的修道院遗迹。9 月 6 日，这具骸骨完全出土。埋葬地没有棺材和寿衣的痕迹，而且他的头部有着不自然的上翘。显然，给他挖的墓穴太小，无法让他平躺。这肯定不是正式的仪式性下葬，只是把他扔进了这个坑里就给埋上了。他的双手位于右髋，可能是被绑住了，不过现场没有发现捆绑的工具。遗骸的脊柱有着明显的弯曲，不是埋葬造成的，而是病理上的驼背。

> 罪恶、死亡和地狱都看中了他，
> 地下的大小役吏都在供他使唤。

科学家们再一次见证了其死状。接下来就是确认身份的过程了。

骸骨的主人看样子是一位男性，根据股骨的长度推测，大约是 5 英尺 8 英寸高（约 1.73 米）。通过 DNA，我们可以完全确定其性别。尽管骸骨上无法完好无缺地保留性染色体的样子，不过 DNA 的碎片中有仅存在于 Y 染色体上的部分。所以这无疑是个男性了。

骸骨存在着脊柱侧凸的现象。普通的脊椎是 S 型的，不过这是侧面的样子，如果从正面或者背面看，它应该是完全竖直的。脊柱侧凸的情况下，脊椎会往左或往右弯曲，导致它从正面或背面看起来像个 C，更极端的情况可能会是个 S。这有可能是遗传所致，也可能是后天获得的。脊柱侧凸的人一个肩膀高，一个肩膀低——不完全是驼背的样子，不过显然是扭曲的。

而头骨的状态则有点糟糕。在墓穴里，它的位置看起来很不舒服，不过是完好无缺的，至少从正面看是这样。然而将其发掘出来以后，从背面看，情况就惨不忍睹了。你可以用手摸一下脑后脖子和头骨的交界处，这块区域被称作枕骨，覆盖了整个后脑。修道院出土的遗骸上，枕骨的右下部分有个巨大的窟窿，大得可以塞进一个小蜜橘。这样的伤势应该是被长戟的戟刃直接击中，导致枕骨被劈下了一块。

与这个窟窿对称的位置，还有一个边缘参差不齐的小洞，可能是戟刃的尖端所致。在击中枕骨后，长戟余势不减继续深入，贯穿了整个脑部，给头骨的另一边也留下了印记。可以想象这一击的力量。这两处伤害只要出现一处，人类恐怕都会立刻死亡。两个窟窿都没有伤口修复的痕迹。我们不太清楚这是导致骸骨主人死亡的原因，还是在他死后补上的。只要佩戴了头盔，就不可能出现这样的伤势，所以这个男子在死的时候，头上已经没有了防护措施。

莱斯特郡在遗传学研究上有着深厚的底蕴。1984 年，亚历克 · 杰弗里斯爵士（Sir Alec Jeffreys）就是在这里发明了 DNA 指纹分析技术，这项技术之后一直被用于寻找罪犯。对于理查三世的研究，项目的领导者恰好拥有一个帝王般的名字：图里 · 金（Turi King 的意思也可以是“图里王”）。在确认名人身份时，我们问出的问题一般是：“这是我们认为的那个人吗？”贵族的家谱是最好的证明，所以有必要通过 Y 染色体和线粒体 DNA 来进行判断。比对家谱上的 Y 染色体往往不太费劲，一方面它只能通过父亲遗传，另一方面，姓氏也提供了足够的参照。

约克家族和兰开斯特家族的家谱记录得十分详细，理查三世项目的研究人员设法找到了他的 5 名男性后裔。寻觅的起点是理查的曾曾曾祖父爱德华三世（Edward Ⅲ）。他在 14 世纪统治英格兰 50 年，其中包括黑死病肆虐的那段时期。爱德华三世的 Y 染色体传给了理查，之后又流传到了第三代萨默塞特公爵（Duke of Somerset）和第五代博福特公爵（Duke of Beaufort）身上。据此，研究人员找到了他们家族现存的 5 位男性后裔，这些人不愿意透露身份，不过愿意留下唾液让研究人员分析他们的 Y 染色体。

这里出现了一个问题，如果修道院的遗骸属于理查三世，那么遗传学的结论就和家谱不符。这 5 位后裔的 Y 染色体与遗骸的不一样。众所周知，男人在性上十分不可靠，因为他们对女性怀孕的贡献只有那么一瞬间，所以孩子不是亲生的概率是真实存在的。究竟有多少孩子不是亲生的？情况各不一样，不过图里 · 金在理查三世项目的研究中，采用了 2% 这个比例，也就是说每 100 个孩子里，就有 2 个孩子不是名义上的父亲的骨肉。从爱德华三世到第五代博福特公爵之间共有 19 代，其中有人“戴绿帽”的概率高达六分之一。[1]

结案了吗？还没有。轮到女性出场了。出于明显的原因，“伪母子关系”要罕见得多。女性更容易被历史遗忘，按照惯例，她们结婚以后，本来的姓氏也会被抛弃。不过，她们遗传的线粒体 DNA 不会被磨灭。理查三世的姐姐约克的安妮（Anne of York）和他有一样的线粒体 DNA，这来自他们的母亲塞西莉·内维尔。从她起大约 20 代到现在，线粒体 DNA 都极为相似。通过家谱，研究人员找到了两位现存的母系后裔，一位是名叫迈克尔·易卜生（Michael Ibsen）的加拿大人，另一位叫温迪·道尔吉格（Wendy Dulgig）。线粒体 DNA 大约只有 1.65 万个碱基对那么长，其上产生的变异也可能混淆两个来自不同母系族谱的人。因此，图里·金对易卜生、道尔吉格和停车场地下遗骸上的 DNA 进行了一系列对比。首先，研究人员着眼于 DNA 上变异度高的区域。[2] 为了确保无误，他们提取了两次古 DNA ，在完全不同的两个实验室进行了对比，发现这块区域完全一致。之后，他们提取了整个线粒体 DNA 的基因组，发现易卜生的与遗骸的完全一致，而道尔吉格的有一个碱基的差别。这个结果已经相当符合了。谨慎的图里·金又

[1] 反应敏锐的人可能会发现，Y 染色体不匹配暗示着父系血脉中断，那么整个都铎王朝的正统性都要遭到质疑。这种“伪父子关系”是何时出现的，目前我们还不清楚，只有从冈特的约翰（John of Gaunt，1340—1399，理查三世和亨利七世的最后一个共同祖先）到现在的这段时期内有大量家族成员的遗骸得到发掘和研究，我们才能得出结论。不管怎么样，严格意义上说，现在的温莎王室（Windsors）是都铎王室的直系后裔，所以英国的君主政体其实很可能建立在谎言之上，尽管这个谎言十分古老。

[2] 这些区域被称作高度可变区（hypervariable region）。

把这三者的线粒体 DNA，与数据库里其他 2.6 万人的线粒体 DNA 用计算机再次对比，结果显示不存在相似的情况。最后，团队里的全部成员又检测了线粒体 DNA 和 Y 染色体（如果有的话），看看是否有基因污染。也没有。这下终于可以盖棺论定了。

所以，遗骸的主人确实是理查三世。他家谱中的男性没有给出什么遗传学上的证据，不过女性成了中流砥柱。除了线粒体 DNA 和 Y 染色体之外，他的其他基因提供了更多细节。理查三世的两个基因变体会有很大概率导致蓝眼和金发。不过这个基因型也会随着时间出现变化，金发的婴儿在成年后头发颜色往往会加深。伦敦古物专家学会的肖像画中的描绘，最符合我们根据理查三世的 DNA 推断的头发和眼睛颜色。

这里有必要强调，DNA 是认定身份的关键，不过也只是证据的一部分。出土的遗骸特征也大体符合现有的资料。脊柱侧凸，符合历史记载而不是莎士比亚描述的颅骨损伤，扭曲的肩膀下他的手臂没有坏死，不过肩膀确实是扭曲的。臀部和腰部的细微伤口应该不是在身披铠甲时造成的，这也符合他死后尸体遭到侮辱的记叙。他的颅骨则提醒了人们战争的残酷性，要害处的一击可以瞬间带走一条生命。这一切都讲述了理查三世这个人，而 DNA 结合王室才有的详细家谱记录，帮助我们确认了遗骸的主人就是他。

开膛手杰克的错误鉴定

以上是科学家的鉴定过程。在理查三世项目里，这个标准被设定得很高。我们可以把它的成功和另一个侦探故事作为对比。2014

年 9 月 7 日，一觉醒来，我们发现铺天盖地的新闻报道称开膛手杰克的真实身份终于被揭露。他是英国历史上臭名昭著的邪恶凶手。1888 年 8 月 31 日至 11 月 9 日之间，在伦敦的白教堂（Whitechapel）一带陆续发现了 5 名女性的尸体。其中 4 人被残忍地解剖，仿佛是出于某种仪式的要求。由于当时的刑侦技术有限，警察们迟迟未能破案。除了尸体外，凶手（也可能是其他恶作剧者）还在墙壁上留下了文字，甚至还有一封“来自地狱”的信。信里附有一半人类的肾脏，写信者声称另一半已经被他吃掉了。

针对 5 名女性夸张的暴力犯罪，引发了整个社会的病态兴趣。“开膛手杰克”已经成为一个话题，吸引了许多业余侦探，他们提出了各种理论，推测他的真实身份。这已经成了一笔巨大的生意，如果你在亚马逊网站上搜索“开膛手杰克”，可以搜到超过 4,000 本相关作品。2015 年，白教堂区甚至还开了一家开膛手杰克的博物馆，尽管受到了广泛的批评、抵制，还有人去故意搞破坏。即便是博物馆的设计者，也称杰克是一个“厌恶女人却又好色的垃圾”。在博物馆的礼品店里，你可以购买各种小玩意，包括花上 45 英镑买一顶杰克的大礼帽。

他不是第一个连环杀人案凶手，却正好碰上了大众传媒的兴起，也为 20 世纪对凶杀犯的痴迷定下了毛骨悚然的基调。他的身份目前尚不明了。人们通过各种方式，举证了几十位嫌犯，其中甚至包括王室成员和刘易斯·卡罗（Lewis Carroll）[1]，而最有可能的嫌犯被圈定在 6 名男性的范围之内。业余侦探们不放过任何法医

[1] 刘易斯·卡罗是英国作家、数学家，以儿童文学作品《爱丽丝梦游奇境》与其续集《爱丽丝镜中奇遇》而闻名于世。——译者注

报告中提到的蛛丝马迹，还有人不远万里飞来伦敦实地考察，推想受害人和凶杀犯的性格，希望从中找到一些能够成为破案关键的线索。

这真的令人有些费解和困扰，我们为什么对他这么感兴趣，还把他的凶杀案浪漫化，变成维多利亚时代的恐怖故事：在弥漫着浓雾的伦敦东部，堕落的女人在身披大衣、头戴礼帽的反派角色面前受尽折磨。不管他是谁，他谋杀了女性，这似乎不是什么值得庆祝的事情。而且尽管这么多人痴迷于他的故事，却没有谁能提出任何可靠的证据，帮助历史学家、警察、法医科学家或陪审团找到凶手。现在，DNA 能否成为破解这个邪恶谜团的关键？

2014 年 9 月，情况就是这样。《星期日邮报》(*Mail on Sunday*)在一个周日发布的头版新闻迅速传遍了全球。其中引用了自称“安乐椅侦探”的拉塞尔·爱德华(Russell Edwards)的新书中的内容。这本书异常厚重，名为《寻找开膛手杰克：新的犯罪现场证据、司法鉴定的惊人突破和凶手的揭秘》(*Naming Jack the Ripper: New Crime Scene Evidence, A Stunning Forensic Breakthrough, The Killer Revealed*)。他观看了约翰尼·德普(Johnny Depp)主演的恐怖电影《来自地狱》(*From Hell*)[1]，对其中的剧情深感兴趣。于是他在 2007 年的一个拍卖会上拍得了第四名受害者凯瑟琳·埃多斯(Catherine Eddowes)的披肩。随后，他带着这条披肩去找了利物浦约翰摩尔斯大学(Liverpool John Moores University)的法医和

[1]《来自地狱》这部小说改编成的电影与原著的关系已经不大。艾伦·摩尔和埃迪·坎贝尔撰写的原著，在我看来是一部杰作，也是我认为唯一值得一读的关于开膛手杰克的小说。这本图画小说进行了一丝不苟的研究，对于谋杀和媒体的描述堪称绝妙。

遗传学家杰瑞 · 洛海莱宁（Jari Louhelainen），看看他能从中发现什么。根据洛海莱宁提供的 DNA 证据，爱德华宣称科学已经“无可争议”地解决了这个问题。开膛手杰克确实是那些嫌疑人之一——艾伦 · 科斯明斯基（Aaron Kosminski）。他是俄国犹太人，1881 年来到伦敦，在白教堂当理发师。在凶杀案发生后的 1891 年，他的行为变得很不正常，被送进了精神病院。他的症状包括幻听、担心被人吃掉以及拒绝梳洗，据说是强迫性自慰导致了这一切。他在精神病院过完了剩下的人生，1919 年他在 53 岁时因为坏疽虚弱地死去。

描述凯瑟琳 · 埃多斯如何被凶手解剖的法医报告实在是令人作呕，对女性施加如此暴力居然只是为了娱乐。埃多斯是一名妓女，不过偶尔也从事其他工作，例如在夏天采花。被杀的那个晚上，她已经一贫如洗。9 月 29 日，她因为在街上发酒疯而被警察拘留。30 日凌晨 1 点，她被释放，不过 45 分钟后，她被肢解的尸体就出现在伦敦的主教广场上。警署的外科医生弗雷德里克 · 布朗（Frederick Brown）于凌晨 2 点赶到了现场，详细描述了整个情景，包括她的伤口情况。不过对于死者的衣物，医生没有过多描述，只是提到由于尸体被剖腹，衣服也被撕得七零八落。

我对开膛手杰克是谁没有特别的兴趣，只是关心我们能知道什么。在这里我只能毫不客气地说：拉塞尔 · 爱德华在新闻头条所说的确定了凶手的身份，从头到尾都只是法医的幻想。

艾伦 · 科斯明斯基在 1894 年的一份警局的备忘录中被怀疑是开膛手杰克。不过他身上有许多谜团，牵涉到的名字也有点混乱。在一些记录中，提到了大卫 · 科恩（David Cohen）这个名字，这可能是警局官员难以拼出俄国犹太人的名字而随便写的代称（类似中文的“无名氏”）。内森·卡明斯基（Nathan Kaminsky）的情况也是类似，有人怀疑这个名字指代的就是艾伦·科斯明斯基。不过这和我们的故事关系不大，因为拉塞尔·爱德华在2014年声称帮助他确认凶手的是DNA。

爱德华的论证过程大概是这样：他把披肩给了法医洛海莱宁，后者从中提取了DNA，测序了线粒体基因组的部分。利用家谱，他们设法确定了埃多斯和科斯明斯基的后裔，发现结果匹配。因此在埃多斯死亡时，科斯明斯基的DNA确实留在了她的披肩上。正如爱德华在《星期日邮报》上写的“DNA的证据已经无可争议地显示”凶手正是科斯明斯基。案件告破，皆大欢喜。

差得太远了！首先，没有证据表明凶杀案现场有这么一条披肩。这条披肩是爱德华在2007年的拍卖会上买到的，唯一证明它出处的是卖家的一封信，信中声称警局的一个小队长拿到了它。他当时似乎根本不在现场，也不在巡逻。据说，这个小队长询问了上司自己能否把这条披肩带回去给他的裁缝妻子，之后这条披肩就一直保存到了现在。爱德华自己都不小心透露了一件不太可能的事情：“简直令人难以置信，它从来没有被洗过。”之后，他就把话题转到披肩的“全球独一无二”上了，却丝毫不提“没有证据表明它的出处”。

接下来的问题是，科斯明斯基的DNA为什么会留在披肩上。爱德华说他们在披肩上发现了精液的痕迹，也就是说科斯明斯基在披肩上射精了。然而如今也没有证据表明开膛手杰克有这样的习惯，尽管很多连环杀人案的凶手都有性相关的作案动机，但他们通常不会这么做。如果爱德华所说属实，考虑到埃多斯是个妓女，那科斯明斯基可能是个嫖客？

没关系，这些都不重要，因为他们的 DNA 分析本身就不可信——没有令人信服的地方。他们没有从披肩上提取精液，却发现了上皮细胞的证据，这是人体的任何湿表面都存在的细胞，因此男性的精液中也可能携带。另外，他们没有发现常染色体 DNA，只有线粒体 DNA。在有关 DNA 的研究中，样本污染是一个严重的威胁，无论这是现代的新鲜样本还是史前样本。操作时，我们需要遵从细致的流程，避免识别到其他生物的 DNA。《星期日邮报》的新闻配图上，爱德华没戴手套就抓着披肩的两个角，这可不是个好的迹象。洛海莱宁告诉我，他确实排除了自己和爱德华的 DNA 的影响。不过据报道，埃多斯的后裔之前也与披肩待在了同一个房间，那么这些人的 DNA 也可能会污染样本。我们每时每刻都在散播 DNA。这本书的书页上会有你的 DNA，你的键盘上也有，你手机的话筒上也有，就连我们的呼吸中都可能会有。

这甚至还不是主要的问题。洛海莱宁和爱德华根据线粒体 DNA 进行了推断，这和理查三世的项目一样。然而理查三世项目的研究人员测序了整个线粒体基因组，开膛手杰克的探秘者们则只研究了一个特殊的变异基因 314.1C。这个基因是从披肩上获得的。洛海莱宁在接受《独立报》采访时表示，这个基因的变体在全球人口中不太常见，出现频率只有 0.000003506，也就是大约 1/290,000。这个证据表明，该基因不太可能来自科斯明斯基之外的其他人。不过即便如此，这个稀有性可能还是不够。我当时采访了洛海莱宁，问他假如开膛手杰克就在上个月犯案，他是否愿意在法庭上提供这些证据。他的回答是："你可能知道我的回答。这是线粒体 DNA 给出的证据——在现代法庭上没有决定性的作用。"

这个 314.1C 的出现频率也存在疑点。DNA 指纹分析的发明者亚历克·杰弗里斯爵士指出，他们比对的线粒体 DNA 的数据库里，只有 34,617 个样本，因此"不可能获得 1/290,000 这样低的比例"。也许他把小数点位置弄错了，实际上是 1/29,000。

但是，这也不是最关键的一点。实际上，他们搞错了那个线粒体 DNA 上的基因突变，那并不是 314.1C，而是 315.1C，90% 的欧洲人都有这个基因。于是，所有接触过这条披肩的人都可能留下它。

这件事给我们的教训简单明了：不要相信那些吹得天花乱坠的报道。DNA 是解决问题的线索，但不是万能钥匙。我们需要技术和细心，才能得出一些有价值的结果。理查三世项目和开膛手杰克的探秘从正反两个角度证明了科研所需的品质。前者一丝不苟、滴水不漏、小心谨慎，综合了包括碳同位素测定、法医人类学在内的多种证据，并用 DNA 穿针引线，把所有这一切结合起来，得出了准确的结论。怀疑是科学的基石，它让你有了一个稳固的立足点，借此根据数据确定论点。图里·金用合理的质疑当作他研究的推进力量，团队的整个研究过程都在公众的眼皮底下进行，BBC 电视 4 频道全程跟踪，揭开了整个故事。BBC 这样的大公司有能力影响科学过程，妨碍科学家。不过他们却非常通情达理，在挖掘期间保持了足够的谨慎。第一天发现的遗骸确实就是理查三世，但直到 3 个月后，科学家才给出了正式的确定意见。在最初的喧嚣和轰动之后，这个成果也经受了最严格的同行评审，发表在了声誉良好的期刊《自然通讯》(*Nature Communications*)上。

这些在开膛手杰克的探秘中完全没有看到。爱德华对《星期日邮报》表示：

> 我得到了关于这一系列事件的唯一法庭证据。我花了 14 年时间，终于搞清楚了开膛手杰克的身份问题。只有那些没有信仰、希望这个谜团永久留存的人才会质疑我。就是现在，我们撕下了开膛手杰克的面具。

那么，就叫我“没有信仰的人”吧。披肩的来历十分可疑，很难提供可靠的遗传学数据并排除污染。数据分析呢？我不清楚，因为它没有在期刊上发表，但我们知道它是错的。科斯明斯基是开膛手杰克吗？谁知道呢。这个问题目前依旧悬而未决。证据不足的情况下，科学也无能为力。如果你不把研究的过程发表出来，让其他所有人检查一下，那你就只是在自娱自乐。科学研究不是这样做的。

理查三世的第二次葬礼

16 世纪的学者波利多尔·维吉尔(Polydore Virgil)表示，理查三世“没有任何尊严”地被埋葬了。不过他的第二次葬礼就要风光许多。整个流程从 2015 年 3 月 22 日一直持续到 27 日，许多公众排队几小时，只为一睹他的棺木。棺木由理查三世的现代血亲、家具制造商迈克尔·易卜生亲手打造。坎特伯雷大主教也参加了葬礼。本尼迪克特·康伯巴奇还受大教堂委托，朗读了著名诗人卡罗尔·安·达菲（Carol Ann Duffy）的一首新诗。英国女王也派来了她的儿媳威塞克斯伯爵夫人索菲（Sophie Countess of Wessex），可能是要确保理查三世不会卷土重来，夺走都铎王朝后裔的统治地位。这是一段与众不同的传奇故事。确定任何死去几个世纪的人的身份，都需要最高水平的侦探技能。理查三世的王室身份，在寻找现存后裔上起到了关键的作用，因为他们的家谱有着最为详细的记载。尽管研究发现他之后的君主政体可能存在不合法性，不过我认为这不会动摇白金汉宫英国王室的根基。

祖先和DNA只是探究过程的一部分。我们必须承认，对那些线粒体DNA的数据分析，已经让遗骸不是理查三世的可能性降到了最低。但首先是考古学、碳同位素测定、古代法医学和那些直白的历史记载，才让科学家决定深入探查他的细胞和基因组。21世纪的这一幕里还有许多演员依旧在争论他的性格，以及他在塑造现代英国上产生的影响。这些争论可能永远不会停止。不过感谢DNA，至少让我们知道了遗骸的主人就是他。如今，这名扭曲的篡位者、吃人的野兽，躺进了他位于莱斯特大教堂里的坟墓，完成了他最后的

退场。

卡洛斯二世

马德里，1700 年 11 月 1 日

……但是现在没人继承他了。卡洛斯二世（Charles Ⅱ），西班牙哈布斯堡王朝的最后一位统治者，在 39 岁生日之前的 5 天死去了。尽管他结过两次婚，却没有孩子或继承人。

卡洛斯二世没有生育后代的能力，无法继续哈布斯堡王朝的统治，而这只是他可怜一生的悲惨遭遇之一。他身患多种遗传病以及智障和癫痫，直到 4 岁才会走路，8 岁才会说话。他的舌头肿胀，塞满了口腔，导致他讲的话无人能懂，说话时唾液也会止不住地往下流。

而在他多灾多难的生命行将结束之际，情况更加糟糕。他几乎已经彻底残废，头发全部掉光，耳朵聋了，眼睛几乎看不见，牙齿所剩无几，时不时产生幻觉。他变得越来越古怪，还要求把祖先的棺材挖出来并打开，然后他就盯着那些已经腐烂的尸体。在他死后，医生在检查他的身体时还描述了内脏的一系列畸形：

> 他的心脏只有花椒那么大；肺部严重萎缩；肠子已经腐败；只有一个睾丸，黑得像煤炭；脑袋里几乎全是水。

我不是病理学家，不过我认为这些话可能有夸张之处。不管怎样，卡洛斯几乎称不上是一个完好的人类，无论是在身体上还是心理上。年幼继位的他享受了许多特殊待遇，既不用接受教

育，也不用经常洗澡。他的父亲在他 3 岁时去世，母亲玛丽安娜（Mariana）成为摄政王。一般而言，新任国王年龄达到 14 岁即可单独掌权——前提是身体健全，因此玛丽安娜也没有把权力转交给他。在他昏庸无能的统治期间，西班牙经济停滞，国力迅速衰退。臣属西班牙的地区给他起了一个无礼的外号："中魔者"卡洛斯（Carlos el Hechizado）。在 17 世纪，39 岁逝世不算特别短寿，不过在这样全面畸形的情况下存活了这么久实属罕见。在这些年里，他忍耐着痛苦，却又养尊处优，饱受溺爱，享受着只有至高权力才能带来的关怀和服侍。不过这一切都是徒劳。

18 岁时，卡洛斯二世迎娶了奥尔良郡主玛丽 · 路易丝（Marie Louise of Orléans）为妻，她在 10 年后逝世。29 岁时，他又续娶了诺伊堡的玛丽亚 · 安娜（Maria Anna of Neuburg）。第一任妻子私下里透露了卡洛斯阳痿早泄的情况，第二任妻子也表示他是个性无能。这个问题应该是卡洛斯一系列复杂的畸形所导致的，根据他死后的验尸结果，我们没法知道是哪一种单独的问题引发了他的不育。拥有无上权力和财富，统治欧洲大陆大部分地区的西班牙哈布斯堡王朝，在延续 200 年后终于伴随着他的死亡而终结。这个家族的人拥有显著的"哈布斯堡唇"——用现代医学的说法，这属于下颌前凸。不过在他们家族的人看来，这是神圣权力的象征，应该一代代遗传下去。

这就是问题所在。哈布斯堡家族手握王权，在卡洛斯二世出生前的 100 多年就已经停止了远亲繁殖。他的父亲是西班牙的腓力四世（Philip Ⅳ），有着家族引以为豪的突出下巴，母亲是奥地利公主玛丽安娜。玛丽安娜的母亲是西班牙的玛丽亚 · 安娜（Maria

Anna of Spain），也是腓力四世的妹妹。因此，卡洛斯二世的外祖母同时也是他的姑母。腓力四世和玛丽亚·安娜的母亲是奥地利的玛格丽塔（Margarita of Austria），也就是说，玛格丽塔既是卡洛斯二世的祖母，又是他的外曾祖母。如此一来，家谱本身就存在着明显可见的闭环，而不是正常情况下的开放分支。在另一个闭环中，奥地利的查理二世（Charles Ⅱ of Austria）既是卡洛斯二世的外曾祖父，又是他的外曾曾祖父。这些婚姻往往是跨代的，例如叔父和侄女结婚，所以哈布斯堡的安娜（Anna of Hapsburg，1528—1590）同时是卡洛斯二世的曾叔祖母、曾曾叔祖母、外曾曾曾祖母和外曾曾曾曾祖母。一般来说，你往上追溯到第六代，应该有 62 个祖先（2+4+8+16+32），而卡洛斯二世只有 32 个。往上追溯到第八代，应该有 254 个祖先（2+4+8+16+32+64+128），卡洛斯二世只有 82 个。

这里再插入一些题外话，因为整个哈布斯堡王朝在西班牙的始祖是腓力一世（Philippe Ⅰ）和卡斯蒂利亚的胡安娜（Joanna of Castille）夫妇。从卡洛斯二世到胡安娜，最近的亲缘关系是五代，通过家族中的两条血脉传承可以达成，通过另五条血脉推演出来的亲缘关系是六代，还有两条血脉推演出来的亲缘关系是七代。你往上追溯的第五代、第六代和第七代祖先中，应该有 112 位女性（32+64+128=224），但卡斯蒂利亚的胡安娜在这三代人中占据了 9 个位置。真是相当惊人。

胡安娜也有绰号。她在晚年罹患了某些精神疾病，现在的医学诊断推测她可能有抑郁、精神错乱和精神分裂的症状。有些历史学家认为这可能是遗传导致的，她的祖母葡萄牙的伊莎贝拉

（Isabella of Portugal）似乎也有类似的症状。由于没有找到她的遗骸或DNA，所以这也仅限于推测。当时因为她的症状，人们叫她"疯女"（La Loca）。

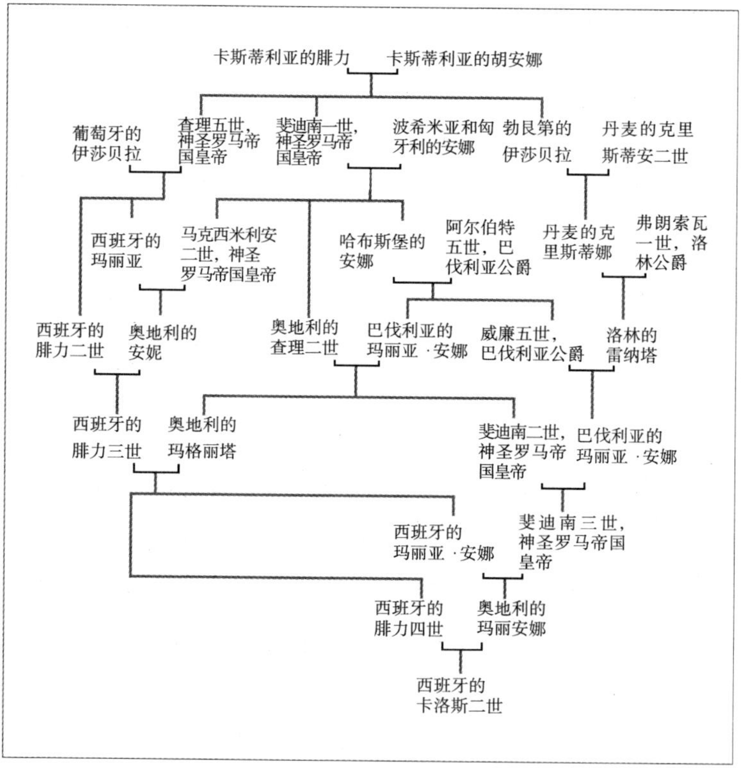

西班牙的卡洛斯二世的家族树。1661 年，卡洛斯二世出生，在此之前一个多世纪，哈布斯堡家族就已经停止了远亲繁殖。六代人本应包含 62 位祖先，卡洛斯却只有 32 位；八代人本应包含 254 位祖先，卡洛斯却只有 82 位。这就是我们所说的"未优化"。

正如之前所说，家族树的形状并非我们想象的那样分叉，在很长的一段时间内，我们的祖先都会近亲交配。我们只是希望你的直系家族树里不要看起来存在着闭环。而以卡洛斯二世为终结的哈布斯堡家族树就是个悲剧的例子，它最终导致了所谓的“血统崩溃”。

实际上，所有的血统在足够长的时间后都会崩溃。本章开头查理曼的故事就是一个例子，现在所有的欧洲人都是他的后裔。不过卡洛斯二世的情况更加悲惨，他的血统崩溃的速度也更快。简单地说，近亲交配很难给下一代带来遗传性变异。你有一半的基因来自父亲或母亲，有四分之一分别来自祖父母。尽管下面几个例子有点令人厌恶（而且也是不合法、不道德的），不过如果父亲和女儿（或母亲和儿子）进行了交配，他们的后代也会有 4 位祖父母，但其中一个同时又是父亲或母亲，因此，这个人就无法贡献出任何新的基因。如果一对夫妻同父异母或同母异父，那他们的孩子就只有 3 位祖父母。堂兄妹或堂姐弟之间的孩子会有 4 位祖父母，但却只有 6 位曾祖父母。

亲兄妹或亲姐弟之间的配对，是单次配对所能导致的最近的近亲交配——这是一代人中血统崩溃最大化的途径。若要更亲近，只能是克隆人之间的交配（异卵双胞胎的情况与亲兄妹、亲姐弟一样，而众所周知，同卵双胞胎之间没办法交配产生后代）。他们有着完全相同的父母和祖父母，所以孩子的基因来自同一个基因库，在至少两代人里面没有新的基因加入。我们的每个基因都有两份，分别来自父母，处于一对染色体的对应位置上。这是个保险系统，可以让好的等位基因有机会掩盖掉致病基因。

对于亲兄妹或亲姐弟的孩子，基因组中平均有四分之一的等位基因都是一致的。因此某些危险的隐性基因表现出来的概率就很高，而远亲交配的情况下，这些危险基因很可能会被另一个人贡献的显性基因所掩盖。这个等位基因一致的比例叫作近交系数（inbreeding coefficient），以 F 表示。[1] 亲兄妹或亲姐弟的孩子，近交系数 F 就是 0.25。

2009 年，贡萨洛·阿尔瓦雷茨（Gonzalo Alverez）带领的西班牙遗传学家团队回顾了卡洛斯二世之前 16 代祖先的情况，涉及的家族人数超过 3,000 人，最终得出他的近交系数为 0.254。经过一代代的伯叔侄辈交配和堂表兄弟姐妹交配的累积，卡洛斯的近交系数已经超过了亲兄妹或亲姐弟后代的近交系数。尽管他的家谱显然是个灾难，但这是科学家第一次从遗传学的角度来考虑哈布斯堡家族的血统崩溃。通过计算，腓力一世的近交系数为相对正常的 0.02（尽管已经较高了），而他与卡洛斯二世之间的 200 年里，这个家族的近亲交配的情况严重了 10 倍。腓力三世（Phillipe Ⅲ）的近交系数也很高，达到 0.218，他和卡洛斯二世一样，是叔侄 / 舅甥辈交配的后代。

我们还可以看看这个家族严重的婴儿死亡率。尽管他们的家谱看上去十分扭曲，不过还没有体现出这一点。在腓力二世出生的 1527 年至卡洛斯二世出生的 1661 年之间，哈布斯堡家族诞生了 34 个婴儿，其中 17 个在 10 岁之前便告夭折，这里面还有 10 个甚

[1] F 指的是“相关性”（fitness），而不是你们通常想到的与性相关的那个词。近交系数是进化的关键指标，同时量化了繁殖的成功程度，表明了一个有机体平均给后代的基因库贡献了多少基因。

至没有活到 1 岁。而当时西班牙人口的婴儿死亡率——包括农民的孩子，他们没有足够的财富，在医疗上享受不到任何优待——大约是 20%。

日积月累之下，近亲交配对王朝产生了显著的影响。王室诞生后代的全部希望都寄托在了卡洛斯二世和他那羸弱不堪的生殖能力上，因为其他的继承人在婴儿时期就已经相继死亡。在卡洛斯二世的所有 DNA 中，超过四分之一都是纯合的。一个隐性的致病基因可以被一个正常版本的基因掩盖，但假如两个都是隐性致病基因，就意味着疾病的出现。在卡洛斯二世的身体里，就有几十种隐性致病基因表现了出来。阿尔瓦雷茨举出了两个可能由 DNA 引发的问题。PROP1 会影响脑垂体的发育。这是一个豌豆大小的器官，可以分泌一系列促进人体生长、维持人体功能的激素。如果体内有两个突变的 PROP1，就会导致联合垂体激素缺乏症（Combined Pituitary Hormone Deficiency, CPHD），进而引发一系列症状，包括肌肉无力、不育、性无能，对周围事物漠不关心。另一种由基因突变引发的隐性疾病是远端肾小管性酸中毒（Distal Renal Tubular Acidosis, DRTA），它会导致肌肉无力和佝偻，患者的头部较身体也显得巨大。

这些特征都与畸形的卡洛斯相当吻合，不过阿尔瓦雷茨强调这些都只是推测。近亲交配不仅会大大提高某些隐性疾病出现的概率，还会导致很多其他问题，进而严重影响后代的健康。哈布斯堡家族希望通过内部联姻紧紧握住权力，讽刺的是，遗传学也借此紧紧掐住了他们的咽喉。他们抓得越紧，家族也就崩溃得越快。卡洛斯二世受到了家族血统的诅咒，他的一生都中了魔，源头则是家族的贪婪。来自西班牙的“中魔者”卡洛斯，生动地向人们展示了近亲交配的危害。

避免近亲交配的重要性

近亲交配是科学中必要的组成部分。如果没有它，遗传学也不可能有发展。孟德尔聪明地设计了豌豆杂交实验，从而可以计算每个性状出现的比例。老鼠成了人类遗传学家首选的模式生物（此外还有果蝇、线虫和斑马鱼）。第一批使用老鼠的遗传学实验者从 19 世纪末美国的饲养者那里得到了他们想要的动物。这些饲养者会在秀场竞争，就像如今的克鲁弗兹犬展和其他犬类展览一样。为了每年保持竞争力，最优秀的老鼠会被配种，保持最优秀的性状。

任何养狗的人都知道，纯种也会带来各种问题，这也是近亲交配的结果。我家里养了几只黑色的平滑毛巡回犬，第一只存在着先天性心脏缺损，不过安然活了 13 年而没有症状。它的兄弟姐妹就没有那么好的运气，存在着一系列健康问题。如今，科学家花费了大量精力来确保我们在所有试验中使用的老鼠都是近亲交配，以此避免出现任何可能搞砸结果的自然变异，这样就不用担心它们是否患病。

达尔文挚爱的妻子艾玛（Emma）是他的表姐，这让他很担心，害怕这种亲缘关系会导致子女的健康问题。他们育有 10 个子女，其中 3 个在 11 岁之前夭折了。他开始担忧整个家庭的健康，并写道：

> 这是我快乐中潜藏的最大阴影，他们都不是很健康，其中几个似乎遗传了我可憎的特质。

值得一提的是，达尔文担忧的事情很多，包括他的孩子、他的植物，有时候可能就是忽然感伤。他曾经在笔记上写过类似“我今天非常可怜 / 非常蠢 / 讨厌所有人 / 讨厌所有事”这样的话。有一次，他的表弟弗朗西斯 · 高尔顿（Francis Galton）即将开创的优生学又引发了他的多愁善感，他说：

> 我们是个不幸的家族，应当被消灭。

达尔文的家族确实不太健康。他可能最喜欢的大女儿安妮 10 岁时死于肺结核。二女儿玛丽仅活了 23 天。五儿子霍勒斯（Horace）在安妮死后不久出生，但“每天会有多次战栗、痉挛和歇斯底里的哭泣”。达尔文还认为四儿子伦纳德（Leonard）“发育迟缓”[1]，尽管他最后活了 93 岁，成了下议院议员，还在科学上取得了令人印象深刻的成果。进入 20 世纪，伦纳德还赞助了著名的进化生物学家罗纳德 · 费希尔（Ronald Fisher）。后者在 20 世纪 30 年代把遗传学与自然选择结合在一起，建立了遗传学未来的框架。伦纳德还继承了弗朗西斯 · 高尔顿的优生学理念，后来成了英国优生学会的第二任主席。

---

[1] 这显然是个家族特征：查尔斯 · 达尔文的父亲罗伯特 · 达尔文曾经对 16 岁的儿子说：“你只在乎射击、养狗和抓老鼠，你将成为自己和家族的耻辱。”据称，他后来又说：“儿子，看到你几乎成了最伟大的英国人，至少排在前十轻而易举，我很抱歉之前那么说。”这句话的真实性无法确定。

达尔文的担心不仅来源于他轻微的忧郁症，还来自植物界。兰花（Orchids）的名字来源于根部的形状，它的形状很像男性生殖器，而男性生殖器在希腊语中被称作 orchis。[1]他一共培养了 57 种兰花，并发现异花授粉的植株要比自花授粉的长势更加喜人。自花授粉的兰花长得更矮，开花更晚，花朵更小，种子也更少。这个现象被称作近交衰退。

哈布斯堡家族和达尔文 – 韦奇伍德家族的情况就类似于自花授粉。2009 年研究了哈布斯堡家谱的贡萨洛 · 阿尔瓦雷茨在 2015 年把目光转向了达尔文家族。查尔斯 · 达尔文和艾玛是表姐弟，这让近交系数 F 达到了 0.0625。艾玛的哥哥亨利 · 韦奇伍德（Henry Wedgwood）和他妻子杰西 · 韦奇伍德（Jessie Wedgwood）既是堂亲又是表亲，他们的父亲是兄弟，母亲是姐妹，所以他们的孩子有着 0.1255 的近交系数。

不过，艾玛有 3 个兄弟姐妹没有和同家族的人通婚。和分析西班牙的哈布斯堡家族一样，我们来看看达尔文 – 韦奇伍德家族的婴儿死亡率，作为遗传健康程度的参照。这方面，他们做得不错。该家族四代的 25 名家族成员一共拥有 176 个子女，其中 155 个存活。婴儿死亡率为 12%，低于当时社会的平均水平 15%。这里同样要补充的是，他们是个富裕而享有特权的家族，有能力购买维多利亚时代上等阶层使用的所有药品。

在生物学界，近亲交配得到了深入的研究，尤其是在植物学和保护珍稀物种方面，因为近交衰退有可能会导致物种灭绝。而对

[1] 兰花在中世纪的英文名是 bollockwort，这里有必要重新介绍给读者以正视听。

人类近亲交配的研究也在 20 世纪断断续续地进行着，一直到 21 世纪。研究成果多种多样。20 世纪 60 年代，针对岛国日本居民的研究显示，近亲交配和居民整体健康之间没有明确可测量的关系。20 世纪 70 年代又有发现称血缘婚姻很容易导致智力迟钝。2014 年针对印度北部穆斯林家庭的研究又发现，近亲交配与 IQ（智商）测试分数较低之间存在着强相关性。智力和遗传的关系是一个十分复杂的问题，要讲清它可能需要一整本书的篇幅。IQ 主要是对人类认知能力的量度，它的数值也会随时发生变化。有些人说，IQ 分数只能显示你对 IQ 测试的擅长程度，这当然没错，不过有点像玩弄词句。换种方式说，百米跑步测试也只能显示你在 100 米内能跑得多快。无论针对智力的研究引发了多少争议，IQ 可能依旧是评判认知能力的最好方式之一，对于科学家而言有一定参考价值。

2012 年，遗传学界又利用新的成果，针对近亲交配可能导致的后果进行了一次大规模的研究。这次采用的特征更加明显，是身高。我们了解身高，也了解遗传对身高的影响，尽管遗传和环境的许多因素都会影响它（“遗传力”的概念将在第 4 章详细讨论）。爱丁堡的遗传学家鲁思 · 麦奎伦（Ruth McQuillan）带领着国际研究团队扫描了 21 个欧洲国家 3.5 万人的 DNA，在整个基因组里寻找一对染色体上完全相同的遗传变异，借此识别近亲交配的情况。堂表兄弟姐妹之间近亲交配的后代与远亲交配的后代在身高上平均有 3 厘米的差距。社会经济方面的因素也会发挥巨大的作用，最终的分析里也会将它们纳入考虑。看起来，近交衰退对人类身高的影响超过了 1 英寸。

“那个黑人修补匠要来了”

我们很容易夸大近亲交配的影响。2010年以来，议员多次公开谈论巴基斯坦人、穆斯林和布拉德福德（Bradford）城市里堂表兄弟姐妹之间结婚的比例，也让该问题成了政治上的烫手山芋。这是3个相互重叠的群体。大约有100万英国人是巴基斯坦人的后裔，其中约有70%来自巴基斯坦的米尔布尔地区（Mirpur）。一些研究显示，来自米尔布尔的巴基斯坦人里有60%的婚姻都是在兄弟姐妹之间结成的。这些数字和比例听上去有点模糊，不过计算一下就可以知道，他们中兄弟姐妹之间结成夫妻的大约有20万对，数量相当惊人。那么这会带来什么风险？

比起非血缘婚姻，堂表兄弟姐妹之间的婚姻几乎会让后代罹患隐性疾病的概率翻倍。不过这个概率基数本身不算太高。前者的子女患有隐性疾病的概率为2%至3%，后者则大约是5%。顺便一提，该数据对41岁以上怀孕的高龄产妇不适用。所以这种婚姻存在着风险，但风险不算太大，通过一些医嘱，可以将它控制在合理范围内，尤其是在鼓励兄弟姐妹之间结婚的群体里。显然，污蔑这类婚姻不是一个具有建设性的做法。政客们似乎太想在英国强调它可能带来的医学风险。2008年，如今颜面尽失的前东奥尔德姆和萨德尔沃思的工党议员菲尔·伍勒斯[1]（后来成为英国边境及移民事务大臣）表示：

[1] 由于在大选期间对竞争对手的不实指控，伍勒斯在2010年被剥夺了议会席位，并在随后被英国工党开除。

> 如果你和你的堂表兄弟姐妹生了个孩子，那有可能会导致遗传上的问题。

这句话没有什么问题，不过也没有讲清真正的风险。2005 年的一些研究表明，英国的巴基斯坦人虽然只贡献了 3.4% 的新生儿，但英国罹患隐性先天性疾病的婴儿有 30% 都是他们的后代。这是个现实的问题，而遗传咨询也是个现实的解决方案。专家可以告知想要孩子的夫妻，他们的孩子有可能患上哪些遗传疾病。对这些父母进行教育，可以让他们意识到血缘婚姻对下一代的危害，又不至于让他们觉得被侮辱。许多穆斯林觉得菲尔·伍勒斯上面那类的言论是在抨击他们这个群体。实际上，在许多伊斯兰文化中，伊玛目（Imams）[1] 都接受过培训，有能力向教徒提供遗传咨询。而且，这种情况也不是伊斯兰教独有的。

近来，欧洲对于吉卜赛人的反向歧视也有所抬头。2013 年 10 月，爱尔兰警方逮捕了两名吉卜赛儿童。不久前，希腊警方突袭了一个吉卜赛人家，从父母手中抓走了一名 5 岁的女孩。这家的 3 个孩子都是金发碧眼或蓝眼。2007 年，小女孩马德琳·麦卡恩（Madeleine McCann）失踪的新闻被媒体报道了数月之久，它造成的影响从未真正消失，对小女孩的搜寻也在继续。媒体认为，麦卡恩和这些金发碧眼的小孩都有可能是被绑架的，因此假如双亲是深色皮肤，孩子却如此与众不同，那他们就很值得怀疑。类似这样的偏见已经持续了好几个世纪。1908 年，美国电影界的教父级

[1] 清真寺内率领穆斯林做礼拜的人。——译者注

导演大卫·沃克·格里菲斯（D.W. Griffith）拍摄了他的第一部影片《多莉历险记》（*The Adventures of Dollie*），讲述的就是吉卜赛人绑架白人女孩的故事。整个20世纪乃至整个现代欧洲历史上，对于吉卜赛人或流浪者偷小孩的错误指控有数十起。早在19世纪，就有一首童谣唱道：

嘘，嘘，别说话，那个黑人修补匠要来了。

格林尼治大学（University of Greenwich）吉卜赛民族风俗学的教授托马斯·阿克顿（Thomas Acton）就表示，历史上关于吉卜赛人偷走非吉卜赛小孩的案例，没有一件经得起推敲。

现代社会的遗传学和偏见，进一步加剧了这种迷思。媒体为什么认为黑皮肤的吉卜赛人会偷走那些金发碧眼的小孩呢？实际上，DNA的测试显示，爱尔兰那两名吉卜赛儿童，确实是被自己的亲生父母所抚养。另一方面，希腊女孩的父母的确不是亲生父母，但进一步盘查后，警方在保加利亚找到了她的吉卜赛双亲。他们由于贫困，将这个女孩转交给了那对希腊夫妇抚养。

任何遗传学者对金发这个性状都不会感到奇怪。加利福尼亚州的遗传学教授利奥尼德·克鲁格利亚克（Leonid Kruglyak）告诉我，他很惊讶居然有这么多人觉得吉卜赛人的孩子不会有金发。不管怎样，“遗传学上的不可能”成了怀疑的推手，因为它与存在已久的吉卜赛人会偷走非吉卜赛小孩的偏见不谋而合。吉卜赛人是一个流浪的民族，他们的遗传基因有些独特之处。据估计，全球有800万至1,100万吉卜赛人，大部分居住在欧洲。2012年的一篇遗传学分析显示，他们大约在公元 500 年起源于印度，并在 11 世纪前后来到巴尔干半岛，以保加利亚为中心扩散开来。欧洲许多国家都有吉卜赛人的聚集区，他们同族通婚的比例很高，偶尔也会与当地人生下小孩。无论如何，这个民族似乎至少有两个人口瓶颈，首先是在离开印度时，其次就是通过巴尔干半岛扩散的时候。由于吉卜赛人的群体太多，他们近亲交配的程度很难估计。不过科学家发现至少有 9 种基因变异似乎是吉卜赛人独有的，另外还有一些变异在吉卜赛人里有着相当高的携带比例。其中一种叫作眼皮肤白化病（Oculocutaneous albinism），这是由两个基因变异导致色素缺乏的隐性疾病。有几种基因型会导致这种病，不过携带 OCA1B 基因的人不会像典型的白化病人那样缺乏色素。相反，他们会在出生时拥有淡金色的头发、苍白的皮肤、蓝色或绿色的眼睛，而发色和肤色都会随着年龄的增长稍微加深。在西班牙的吉卜赛人里，OCA1 的携带者大约有 3.4%，比例可能是非吉卜赛人携带者的 7 倍。至少在西班牙，这么高的携带者比例，再加上相对高的同族通婚比例，出现金发碧眼的吉卜赛人儿童实际上是不可避免的事情。在希腊女孩的父母在保加利亚被找到后，人们发现他们一共育有 9 个子女，其中 5 个是金发碧眼，他们的叔伯辈也有两个是金发碧眼。

达尔文家族存在着近交衰退吗？从任何角度来看，我们都很难这么说。哈布斯堡家族血亲结婚的情况过于严重，几乎是史无前例的，这让他们无法爬出那个深坑。不过达尔文家族的情况就好很多，尽管他们也有着不低的婴儿死亡率，但他们子孙很多，家族树庞大。到 16 世纪亨利八世（Henry Ⅷ）统治的时期，第一代表亲结婚已经合法了。而在其他西方国家，只有美国还有 31 个州禁止这种行为。

如今，堂表兄弟姐妹之间结婚的文化已经为许多人所接受，我们也看到他们后代的患病率开始下降，不过这个趋势并不明显。吉卜赛人患有隐性遗传病的概率仍然高于平均水平，但是他们并不是一个人口众多的民族。吓人的新闻标题和政客的嘲弄似乎起不到很大作用。

我们知道，近亲交配让我们确认了许多疾病，推动了遗传学的进步。19 世纪末，黑蒙性家族性痴愚（Tay-Sachs disease）正是因为在近亲交配家族出现才得到确认。大奥蒙德街医院（Great Ormond St Hospital）中一个近亲交配的巴基斯坦家庭有成员出现发音困难的情况，则让我们搞清了控制说话的基因的遗传情况。通过检测，我们发现 7 号染色体上 FOXP2 基因的变异是致病的原因。另外，我之前参与过小眼畸形（microphthalmia）的研究，如果不是近亲交配的中东家庭给我们提供了样本，我们恐怕不可能确定致病基因。类似这样的情况比比皆是。

2015 年 12 月，英国的“千人基因组计划”开始结项。其中获取了 26 个民族超过 2,500 个人的完整基因序列。这个计划并不是为了寻找近亲交配的现象，但数据处理的结果发现，26 个民族中都存在这种情况。样本中有 1/4 的人被认定父母为近亲交配，1/25 的人父母为第一代堂表亲交配。其中有 15 个样本的近交系数甚至高于第一代堂表亲交配的情况，他们的父母包括 8 个父女 / 母子关系，3 个兄妹 / 姐弟关系，3 个叔侄 / 舅甥关系和 1 个半兄妹 / 半姐弟关系。项目并不是为了揭露他们的这种关系，也不是为了羞辱他们，整个研究过程都是匿名进行的。结果则是通过对他们的染色体与他们父母染色体上基因组的相似程度计算得出。平均来看，南亚地区也就是印度次大陆的样本近交程度最高。非洲和欧洲的样本近交程度最低。而在欧洲样本里，芬兰样本拥有最高的近交程度。考虑到那里的人口基数较小，移民也不多，这个结果属于意料之中。人类的基因组如何产生作用，人类在这个星球上的变异模式又如何，这些重要问题还有待进一步的研究。这 2,000 多个基因组如今被存入数据库中，被科学家反复审视。了解他们的近交程度，对于认识血缘婚姻给遗传学带来的影响至关重要。样本提供者对研究的贡献价值不可估量。

冰岛人、犹太人、芬兰人、波斯人、印度人、巴基斯坦人……实际上所有民族都不可能避免近亲交配。人类，以及鸽子、老鼠、果蝇、蠕虫，这些生物的近亲交配也揭示了我们基因组的运作方式。显然，如果没有新鲜基因流入下一代的基因组，他们患有隐性遗传病的概率就会增加。但我们也很容易高估这种影响，并放任偏见的产生与滋长。至少在英国，教育和遗传咨询是面向所有人提供的。我们应当尽力鼓励近亲交配现象普遍的人群接受这方面的服务，从而减轻遗传病给这些家庭带来的负担。不过，人类的近亲交配仍旧会继续下去，遗传学家也仍旧会继续研究近亲家庭的基因组里隐藏的秘密。只是需要谨记，无论近亲交配对于遗传学家而言多么有趣，对于家族而言，长期这么做都会引发可怕的后果，纵使王室也概莫能外。

第二部分

Part Two

Who We Are Now

我们现在是谁

第
4
章

种族的终点

“我认为，我应该避免让整个话题都带有偏见色彩。”

——《达尔文自传》，1887 年

1981 年 10 月，卡佩尔圣玛丽，萨福克

当我第一次遭遇种族歧视的时候，我被叫作 Leroy，我的姐姐被叫作 Coco。当时我们正在位于萨福克郡卡佩尔圣玛丽村的一家名为 Co-op 的超市里，一些骑着自行车的小男孩冲着我 8 岁大的姐姐和比她小 17 个月的我喊出了这两个名字。《名望的孩子》是当时电视上热播的节目，Coco 和 Leroy 是两位主角的名字。关于后来发生了什么，我只记得两件事情。第一件，我们觉得这棒极了，因为这两位主角是令人惊叹的舞者，都是非裔美国人，而且都非

常有魅力：Leroy 梳着一头整齐排列的小辫子，魅力十足，性格火暴；Coco 性格坚强，美丽动人。

我记得的第二件事情就是，我爸爸脸色铁青，火冒三丈。也许是因为这件事让他想起了大约一年前，他的好朋友布莱尔·皮奇（Blair Peach）在伦敦的一场反纳粹游行中被一个警察杀害。当时我们完全不懂爸爸为何做此反应，何况 Coco 和 Leroy 是那么酷。我觉得也许是因为我们的皮肤略微比常人黝黑一些，在 20 世纪 80 年代的萨福克乡下，我们显得有些异于常人。我记得在回家的路上，我和姐姐一直在试着劈叉，但是做得很糟糕。

那之后不久，在新学校的第一学期，一个 7 岁的孩子叫我“巴基斯坦佬”，这时候我意识到了这是一种有意的侮辱，所以我就揍了他，应该是打到了他的肚子。[1] 像其他欺负他人却遭到反抗的孩子一样，他哭着去告诉了老师，我被召到了校长办公室。在当时的零暴力容忍政策下，耶兰先生大发雷霆，我很害怕。我告诉了他事情的经过，他向我咆哮让我离开，我害怕地走了。他应该是非常无法忍受暴力的，那个男孩被惩罚在接下来的一周内放学后留校。

这两件小事只是程度很低的、微不足道的种族歧视事件，我没法撒谎说在我的生活中经历过更加严重的情况。我的母亲是印度裔，但我的皮肤并不是非常黑。有些时候我会被认为是印度人或者西班牙人。我有一个正统的英国名字，我的口音也让我在 BBC 广播 4 频道得到了一份主持人的工作。我去过印度几次，但只是

[1] 然而我并不鼓励和支持殴打搞种族歧视的人。

为了旅游，或者因为工作。在一次旅行中，我勉强算是找到了我的祖先，但并没有多少科学价值，我发现我的母系 DNA 可能是大约 2 万多年前在孟买的某片区域首次出现的。发现这些不是因为神明显灵，因为我铁定就有印度血统啊。我的母亲从来没有去过印度次大陆，甚至她的父母都没有去过。我的外祖父母出生之前，他们的父母移民到了南美的圭亚那，我的母亲在那里出生，并生活了 20 年，之后才移民到英国。像许多圭亚那女人一样，当英国为了国家新生儿健康计划在殖民地招募护士的时候，她应征前往。她现在居住在加拿大。

我的父亲出生在斯卡伯勒市，靠近纽卡斯尔，他的家族谱系扎根于英格兰东北部，我们可以追溯到的祖先，远至 17 世纪的边境以北。卢瑟福这个姓氏和这片区域有着很大的关联，这个名字有着自己独有的家族方格花纹图案，以及自己的家族格言：nec sorte，nec fato，即“不是靠好运眷顾，也不是靠命运安排”，我十分欣慰，这句话与进化和遗传学存在某种关联。

我父亲在 5 岁的时候随着他的家人移民到了新西兰，在那里，他认识了许多其他有着卢瑟福这个姓氏的人，尤其是物理学家欧内斯特[1]，但是他在 20 岁的时候就被家人带回了英国。他的姐妹，也就是我的姑母，依然住在新西兰，和一名澳大利亚籍的犹太人结了婚，有了一个儿子，就是我的表兄弟。我的表兄弟是一个彻底的新西兰人，有着两个女儿，也是土生土长的新西兰人。我的父母在我快 8 岁的时候离婚了，我们跟着父亲和他的新伴侣住到了一

[1] 我们和他没有血缘关系。

起，现在她已经是他的妻子了，她像抚养亲生子女一样把我们养大。她是东安格利亚人，她母亲家族最早的墓碑可以追溯到 17 世纪，位于埃塞克斯郡的一个教堂墓地中。她的父亲和姑母都是被利物浦慈善修女会养大的孤儿，但是当我们去调查他们的家族树的时候，发现他们的父亲即继母的祖父是一名俄籍犹太人，叫约瑟夫·亚伯拉汗斯（Josef Abrahams），但是他只保留了（或者被保留了）加入俄罗斯国籍后的名字约瑟夫·亚当斯（Joseph Adams），将自己要继承并保留下去的名字随意地舍弃了。[1]继母现在已经有了 2 个儿子了，当她生下第三个儿子的时候，她把他们都编进了我们家族的谱系中。第三个儿子是我最小的弟弟，比我小 16 岁。

我们现在都已经长大成人，我的姐姐嫁给了一名南美裔英国人，他有着荷兰和德国犹太人祖先。他们有 2 个女儿。我的二弟娶了一个瑞典人，居住在生物分类学的诞生地乌普萨拉[2]，他们有 2 个孩子，都是双重国籍，而且会说两种语言。我最小的弟弟和一个伊朗女人住在一起，她的家族正在流亡中。我继母的姐妹的丈夫小的时候在希腊被遗弃，被一个英国家庭领养。这个英国家庭有 3 个男孩，老大娶了一个英国女人，她的母亲有一半德国血统，一半马耳他血统。我娶了一位英格兰姑娘，她父母的祖先都有着爱尔兰和威尔士血统。我们的 3 个孩子都是我在伦敦接生的，我的儿

[1] 这在犹太人中并不罕见。我有一个朋友姓科恩（Cohen），但不是因为他的家族如通常情况一样，有着担任神职的悠久传统，而仅仅是因为当他们在 19 世纪刚刚从东欧移民到英国时不会说英语，在移民办公室，犹太人的相关制度刚刚建立，Cohen 就被作为一个典型的犹太名字分配给他们。同样的，我有一个朋友姓吉（Gee），只是因为在 1930 年，有一个像金斯伯格（Ginsberg）这样典型的犹太名字是一件比较危险的事情。另外一个朋友的姓是凯（Kay），因为移民难以拼写的姓氏，比如克鲁普尼克（Krupnik），会被缩写成第一字母。

[2] 卡尔·林奈（Karl Linneaus）出生和去世的地方，他重新定义了生物学，尤其是定义了我们现在划分生物的方法。

子在离哈克尼（Hackney）济贫院不到1公里的地方[1]出生，在那里，根据19世纪的记载，我32位曾曾曾曾祖父之一莱克格斯·汉迪（Lycurgus Handy）为贫穷所困，艰难谋生，最终在贫困潦倒中死去。

时间流逝，在一代人里，一个俄罗斯籍的犹太家庭变成了英国非犹太家庭；我的表兄弟出生在新西兰，我的表侄子和表侄女都成了瑞典人。有时候，当被人问起或者填写官方表格的时候，我把自己描述成印英混血，但是这是事实吗？我来自伊普斯维奇，但现在我快50岁了，回过头看，我在伦敦度过的时间更多。我觉得我的家族树与其说是一棵树，不如说是一个错综复杂的灌木丛。

我们是异类吗？即使在人类的历史上，人们倾向于和家乡的人通婚，但是外族通婚的的浪潮是不可阻挡的。至少对于非贵族家庭来说，事实如此。我们已经看到（在第3章）家族内部通婚对于哈布斯堡王室来说造成了什么样的悲惨下场。现在大家都认同种族间的歧视是十分愚蠢的，但是基于我的背景，叫我“巴基斯坦佬”是挺说不过去的一件事。更加荒唐的是，把我的姐姐和我比作非裔美国人，不管Coco和Leroy多么的酷，或者当时我们多想要变成他们的样子。[2]即使不了解两位演员艾瑞尼·卡拉（Irene Cara）和吉恩·安东尼·雷（Gene Anthony Ray）的祖先来自哪里，但非常大的可能是，和这两位《名望的孩子》中的黑人孩子相比，我在基因上和萨福克那几个在种族上歧视我们的男孩更加接近。这源自

[1] 我认为我儿子出生的地方让他成了一个伦敦东区人。

[2] 我和姐姐分别成为科学家和博物馆馆长，而不是舞者。

我父母双方的基因：英国人的血统和我的母系祖先的印度人血统。

实质上，正如我在第 1 章说过的，这是因为有一小部分非洲人口在 8 万年前缓慢地走出非洲，扩散并迁徙到世界上的其他地方，并在那些地方繁衍生息。只有相对较少的一部分人的基因被我们纳入了基因库，这部分人的数量比留在人类发源地的人口数量还要少。在统计学上，这叫作采样误差。在一个较大的人口总量中抽取一个小的样本，抽取的样本无法代表其最原始的特性。这少量的、不具代表性的样本是离开非洲的那个群体，而我们将提取他们身上全部的 DNA。这意味着，事实上，即使假设我有俄罗斯、瑞典或者毛利血统，我和萨福克那群男孩基因的相似程度也比非洲大陆上大多数人之间的相似度更高。

我想，对于人类基因的变异及迁移问题，那些男孩并不具备相关的知识。并且我不得不得出这样的结论：他们不打算对人类的进化演变发表什么意见。种族主义是一种恶意的霸凌，是一种以他人为代价强化自我认同的方式：不管你是谁，你不是我们中的一员。如果我错综复杂的家族树只能说明一件事，那就是，家庭的组合对各种人种称谓进行了嘲讽，通常意义下对于种族的定义是存有很大问题的。现代遗传学也很好地证明了这一点，在本章接下来的部分，我会利用一些数据来进行探索。但是我想要指出的问题是：对于特定“人种”的人，在遗传学上并没有独一无二的元素来证明其独特性，所以从遗传学的角度来看，所谓的“人种”之说并不存在。

我不清楚，地球上是否有任何一个种群的人能够以合乎科学的方式，以 DNA 来进行区分定义。由于基因的不同，在不同人和不同种族之间，有许多遗传差异和生理差异，但是这些差异都和我们所说的“人种”差异没有关系。从科学的角度上来解释种族的定义是十分复杂的，非常具有争议性，并且常常会使得一些人勃然大怒并发生争论。正常的遗传学家通常会声明，所谓的种族是不存在的。在这一章，我们就会探究这个论点为何是正确的（如果不把政治因素包括在内），即便事实上一谈到人种这个话题，就会不可避免地要判别是非，或是感到不公平，抑或是产生道德上的愤怒。科学的首要任务是要去除这些人类特征，只留下客观事实本身，描绘出事物的本来面目，而不是我们如何看待这些事物。

极为讽刺的是，正是在一个种族主义者研究种族间的不平等问题的过程中，科学的遗传学诞生了。我所研究的这个领域的历史，和这些我们现在看来具有讽刺意味的观点有着错综复杂、密不可分的关系：种族主义、帝国主义、偏见和优生学。就像所有真实的故事和历史一样，像所有真正的家族树一样，接下来就是开辟出一条蜿蜒曲折的路径。所有的遗传学家，所有的统计学家[1]，事实上还包括所有的科学家，都把这种维多利亚时代的旧种族主义观点归结为一个思想上的深远影响。托一位天才的福，现代社会的观念都依托于他的理论基础。这位天才的名字叫弗朗西斯·高尔顿，和所有关于生物学的伟大故事一样，他的故事也可以从达尔文说起。

[1] 现代基因遗传学和统计学的关系密不可分。20世纪上半叶，正是因为一些无与伦比的顶尖科学家将数学和统计学应用于达尔文的自然选择进化理论，使得当时的进化生物学产生了巨大的飞跃。有些人提出了在当时十分令人不适的观点，如果你曾研究过数据学，一定不会对皮尔逊（Pearson）和斯皮尔曼（Spearman）这两个名字感到陌生。在基因组学的时代，揭示不同种族的人群之间的关联时，统计学扮演着更加重要的角色。但现在大部分统计学家都不是可怕的种族主义者。

达尔文在 1859 年 11 月出版了《物种起源》[1]，一鸣惊人，取得了巨大的成功。第一版很快就销售火爆（达尔文在他的日记里记录道第一版脱销，这件事经常被大家提起，但事实是否如此我们并不知道），随后达尔文修正了第一版的内容，并于 1860 年出版了第二版《物种起源》，印数是 3,000 本。达尔文的身体状况非常糟糕，当他搭乘“小猎犬号”旅行时，可能已经身患某种疾病（至今尚未有非常准确的诊断），在这次旅程中，他发现了进化的证据和大陆板块漂移的证据，并且开始思考地球上生命物种的迁徙发展，以及在不同大洲上生活的人们之间的相似之处和不同之处。虽然达尔文和众多科学家有着大量的通信探讨，但是他并不经常在公众场合抛头露面。他的理论的坚定捍卫者，尤其是托马斯·赫胥黎（Thomas Huxley）和约瑟夫·胡克（Joseph Hooker），极力支持并大力宣扬达尔文提出的通过自然选择实现进化，以及“血统修改”（达尔文对进化论的定义）的核心理论。1850 年，达尔文已经因为他的环球旅行闻名全世界，之后更因为出版《物种起源》成为一位学术明星。现如今“基因”这个词随处被人不经意地提起，而在我看来，达尔文是当时最伟大的科学家。基本上没有人比达尔文做过更多的工作来重新定义生命和定位我们在宇宙中的位置。他描述出了生命到底为什么是我们看到的样子，并且非常明确地

[1] 书（在我右手边柜子上放着的第六版）的全名是“自然选择法则下的物种起源或者是物竞天择”，特别把“物（种）”这个词做了标注；在这种现代意义的语境下，这个词已经不再和人种、亚种或仅仅是生物体本身相关。我要特别指出这一点，因为现在一些肤浅的评论家，这其中包括极右的和激进的反种族歧视主义者，试图在公众和私下的言论中，利用这一点来为他们的个人目的制造舆论。如果他们跳过这个书名，并且从头到尾认真读读这本书，他们就会知道达尔文在这本伟大的书中只提到过一次“人类”，在这本书开篇的隽语中，并且只是为了让我们思考，他的理论对于这些不再毛发蔽体的猿类来说意味着什么罢了。

指出了人类和其他动物之间的关系。甚至，即使我一直认为论资排辈非常不妥，偶像崇拜也不值得推崇，但是我必须指出，我认为只有达尔文处于知识金字塔的最高位置，因为他是那么谦虚低调，并且对所有对他的理论体系产生最微小影响的无名之辈，都予以赞许和肯定。

弗朗西斯·高尔顿也是一位天才，但是也是一个不易相处的人，更是一个难以捉摸的人。他是达尔文的“半”表弟，并且被达尔文引发大范围轰动的学术研究成果深深影响。“半”表弟意味着他们有着共同的祖辈：有过两次婚姻的伊拉斯谟·达尔文（Erasmus Darwin，达尔文的祖父，同时是高尔顿的外祖父）。他是一位伟大的思想家，也是一位伟大的科学家。而他的姻亲、弗朗西斯·高尔顿的祖父塞缪尔·高尔顿（Samuel Galton）是著名的“月光社”的创始人之一，这是一个位于伯明翰的工业家的智囊沙龙，成员还包括约书亚·威治伍德（Josiah Wedgwood）和詹姆斯·瓦特（James Watt），以及其他的科学家。他们选择在月圆之夜相聚（他们很可能喝得酩酊大醉，这样哪怕到了深夜，月光也能帮他们照亮回家的路），将维多利亚时期的工业化进程推向白热化。

伊拉斯谟·达尔文联姻过的两个家族的分支都声名显赫，富足而又成功。达尔文家族的成员都是科学家和物理学家。高尔顿家族是贵格会成员，同时又从事枪支生产，鉴于宗教信仰提倡零暴力，所以这个组合可能看起来有点匪夷所思。弗朗西斯·高尔顿出生于1882年，父母分别是塞缪尔·德丢·高尔顿和弗朗西丝·达尔文（Frances Darwin），他出生在伯明翰附近的一座房子里，这座房子先前的拥有者也是一位科学巨人，他就是著名的哲学家、神学家、化学家约瑟夫·普里斯特利（Joseph Priestley）。

高尔顿一直非常崇拜他的“半”表兄达尔文，尤其为他 1859 年的杰出巨著深深折服。这对于他的研究产生了深远的影响。高尔顿在这本书出版的三周内，就热忱地写了一封信，以维多利亚式的风格表达了对达尔文的赞扬：

> 请允许我对于您伟大巨著的完成再加一句祝贺，我确信您一定已经从社会各界收到很多的祝贺。我现在沉浸在一种少年时期过后就很少体会的愉悦之中，因为一个全新的知识领域被开启了，毫无疑问，这个领域自身与世间的万事万物有着千丝万缕的关联。我听说您已经开始准备第二版的书了。
>
> 在 68 页有一个关于犀牛的微小错误，请知悉。

我们撇开关于犀牛的这个小错误先不谈，达尔文的开篇第一章阐述了鸽子和植物以及形形色色飞禽走兽的繁育方式。他论证了生物是具有可变性的，在一定时期内，它们不是一成不变的，但是当人类实施选择性育种时，它们的身体和行为便会根据人类的意愿发生改变。这一点构成了他用以进一步描述自然选择过程的基础。

高尔顿在拜读了表兄的杰出巨著后，不禁开始陷入深深的思考，他开始思考人类是否也可以通过选择性育种的形式实现进化。和高尔顿相比，达尔文是一位目标明确的科学家，虽然 1834 年之前“科学家”这个头衔还不存在。今天我们在学校里坚持的，多少有点独断的科学学科领域划分，在那个时代并非那么严格死板，而且很多情况下会涉及多个领域。达尔文当时苦心研究鸽子的同时，也研究其他生物，特别是蠕虫、食肉植物和藤壶[1]；他还钻研地质学，这对于他的进化论的形成有着决定性的作用。相比之下，高尔顿更像是一位博物学家，对很多领域的研究都有着不小的贡献。他留给世界的无数礼物中包括首个报纸气象图[2]，当今法医鉴定学里指纹分析的基础研究，让人眼花缭乱的数据分析技术（这些技术为如今所有的统计学研究打下了理论基础），联觉心理学的基础理论研究，帮助苦思冥想者给头部降温的、带有出气孔的帽子。[3] 在他长期卓越的研究生涯中还有许多其他的研究和发明。他也创造了“优生学”这个新词，后来更是提出了“先天与后天相互对抗”（nature versus nurture）的说法，这些说法后来对遗传学的研究造成了很大的困扰，我写这整本书的目的，也是想要对这些观点详细地做出澄清。他创造了一种新的看待遗传学的方法，这些观点被发表在《自然》杂志上，DNA 结构和第一个人类基因组也是在这份科学刊物上首次走出实验室、走进公众视野的。[4]

我自己的故事，从学术研究这方面来说，多少是和高尔顿的故事纠缠在一起的，不是以一种非常特别的方式，仅仅是因为关

[1] 达尔文对于水生甲壳类动物的兴趣是如此之大，以至于据传闻他的一个儿子感到困惑，为何所有父亲都没有如此繁多的藤壶标本，他问他的一个朋友：“你爸爸在哪儿摆弄藤壶？”据说达尔文的三个儿子伦纳德、乔治和弗朗西斯都当过这个故事的主角，这反倒让我觉得可能他们都没有这样说过。在达尔文往来信件的管理项目中保留着他数量庞大的信件和书稿，无法确认是他的哪个儿子说过这番话，所以我觉得也许这个故事只能归入关于达尔文的一些无法考证的趣闻逸事中了。

[2] 其实报道的是前一天的天气，在 1875 年 4 月 1 日出版的《泰晤士报》上，虽然在愚人节，但并不是个玩笑。

[3] 现在你如果觉得热的话，当然可以直接把帽子摘下来。但是我猜想在维多利亚时代，如果一个人不戴帽子的话，会被认为是无法接受的、不正常的，甚至有可能是有罪的。

[4] 很凑巧的是，我在这家周刊也工作了十几年的时间。

于谱系学的研究大部分都是来自伦敦大学学院。就像达尔文和高尔顿一样，我去伦敦大学学院学习医学（我和他们俩也只有这一个相似点）。但我对于成为一名医生并没有太大兴趣，并且花了很多时间游手好闲，左顾右盼地试图寻找可以让我燃起兴趣的事情。达尔文也曾面临与我相似的情况，他在爱丁堡学医的时候，被他的导师约翰 · 埃德蒙斯通（John Edmonstone）——一位被解放的黑奴传授的动物标本剥制术所深深吸引，导致分心；这段关系也让达尔文形成了主张废除黑奴制度的观点。[1]我不常去上课，而是去看电影。高尔顿在伯明翰和伦敦接受了两年的医学培训，但是后来去学了数学，而数字世界是他给后世留下的知识遗产中具有根本决定性的。

在高尔顿漫长而多样的学术生涯中，有一件事最符合他的特质：他渴望数据。他从未间断过测量。正是他发展出了统计学理论，而在对测量人类的特征毋庸置疑的渴望下，他试图定义并锁定人类差异。在本书第 3 章和其他章节的某些角落，我们探索了有关遗传血统的新生意，你只要花个几百英镑，然后再提供一口自己的唾沫放到测试试管里，许多公司就能够描绘出你的 DNA 草图。在我看来，这个 DNA 草图的结果对于个人兴趣来说无足轻重，但是通过收集到的 DNA 样本，这些背后的公司，尤其是 23andMe 这家公司，正在积累数量巨大的人类基因组数据，这个数量远远大于学术研究中需要用到的数据量。

---

[1] 达尔文逸事：艾玛给达尔文取的昵称是“黑鬼”。“我亲爱的黑鬼”，她在他们的往来信件中会这样写——他们经常相互写信，即使是住在同一个屋檐下的时候。这个昵称大概是维多利亚时期和奴隶制有关的表达感情的称谓，象征着归属权，但是听起来依然有些怪异。

高尔顿以前也做过类似的事情。他意识到了大量收集测量数据所能产生的力量——现在我们称之为“大数据”——并且他很聪明地意识到，我们对自身的着迷程度之甚，已经足够驱使我们掏腰包来满足对于自身的自负想法。

1884年，盛大的国际健康展在南肯辛顿举办，当时展览的地点现在已经被南辛肯顿科学博物馆占据了。它的一大特色就是展示了一条卫生条件恶劣的街道的复制品，以及许多先进的，被设计用来改善公共场所卫生情况的排水系统，还有使用电力来照明的喷泉。400万人前来观看了这场盛会。

高尔顿也参加了这次盛会。他搭建了一个人类学测量室，来到这个测量室的客人只需要花费3便士（相当于现在的80便士）就可以进场，并匿名填写一张个人信息表格（用复写纸填写，以便高尔顿记录信息）。博览会结束后，他在《人类学学会期刊》上写道：“这个实验室的目的就是为了向公众展示，通过一个简单的工具，人类最主要的生理特征就可以被测量和记录。”

这些特征都是可以被衡量、测试并且记录成档案的。一些特征的测量比较直观：身高、头发的颜色、臂展长度和体重。其他的项目则有点复杂：视力、击打力、颜色知觉，对于高音频声音的辨识能力——这个能力是通过在布朗普顿路的提斯里合作伙伴公司（Messrs Tisley and Co），以及在牛津街的霍克斯利先生制造的哨子来测定的。“到访者当中几乎没有出现什么麻烦，”高尔顿特别写道，“除了很少的情况下，一些粗鲁的人走进实验室的时候，看上去明显不是完全清醒的。”

高尔顿设计了一个多么聪明的计划啊。现在，人们愿意花钱去获取一些关于自己 DNA 的信息，就像高尔顿在人类学测量室里做的事情一样。我们对于自我陶醉的热衷，让我们不仅主动地去告诉别人我们的各项生理特征，而且还花钱去争取这项“殊荣”。一共有 9,937 个人让高尔顿测量了他们的三围等数据，而高尔顿就是在不停收集人们的数据，秘密地测量着人们之间所有特征的相似性和差异性的那个人。

马克·吐温在 1869 年写道：“四处游历可以摧毁偏见、偏执和狭隘的思想。”在 19 世纪 40 年代，高尔顿和所有 19 世纪的富有的年轻人一样，进行了广泛的探索，去了土耳其，紧接着穿过中东，到了埃及。他跟随着皇家地理学社进行了一场长达两年的旅行，进一步深入到达了纳米比亚，他出版了一系列描述深入非洲腹地经历的畅销书。但是高尔顿却并没有遵循马克·吐温的那句格言。他坚持这样一种观念，即世界上的人种之间是有高低之分的，而且这个观念变得根深蒂固，此后在许多人的支持下，他使之成为落到书面的理论。一些年以后，在 1873 年，他在《泰晤士报》上发表了一篇讽刺文章，指出非洲如果被中国人殖民，那么会得到最好的发展，因为“黑色人种”的特征证明了他们没有能力在没有英国人帮助的情况下去发展他们的国家。他承认一部分“黑种人”积攒了一些财富，并且在一定程度上展示了自己的优秀的智力成果，但是他声明，这些成果在盎格鲁－撒克逊民族中已经非常普遍了。

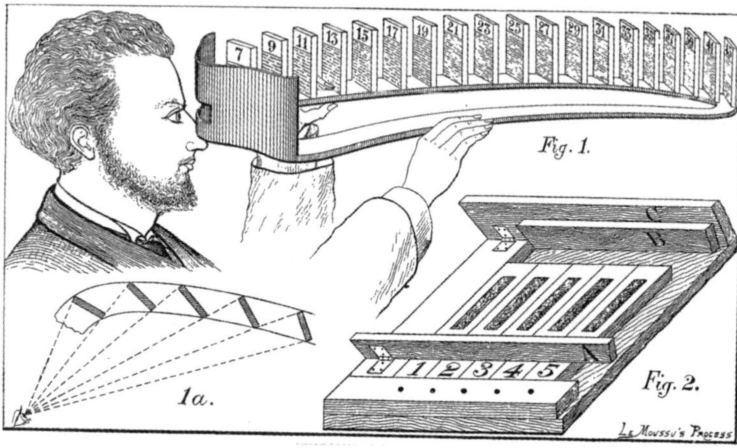

高尔顿的计量生物学设备。图 1 表示测试视力的镰刀形设计图，先测一只眼睛，然后换一只。其中用到的页面来自希林的钻石版《祈祷书》（虽然他指出相似的文本使人们对测试感到“反感”，而且这位数学家认为，如果一页对数效果可能会好一些）。图 2 代表色觉测试，在这个测试中，受试者被要求在墨盒的五个长条中识别绿色羊毛的不同色调。

普通黑人智力十分低下，自信心和自我控制能力也非常有限，所以他们如果没有外界文明的指导和帮助，便无法承受形成任何一种体面的文明的重担。

因此，他暗示如果成为中国的殖民地，非洲会实现繁荣发展，因为：

中国人又是另外一种人种，他们有着建立高度物质文明的卓越资质。中国人在自己的国土内却被认为优势微弱，因为他们现在正处于一个暂时的黑暗时期，但是这并不能削弱他们这个人种的优势。

（虽然是在指出中国人种大量的负面特征之后，包括：欺诈、没有创意和害羞。“阿拉伯人种”作为比较被他归纳为“只是一个喜欢吞并别人的人种；没有创造性，却具有破坏性，而且生育力低下”。）

这种言论现在已经过时了，但即便这在英国的维多利亚时代也不能代表普遍的价值观，这些都是不太能够被普遍接受，而且会引起争议的观点。在大英帝国称霸之前，种族主义就出现了，并在维多利亚时代之前达到盛行的顶峰，之后影响力下降，而大英帝国依然蓬勃发展且荣光无限。1807 年，威廉·威尔伯福斯（William Wilberforce）促使议会通过了《废除奴隶贸易法案》，此举很大程度上禁止了蓄奴行为。但直到 1833 年，《废奴法案》才使废奴运动扩展到整个帝国。

达尔文－高尔顿－韦奇伍德家族树织成了一个引人注目的华盖。从查尔斯往上是陶瓷帝国的缔造者约书亚·韦奇伍德和伊拉斯莫斯·达尔文。和查尔斯同辈的是高尔顿，达尔文的后裔中有很多杰出的科学家、作家、演员，随着 1880 年和凯恩斯家族联姻，又出现了很多经济学家。高尔顿很清楚自己出自名门世家，因而在《物种起源》发表后开始验证人类如何从家族中获得卓越的特质。达尔文煮了许多种鸽子的骨头，它们的羽毛、食道和脚的差异都很大，不过经过确认，它们属于同一物种，而这些特征是鸽子爱好者出于竞赛的需要，数千年来一代代塑造而成的。这对于达尔文的理论很关键，因为这证明了物种是可塑造的，不是像一块石头那样一成不变。高尔顿没有考虑外貌，但是想到了能力和天赋——尤其他庞大家族中的成员都具有过人的能力和才智。

在他的表兄改变世界十年后，高尔顿出版了《遗传的天才》（*Hereditary Genius*），在书中他阐述了这样一种观点：杰出的人——常常是占主导地位的人——经营着家族：

> 我讨论的总体规划是要证明一个拥有很高声望的人往往也具有很强的能力；然后我会探讨一个庞大的，由相对杰出者组成的团体的亲缘关系——也就是从 1660 年到 1868 年的英格兰大法官们、乔治三世以来的政治家们，以及过去 100 年内的首相们 —— 通过对他们的普查，找出才智的遗传定律。然后我会按照顺序检验指挥官、文学家、科学家、诗人、画家和音乐家，以及其他名垂青史的杰出人物的亲属。我还会谈到一些担任圣职者和现代学者的亲属的情况。

对于声誉的衡量，不能采用码、英尺、伏特、安培这些可以测定的特质的度量单位。所以从一开始这个衡量标准就是有争议的。值得赞扬的是，高尔顿作为一位优秀的科学家，承认了他的方法论存在一定的局限性，并且转向双胞胎研究，以其为手段研究生物学和环境的关系、自然和人工培育的关系。达尔文读了《遗传的天才》，或者更准确地说是他的夫人艾玛大声给他朗读了这本书，达尔文出于礼貌写了一封热情洋溢的信给高尔顿，清晰地表达了赞美之情。

高尔顿指出，通过对历史上伟大人物的分析，应该得出这样一种认知，即通过让能力突出者的优良基因传承下去，同时把那些能力较差者关在男女修道院里防止他们的劣等基因继续传播，可以促进社会的改良。在 1883 年，他创造了“优生学”这个词。这个词正是从他的作品和他那次前往非洲探险的经历中提炼而来的，用来解释为什么有些人就是比其他人更优秀，为什么有些人能成功而另一些人却不能，这些观点在那封给《泰晤士报》的信里面阐述得非常清楚。在 19 世纪的最后 10 年间，政治家和思想家们表示，英国的“库存”人口不够强壮，不足以打赢自 19 世纪 80 年代开始席卷非洲的布尔战争（Boer Wars）。他们转而向高尔顿求助。

高尔顿的影响力持续了几十年。温斯顿 · 丘吉尔（Winston Churchill）在 1912 年参加过高尔顿的一场讲座，几年后在议会上提出了英国人口储备的问题。丘吉尔和西奥多 · 罗斯福（Theodore Roosevelt）都想要使得“意志薄弱”这个词消失掉，这个词正是自英王爱德华七世代以来人民心理、认知和精神健康状况的写照。当时还不是总统的罗斯福表达了要净化美国人口储备的观点，并且表明这是“为了美国文明的发展和美国人民的福祉”。

玛丽 · 斯托普斯（Marie Stopes）今天以女性生育权的坚决捍卫者而闻名，她的名字装饰着全世界成千上万与女性怀孕相关的诊所，这些诊所对女性及她们的生育选择给予必要的支持。但是她也有一些可怕的观点，她强力呼吁强制“让那些无法胜任合格父母的夫妻绝育”，尤其是伦敦的爱尔兰人。20 世纪 30 年代，她为一名正处于上升期的政治家写下热情洋溢的诗歌，来赞颂他的政治主张，包括借鉴优生学的理论作为种族净化政策的一部分，以此改造他的国家的人口结构。这名政治家的名字就是阿道夫 · 希特勒（Adolf Hitler）。

对于优生学的支持已经扩大到了政治的范畴。威廉·贝弗里奇，作为福利国家理论的重要构建者，他的观点正是英国国民医疗健康服务（National Health Service）的基础：

> ……这些有着普遍缺陷而无法在工业生产中找到容身之处的人，被认定为失业人群。他们被认为必须由国家来负担赡养……但是这也意味着公民权完全且永久地丧失：不仅包括参政权，更包括公民自由和做父亲的权利。

乔治·萧伯纳（George Bernard Shaw），持有左翼政治观点，他说过“唯一基本的、可行的社会主义制度，就是人类选择性生育的社会化”。

尽管英国是优生学理论的思想诞生地，但是它却从未在政策上践行过优生学理论。在达尔文和高尔顿之前，托马斯·马尔萨斯（Thomas Malthus）曾正式地提出人口增长和人口控制的问题，并且同时提到了改进人口“储备”的基础。但是在美国和一些其他的国家（尤其是瑞典），对社会上不受欢迎的人群实施强制的、常常是暗地里进行的绝育手术却受到热情推崇。自 1907 年印第安纳州通过了第一个授权令后，一直到 1963 年，强制性绝育手术在 31 个州被合法化，而加州是最积极的践行者。在这个以自由著称的国度，最近的强制绝育手术就发生在 2010 年。在 20 世纪，超过 6 万名男性和女性，女性居多，因为一些不为世人接受的特征而被迫绝育——对男性实施绝育手术则常常是为了控制犯罪行为的扩散。成千上万的美洲原住民女性被强制绝育，就在 20 世纪 70 年代，有多个孩子的黑人女性会在克扣福利的威胁下被强制绝育，甚至在有些情况下她们自己都不知情。

这些恐怖的事件就发生在 20 世纪，完完全全是在大屠杀中通过谋杀和绝育进行人口控制这类行为的余波。纳粹不仅屠杀了数百万犹太人，还杀死了同性恋者、吉卜赛人、波兰人和患有精神疾病的人。

因为借鉴优生学中人口净化的观点收效甚微，纳粹屠杀或者对超过 25 万精神分裂症患者采取了绝育措施，以将他们从德意志民族中清除掉。精神分裂症的发病率随着几年后第三帝国的衰落而有所减少，但是在 20 世纪 70 年代之前出人意料地高。精神分裂症是一种即便不是和数百个也是和数十个基因变异有关的疾病，许多人都携带这种变异基因，但是都不会出现精神健康方面的困扰。此外，大部分的精神分裂症患者都没有孩子，所以从这一点上来看优生计划似乎没有长期效果。

“优生学”这个词今天已经不再带有曾经那种恐怖的色彩了。20 世纪初，高尔顿的影响力因 1904 年优生学官方记录办公室（Eugenics Records Office）的成立而被正式确认了，这个办公室的负责人就是高尔顿。它是伦敦大学学院的一部分。伦敦大学学院是世界上第一所非宗教大学，第一所允许女性入学的大学，第一所雇用犹太人教授的大学[1]，是跳出宗教教条束缚、鼓励进步思想的

[1] 这位教授凑巧正是雅各布·科恩（Jacob Cohen），罗莎琳·富兰克林的外祖父，他的研究成果为克里克和沃森里程碑式的工作，即确定 DNA 分子结构打下了基础。另一个美妙的巧合是，查尔斯·达尔文于 1882 年 4 月在《自然》上发表的最后一篇作品提及了一位诺丁汉业余科学家对于藤壶和玉黍螺的研究；这位业余科学家正是沃尔特·德劳布里奇·克里克，那位发现 DNA 分子结构的克里克的祖父。如果说生物学上的家族树已是错综复杂的话，那么学术方面的家族树更是出奇地相互交错。

堡垒。1911 年高尔顿去世后，这个办公室改名为高尔顿国家优生实验室（Galton Laboratory for National Eugenics）。

20 世纪 90 年代，我在伦敦大学学院学习期间，这个实验室早已经甩掉了那个令人生厌的词，成为人类遗传学与寿命测定系的高尔顿实验室。30 年来，它被安置在斯蒂芬森路上一座 20 世纪 60 年代建造的、毫无生气的建筑里，就在伦敦大学学院主校区的北侧，具有英国随处可见的大学的特点，铺着油毡地毯，装着磨砂玻璃和橘色的福米加嵌板。我大部分的讲座课程都被安排在高尔顿演讲剧院，也是在那里，我作为一名本科生做了我的第一个科学研究。每天我都会闲逛着路过一个简陋的玻璃展示柜，里面陈列着高尔顿的一些生物学测量工具（几乎没有引起我的任何注意），包括一个测量头部的曲轴、一个测量鼻子直线度的工具和一个大不列颠美女分布图的复本。（根据他的标准，英国南肯辛顿的美女最多，阿伯丁的美女最少。）[1]

遗传学系现在往南搬了半英里，穿过尤斯顿路搬到了高尔路，搬进了达尔文大楼。这座大楼上有一个蓝色的纪念牌匾，达尔文在“小猎犬号”探险和后来长期定居于唐恩宅中间的这段时间，就居住在这里，也是在这里，他写出了他的旷世巨著。曾经高尔顿实验室所在的那座建筑，除了一些办公室，现在已经大多被废弃了。其中一个办公室存放着高尔顿的收藏[2]：各种各样的信件、笔记和科学设备。

---

[1] 他在他的口袋里长期携带一种叫“刺针”的工具，这是一个嵌入了针的针箍，所以他只需要在裤子口袋里摸索一下就可以在纸上记录他所看到的女人的美丽程度，这样就完全避免了让自己看上去像一个拿着锥子的变态大块头。

[2] 仅仅是因为巧合，我的姐姐现管理着那里。

把 19 世纪两位科学巨匠这样进行比较是一件有趣的事情。达尔文告诉了我们，我们是如何进化的。高尔顿奠定了遗传研究的理论基础。他引入了对同卵双胞胎的研究，以此作为从环境、自然和人工培育中提炼生物学理论的方式。

达尔文和高尔顿有很多完全不同的地方。达尔文赢得了谦和的美誉，高尔顿则傲慢自大。达尔文是一个怀疑主义者并为此而困扰，高尔顿则坚定地去证明他自己是对的。达尔文创立了进化生物学，高尔顿则开启了关于人类很多方面的生物学研究并使之规范化。在他们从事研究的年代，关于生命的研究都产生了巨大的飞跃，这使得生物学理论得以进一步统一。19 世纪伟大的摩拉维亚教科学家格雷戈尔 · 孟德尔[1]同样在这个世纪中期进行的研究，即使到了 20 世纪初还不为世人所重视，研究的内容就是遗传规则——父母双方的特征是如何遗传给一个孩子的。

在 20 世纪的头几十年里，主要在伦敦大学学院，一个新型的生物学学科诞生了，它结合了统计学和达尔文的研究，确立了通过自然选择发生进化的机制。不久之后，DNA 作为遗传物质载体的概念确立起来。到了 1953 年，克里克和沃森揭示了 DNA 的结构就像是一个扭曲的梯子，呈双螺旋状。它不仅是一代一代复刻传承下去的载体，其中还隐藏着信息，这个信息是一个代码，每当一个细胞分裂时，这个代码都会被复制。20 世纪 60 年代的许多科学家破解了这个代码，并且揭示了这个代码就是通过写入和记录指令来制造蛋白质的方式，也告诉了我们疾病为什么会发生，为

[1] 孟德尔也是一个修道士，这一点也被常常提及。相比于他的修道士身份，我对于他颠覆世界的科研成果更感兴趣。

什么每个人看起来都和别人那么不同：一个遗传代码的细微调整，都会导致蛋白质发生难以捉摸的变化，进而可能带来一些可见的变化：眼睛的颜色、皮肤的颜色、头发的卷曲程度。

在那个科学繁荣发展并极大改变世界的精彩世纪，我们把人和人之间的差异生物学化了。通过测量进而分析大量人口的生理特征，高尔顿为将要发生的事设定了一个框架：生物测定学——测量人类的差异。有了遗传学，我们可以把人类表面的不同，比如肤色抛开不谈，而去揭示出现差异的原因，把这些原因放在时间、空间和进化的维度中看待。我们用这些工具武装自己，从分子维度精确地仔细研究个体之间的不同以及群体之间的不同。表面的特征——肉眼可见的表现型——可以被其背后的数据所替代，这是一个测定人们之间真正差异的更基本的方法，即基因型。人和人之间可变的和非永久性的差异，比如说国籍或宗教信仰，都可以作为故纸堆里的陈词滥调抛开不谈，因为 DNA 和遗传学可以就人们之间的相似点和差异为我们给出最佳的答案。

人种遗传学

好吧，它是遗传学，也不是遗传学。

在 DNA 作为明日之星登场之前很久，生物学就已经从研究骨骼形状和表面特征的形态学转移到了到分子层级，事实上，细胞就是在 DNA 之前被认为传递遗传信息的物质。第一次世界大战期间，血型被确立为 A、B、O 型系统并沿用至今。1919 年，波兰科

学家卢兹维克 · 赫希菲尔德（Ludwik Hirschfeld）和汉卡 · 赫希菲尔德（Hanka Hirschfeld）在来自 16 个不同种族的士兵中寻找一种血型模式（大多数是以国家划分，但是犹太人被单独分为一组）。被测量和区分的是由同一基因的等位基因表达的蛋白质，作为编码它们的 DNA 的替代物。他们通过不同样本中不同血型出现的频率发现了遗传变异。[1] 20 世纪 70 年代，另一位遗传学家理查德 · 列万庭（Richard Lewontin）也采用了类似的方法，得益于新兴的分子生物学，他用一种更加精确的方法对血型进行检测。他查看了构成血型的基因的 100 个等位基因，发现不同人之间的细微差异是由同一个基因决定的。1972 年在他具有里程碑意义的论文中，列万庭量化了人类之间血液分子的确切差异，并且证明在某个种族群体内部，而不是在不同种族群体之间，能够看到很大比例的基因差异；根据不同血型人群中的基因差异，85% 的基因变异发生在相同的人种中；剩下的 15% 中只有 8% 是由不同人种之间的差异导致的。

在此后对其他基因的研究中，这些数字被一再地重复，这意味着生物学的基础研究一直蒙蔽了我们的双眼。从遗传学的角度来讲，两个黑人之间的差异，很可能比一个黑人和一个白人之间的差异还要大。换句话说，即使看起来一个黑人和一个白人在生理上有很大的不同，但是他们之间所有的差异加起来也可能比两个

[1] 卢兹维克 · 赫希菲尔德在哄骗士兵提供血液样本的过程中，暴露了他的偏见和冥顽不灵。“对于英国士兵，告诉他们目的是为了科研就足够了，”他在自传中这样写道，“对于法国士兵，我们默许自己戏弄他们，声称我们能找出他们对谁犯罪时不用接受惩罚。我们告诉黑鬼们，这个血液测试可以测出来他们谁可以马上离开这里，他们马上就愿意伸出他们的黑手让我们抽血了。”

黑人之间的差异小得多。假设地球上只留下一个传统的人种，比如东亚人，而其他的人种都消失了，仅在这一个人种之间，我们仍然保留着 85% 的遗传变异。同属一个人种的人可能看起来很相似，但是事实表明，虽然潜在的基因密码带来了一些特征上的差异——我们大体上用这种差异来定义人种，但这个密码产生的可见效果是不均衡的。我们都知道，形态学上的差异是真实存在的，但是总体而言，这些差异与基因组差异比起来，并不具有代表性。

当然，有一些差异是可见的、可测量的、具有隐含意义的。如果不承认这些差异，在理性上就显得不诚实了。东亚人和欧洲人相比肤色更深，也有着更厚重的黑发，更常出现内眦赘皮——这使得他们的眼睛形状和其他人种有所不同，很大程度上和世界上其他地方的人都不同。[1] 我们在基因中寻找导致这些遗传变异的潜在原因。一些变异的产生仅仅是因为遗传漂变——编码 DNA 随着时间推移而发生变化，然后在一个种群中固定下来，这并不是因为它们是有用的，而仅仅是因为它们存在于组成种群的大部分个体身上。其他特征就可能有一些选择性优势了，但是众所周知这非常难以证明。苍白皮肤这种由一对基因控制的性状，几乎可以肯定是为了适应低程度日晒的环境，但是导致了在阴天相对较多的欧洲，人们合成维生素 D 的能力下降（在第 2 章已经充分讨论过），同时也有大量设想出来的或者理论上的因素，比如这种

[1] 很大范围内都不存在，虽然存在于许多其他非东亚血统的种族中，包括柏柏尔人、因纽特人、斯堪的纳维亚人、波兰人和美洲原住民。此外，在东南亚不同的人种之间，内眦赘皮的形状也明显不同，很多人仅仅凭借这一点就能区分韩国人、中国人和日本人等等。19 世纪，唐氏综合征患者被认为与蒙古人有着相似的眼皮。因此，唐氏综合征患者被称为蒙古人已有一个多世纪的历史了。在我成长的过程中，“蒙”是操场上小孩子间相互谩骂的一个词语，但现在已经被广泛认为是一种冒犯顶撞，但凡是通情达理的人都不会再使用这个字眼。

皮肤可以很好地抵御冻伤，或者仅仅是更吸引异性。我们设想其中有天然变异的因素，有时在某种无意识的状态下选择一种特性，就可以在一个人的生命中提高其成功的可能性（比如寻找食物的能力，或者是强健的、足以打败尖牙利齿的猫的肌肉），但这里说的天然变异不可能单单由这种选择方式来决定。你很有可能就因为人们拥有某种特征而对其有点儿好感，比如说红色的头发，那么结果便是，决定红色的头发的基因代码将会保留下来。

媒体（以及一小部分科学家）孜孜不倦地思考人类特定特征或行为的进化，并对它们提供的优势进行简洁的解释。许多解释是愚蠢的，荒谬而不具备科学性——女性喜欢粉色，是因为女性在狩猎 – 采集文化中扮演采集者的角色，能够发现浆果是一种必备的能力；婴儿在晚上哭泣，是为了防止他们的父母亲热，从而避免再有一个兄弟姐妹来和他们争宠。[1] 继伏尔泰的小说《天真汉》（*Voltaire's Candide*）中的潘格洛斯博士（Dr Pangloss）之后，我们把这些伪科学幻想称为"适应论"，有时是某种形式的"泛神论"。作为一个永恒的乐观主义者，潘格洛斯主张所有事情存在即合理，所有事物的存在必然有它的原因。因此，我们的鼻子被塑造成了现在的样子，以便于戴眼镜；而且我们有两条腿，因为它们完全适合一条剪裁合体的裤子的板型。

事实其实非常乏味，只有少数几种人类特征经我们清楚证实，

---

[1] 这些都是学术论文中的真实意见。对女性喜欢粉红色的原因的分析完全是无稽之谈，有这么几个原因。第一，对粉红色的性别偏好是 20 世纪才出现的现象。维多利亚时代，儿童卧室的配色方案通常是男孩为粉红色，女孩为蓝色。第二，没有证据表明妇女是采集者而不是狩猎者。对于婴儿哭泣以防止父母发生性行为，是的，确实有这种效果，每个家长都会知道。但我不确定这是不是决定性的原因。

是为了适应特殊的地理区域而进化出来并变得普遍的。皮肤颜色是其中一种。消化牛奶的能力是另一种，这完全符合奶牛养殖场出现的位置（这两点在第 2 章都讨论过）。

最好理解的地域适应性示例，与人类历史上造成死亡的唯一最重要的因素有关。出现在疟疾泛滥的地域人群中的基因突变，是为了对抗由单细胞寄生虫，包括恶性疟原虫和间日疟原虫导致的两种疟疾变体。血红蛋白-B 基因的某种改变会导致血细胞形状发生变化，它通常是菱形，突变后变得僵硬并且就像镰刀的刀锋一样弯曲。有一个突变基因的人，有着镰刀状细胞特征：他们的血液里有一些扭曲的血细胞，但这些人在很大程度并不受其影响。如果有两个突变基因，则意味着将身患严重的疾病。每年有 30 万名新生儿患有这种疾病，症状包括疼痛、感染，猝死风险增加甚至是死亡，这些都是因为畸形血细胞存在于他们的血管和器官中。但镰状细胞特征却提供了防止疟疾感染的保护。所以当我们观察这种突变基因的分布时，它完全匹配了全世界疟疾高发的地区。此外，一些研究人员指出，这种保护性基因与历史上的甘薯种植存在着密切关联。农民为了种甘薯毁掉了森林就意味着容易积水，积水多意味着蚊子也多，进而导致了更多的疟疾发病情况——这就是逻辑发展的顺序。这种疾病出现后，相应的抗性基因就被会激活，总之无论如何，就是被甘薯种植培育出来的。镰状细胞性贫血留存下来，就是我们为了抵抗历史上最毁灭性的疾病而付出的代价。

有趣的是，镰状细胞在文化上经常被认为是一种“黑色病”，甚至某种程度上在嘻哈歌词里也会频繁出现，有时是作为一种讽刺。[1] 镰状细胞特征和镰状细胞疾病并不是黑人所独有的，尤其是当“黑人”这个词作为对非裔人口的描述完全没有意义的时候。我们已经确定绝大多数的遗传多样性发生在非洲大陆内，这才是人类最早的基因库所在地，离开这里移居到世界上的其他地方的那些人，只带走了一小部分样本。持有镰状细胞基因的人群集中在撒哈拉以南非洲地区，这是事实，但是他们同样也存在于其他疟疾横行的地区，包括中东、菲律宾、南美洲和南欧地区，尤其在希腊，这种疾病也是普遍存在的。看起来，疾病和进化似乎并不十分关乎大陆或所谓的种族。在大多数情况下，我们不知道在某些特定的地区出现的人类特征是如何适应该地区特点的。但这并不意味着它们不是被选择出来的。

搭便车、冲浪和清除

很多人对耳垢非常有兴趣，包括我。把你的小指伸进你的耳朵里，来个彻底的扫除。接着你的手指上就会粘上一种叫作耳垢的东西，它是一种死细胞、绒毛、灰尘和其他碎屑的混合物。我们喜欢耳垢，因为只有少数性状能体现 DNA 及其编码的蛋白质，即基因型和表现型之间相对直接的关联性，而耳垢的性状就是其中之一。

基本上有两种类型的耳垢，潮湿黏稠型的和干燥片状型的。

[1] 比如，1992 年，2Pac 在其畅销唱片 *Hit' Em Up* 的 B 面的嘻哈音乐里表达了愤怒，令人印象深刻。

决定这两种状态的基因称为ABCC11，它有两个等位基因，这个描述可以让耳垢的类型听起来更具科学性，而非令人厌恶。该基因有4,576个碱基对，在第538个碱基对处是G或A。如果你有拥有G代码，那么将制造出甘胺酸，如果拥有A代码，那么将制造出精氨酸。这种简单的变化足以将蛋白质变成不同的形状，并且这个形状决定了耳垢的特性。这种非常重要的表现型的遗传，以一种直白的孟德尔方式在人类耳朵中显现出来。有湿耳垢的人占大多数：如果你有1个G碱基，就会有湿耳垢；如果你有1个A碱基和1个G碱基，也会有湿耳垢；如果你有2个A碱基，就会有片状干燥的耳垢。当我们研究世界各地的人如何清除耳垢时，这项研究将变得更加有趣。

我们主要考虑的不是表现型，而是遗传学中的基因型，并且测定不同等位基因在各族群中出现的频率。在耳垢的这个案例中，表现型和遗基因型两者之间有着直接的关系，所以，举个例子，如果在一个100个人的群体中，干性等位基因出现的概率为50%，你可能会看到25人有干耳垢，75人有湿耳垢（不是50个干耳垢和50个湿耳垢，因为那些有一个湿耳垢基因和一个干耳垢基因的人也会有湿耳垢）。在非洲，有干耳垢基因的人口比例实际上为零。但是在韩国，情况则完全不同。一般来说，东亚人有干耳垢的概率远远高于地球上其他任何地方的人，而且大体上越往东，你会发现有干耳垢的人越多，如果你的工作确实是帮人检查耳朵的话。

那么问题来了，这到底是为什么呢？大陆板块漂移可能是一种解释 —— 生活在东方的原始人口，比他们在迁徙过程中留在西方的人有着更多的干耳垢基因，而且没有什么特别的原因，这些基因在人群中扩散，并且慢慢固定下来。我们可以从遗传学的角度进行更深入的研究，接下来要介绍我们如何具体操作。基因占据染色体上的位置，但遗传学家并不倾向于观察所有基因。他们寻找的是单核苷酸多态性，即基因内部可以用来区分不同个体的信息。这些不是基因内部的微小错误，因为它们不会引发疾病，它们只是代表着同一个词的不同拼写方法，比如：skeptic 或 sceptic，grey 或 gray。当追溯人类的进化时，你不会只找到一个单核苷酸多态性，你会围绕着一个你感兴趣的信息对 DNA 进行扫描，会发现更多其他单核苷酸多态性，因为 DNA 是整段地代代相传的。一个对人有利的基因，会连同其两侧的 DNA 序列一并被选择出来。

萧伯纳除了是一位剧作家和优生学理论的极力倡导者之外，同时也是一位语言学家，他把美国和英国描述为两个被共同语言分隔的国家。[1] 这里有 5 个单词，每个单词都有着两种不同的拼写方法，即相应的英式拼写和美式拼写略有差异（但是同一个单词字母的数量是相同的）：灰色（grey）、磁盘（disk）、烧烤（barbecue）、剧院（theater）和顾问（adviser）。在这里它们组成一个毫无意义的句子：

> Your grey disk is a theater barbecue adviser.（你的灰色磁盘是一个剧院烧烤顾问。）

[1] 也许，这个想法最早的版本出现在奥斯卡·王尔德（Oscar Wilde）在 1887 年写的一个欢乐的恐怖故事《坎特维尔鬼魂》(*The Canterville Ghost*)中："的确，在很多方面，她是一个典型的英格兰人，而且是一个很好的例子，证明了我们和美国人在所有的事情上都别无二致，当然，除了语言。"

这里还有一个替代的版本，同样有效（而且同样没有任何意义），但是用了5个拼写正规的单词：

Your gray disc is a theatre barbeque advisor.

如果假设每个单词发生变化是彼此独立的事件，然后在世界上抽取任何一个人来进行拼写，那么你一定会看到这5个单词在这个句子里所有可能的组合形式，一共有25种，每一种出现的频率都一样。如果句子中的某些词相互之间存在一定关联，例如形容词“灰色”和名词“磁盘”，那么你会发现这两个词同时出现的可能性更高。在遗传学中，这是一个关键的概念，有着一个典型的招人烦且容易混淆的技术名称：连锁不平衡（Linkage Disequilibrium）。“灰色”和“磁盘”连锁在一起，因为它们在语句中的位置和各自的意义是相互关联的，即形容词修饰名字。在DNA中，这种关联没有固有的含义，但是两个单核苷酸多态性之间的近似度却是非常重要的。我们寻找成簇关联的DNA中的变异。因为近些年来完整的人类基因组提供的便利，我们寻找的不仅仅是5个差异，而是数十个、数百个、数千个，乃至成千上万个。特定的单核苷酸多态性可以通过选择（即两种变异都是有效的）发生连锁不平衡，或是通过我们所说的“遗传搭车”——一种变异是有效的，其他的则只能暂时等待，慢慢地传递到以后的各代人中。作为英国人，我更喜欢grey disk这种组合，再捎带上theatre。现在它们被连锁在一起，不会分别以同等概率遗传下去；他们更有可能一同被遗传下去。这些统计信息告诉我们的，正是我们的进化是如何发生的。

另外一个可能出现的相关效果被称为“选择性清除”。这是指当一个特定的变异赋予生命体一项优势时，作为历经许多代“搭便车”的结果，所有的其他变异都被清除了，直到所有的变异都被去除，只留下一个完整的版本：Your grey disk is a theater barbecue adviser—— 现在，所有的词都连锁起来了。

在遗传学的工具箱里，这些概念是最重要的工具。通过从遍及世界各地的人们身上获取 DNA 样本，我们可以利用连锁不平衡理论和选择性清除理论来分析人类的迁徙模式。这些模式是微妙的，而且需要精妙地运用数学才能使它们呈现出来。这些模式隐藏在活着的人身上，所以（完全合理的）假设是，地理分布在一定程度上显示出近期稳定留存下来的变异。这同时也是不合理的，因为对于目前为止我们检测过的大部分基因变异，我们发现在内陆地区，它们是逐渐变化的，而在靠近海岸线的地方，则更可能发生突变。虽然人类的现代运动正在迅速地打乱这些遗传学的阴影部分，但我们仍然可以从前面几代人中得出变异的发源地。

再回到耳垢。2011 年的一项研究表明，通过以上这些技术，发现耳垢基因在向东迁徙的过程中，经历了积极的选择。这并不一定说，这给那些拥有这种基因的人带来了什么明显的优势——就算以乐观的方式推测什么对产生干燥片状耳垢的耳朵有利，也不是件容易的事。可能只是因为一个种群迁往新地区时有了更多的孩子，而且这种新基因出现的频率和他们的来处不一样，这时候发生了积极选择。这就是一个搭乘移民潮顺风车的案例，一些遗传学家称之为“冲浪”。有可能它搭上了去往东方的顺风车，连同一些未知但却有益的东西。

2009年，日本研究人员提出了一种说法来解释为什么全球人类的耳垢情况分布会呈现出我们今天看到的样子。他们提出，这是因为我们的嗅觉。你的腋窝是手臂连接胸部的一个多毛的小部位，但是我们每年却花费数十亿的钱来购买除臭剂，以掩盖这个区域自然产生的味道。湿耳垢表现型常常与某种失调（我们称之为腋臭症）以某种方式存在某种联系，而干耳垢表现型就很少产生此种关联。有这种症状的人认为他们的腋毛散发出难闻的气味，所以有时甚至以手术方式去除产生汗水引发腋臭的腺体。ABCC11似乎在这些分泌腺中起到某种作用，尽管我们并不知道是什么作用。难道真正被选中的是气味（或是它的缺失），而湿耳垢只是搭上了进化的顺风车？我可能正在承认我在前文中反对的东西：这是对于人类的适应性的一种推测。这可能是真的，只是我们不知道。所以目前这只是个有趣的故事，仅此而已。虽然这项重要的研究尚未发布，但它可能会使韩国人获得异味最小者的殊荣。

当我们说到远东地区时，还有一个关于所谓的人种特征的例子，比耳垢这个话题更直观，而且也与汗水有关，也在我们从格林尼治进一步向东到达的地方留存下来，并一路搭乘顺风车，直至被推断与人种相关。这是一个被称为EDAR的基因。这个基因对我们有类似但又不同的用途，因为它不只做一件事。EDAR基因位于人类的2号染色体上，并编码被称为外异蛋白A受体的蛋白质，这种蛋白质通常位于发育中的胚胎细胞的表面。它对身体肌肉组织生长过程中外胚层和中胚层细胞之间的沟通起着重要作用。这种相互作用定义了许多身体组织，包括头发、牙齿、指甲和汗腺。与许多人类基因一样，通过分析其受损时会发生什么，我们知道了它是如何工作的。在受损的情况下，EDAR 的突变会引起诸如少汗性外胚层增生不良症（Hypohidrotic Ectodermal Dysplasia）之类的疾病，患者几乎没有或完全没有汗腺，没有头发或指甲，有异常的牙齿。[1]

在正常的情况下，人体中 EDAR 的等位基因中有一个叫作 370A 的，在东亚人和美洲原住民中几乎无所不在，但在欧洲人和非洲人里几乎完全不存在。与这种特殊的等位基因相关联的有更厚重的头发、更发达的汗腺，以及被称为"铲"的特殊的前牙形状（从微笑的表情看不太出来，但门牙的后面以特定的方式形成了扇形）。"与之有关"与"根本原因"并不是同一个概念，因为很难精确地证明基因突变编码的一种蛋白质使其携带者在胎儿期就出现了这些变化。然而，在小白鼠身上的实验表明，这些特征是 370A 基因发生突变带来的结果。

在 2013 年，一项精妙的国际研究项目做了大量的工作，为如何测试我们进化中的遗传因素提出了更高的预期。来自麻省理工学院、哈佛大学、中国复旦大学，当然，还有高尔顿的母校伦敦大学学院的遗传学家们，扫描了世界各地 52 个人口族群的 1,064 个人的基因组，并寻找 370A 等位基因侧翼的单核苷酸多态性。他们最终以扫描了一段由 13.9 万个碱基组成的 DNA 结束了工作，同时

[1] 恐怖电影迷会很熟悉迈克尔・伯瑞曼（Michael Berryman）的脸，他具有视觉冲击力的外貌使得他常在电影中扮演重要的怪诞角色，他参演的影片有《乌鸦》和《摩登保姆》，以及 1975 年的《飞跃疯人院》。在 20 世纪 80 年代的恐怖电影《隔山有眼》（及其不太出名的续集）的封面上，他那种斜眼往下看的样子，是典型的少汗性外胚层增生不良症症状，并且对于像我这样曾挥霍青春，经常混迹于音像出租店的人来说，有着一种可怕的熟悉感。

找到了另外 280 个他们感兴趣的单核苷酸多态性。这极大地方便了我们进一步了解基因组。海量的遗传数据和至关重要的基因变异都可以在人类历史上测试其起源，并且让我们有能力计算出 370A 是在什么时间和什么地点产生的。请回忆一下，它在非洲人和欧洲人中并不是一个常见的等位基因，所以应该是在人类向东迁徙的过程中随机出现的。计算机模拟包括输入一整套的变量，如农业实践、迁徙、不同种群之间的平缓的基因流动，以及其他的一些因素，然后在输出端就会产生一个数字。或者说，科学层面的统计分析是非常谨慎的，需要研究一系列的数字。最近的研究成果显示，这种突变发生在距今 11.3 万年前到 4 万年前的某个个体身上，但最有可能的日期是3.1 万年之前，发生在现在的中国中部。这个时间早于人类越过白令海峡（当时还是陆地）的时间，这些人后来在南北美洲定居下来。

研究的第二部分测试了基因突变实际上发挥了什么作用，科学家们数十年来都使用基于我们的老朋友老鼠的遗传学标准。一旦某个基因被确认在人体中出现了某种缺陷，那么研究人员将在老鼠身上通过诱发同样的突变进行测试，从而观察结果是否是相似的或相同的。当基因表现出不发挥作用时，被称为“敲除”（knock-out），因为你淘汰掉了你感兴趣的基因。相反的测试也是有用的，称之为“敲入”（knock-in）。一只老鼠的 EDAR 基因和 370A 突变一起在某个位置被敲入，于是它便有了更厚重的毛发、密度更高的汗腺、以及分支更多的乳腺。终其一生，噬齿类动物的门牙随着它们啃咬食物、接线板和金属板而不断生长，所以牙齿的形状不能作为我们和它们之间的比较信息。但是它们身上出现的其他表现型，和我们从东亚人身上看到的特征惊人地相似。

关于这种突变如此成功地进行传播的原因有很多推测。汗腺密度可能与气候有关，因为潮湿炎热的条件下，这些汗腺体形成了有效的冷却系统，特别是在长途跑步或步行时，对于这一时期狩猎－采集文化中的人类来说可能是非常理想的。地质记录表明，在发生这种突变的时候，中国确实非常炎热潮湿，即使在气温大范围下降的时候，也可能因为季风而保留热度。解决这个问题的方法之一是做更多的研究和探索。从时间的长河中找到更多以往中国地区的人类的遗体，并把它们的 DNA 提取出来，以获得更翔实的历史气候记录。在科学中，总是需要有更多的探究。

或者它也可能与嗅觉相关，如耳垢基因表明的一样。媒体一如既往地寻找那最令人兴奋的可能性，一些文章声称，这种基因让胸围明显变小，因此可能是性选择中的驱动因素，有助于使新的突变固定下来。这简直就是怪诞科学。尽管当代一些西方文化坚持胸围关乎女性的性诱惑力，但是这并不是一个放之四海而皆准的决定性因素。无论是乳腺大小还是乳腺导管的内部结构都与胸部尺寸没有直接的关系。但为什么要让这样的事实去妨碍一条吸引眼球的新闻呢，何况它还有一个性感的标题。

选择的优势到底是什么，现在还不为人知。所有的特征在同一时期全都是有利的，这不太可能。当然我们也努力尝试，不以完全线性的思考方式来看待这种进化。基因可能会冲浪、搭便车或被清除，但它应该要花费数千年和数千代人的时间，才能遍及世界。牵头这项研究的哈佛大学进化生物学教授丹 · 利伯曼（Dan Lieberman）当时告诉记者：“这些研究结果解释了什么时候，在什么地方，发生了怎样的突变。但同时我们还想知道是为何发生的。”

比以往任何时候都更清楚的是，我们以前认为“非常具有人种特色”的关键生理特征是新近出现的，这是很肤浅的。即使是相对直观的EDAR基因，我们也仍然不明白为什么它在十多亿人中变得如此普遍，并且普及的趋势一直在持续。假如一位台湾先生与一位欧洲女士结婚，然后他们的孩子再和欧洲人结婚，在这样一个家庭中，你可以清除掉370A，直到家庭内部唯一的等位基因就是原始版本。可以想见，它会在两代人之中丢失，两个等位基因在连续几代的遗传中被根除。那么这个家庭的孩子们就不会有又厚又黑的头发，而且会有像欧洲人或非洲人那样的汗腺。那么这个时候，他们属于什么人种呢？同样的，你可以通过与越南的家族联姻，在两代人中把它重新引入，那么是不是意味着又变回东亚人种了呢？遗传学不是定义性的，也不是本质性的，并且拒绝与我们关于种族的谈论结为一派。我们目前谈论的还仅仅是一个基因的问题，至于行为研究，更是惊人地复杂。

然而，《纽约时报》前科学编辑尼古拉斯·韦德（Nicholas Wade）在2013年出版的一本书里，阐述了大量关于人种遗传学的值得怀疑的观点。其中标题为“令人烦恼的遗传”的部分提出了一些观点，即人种不仅在遗传学上是一个非常明确的定义，而且DNA中的这些区别不仅作用于特定人群的身体特征，还会影响社会和文化行为。

他的这本书经常歪曲许多研究的结论，用来为其论断进行辩护：新近发生在不同人种内的进化解释了为什么某些人擅长或不擅长做某些事。按照韦德的说法，英国人表现出一种“拯救和延迟满足的意愿”，而这在部族文化中是不存在的。犹太人的基因“适合在资本主义制度中获得成功”。中国人倾向于服从权威（这种口气与高尔顿在 19 世纪给《泰晤士报》写的信中所表达的观点何其相似）。基于我们对历史、遗传学和认知能力的了解，这些说法是完全没有依据的。在我看来，也是愚蠢的，有严重的刻板印象，是赤裸裸的种族主义。但是，“令人烦恼的遗传”受到了广泛的报道，因为它提出了具有争议性的挑衅观点，还装模作样地以科学证据为基础。遗传学家普遍对于这本书嗤之以鼻。然而，谬误和不一致性以苍白无力的方式被包装成科学向人展示，也很好地体现了遗传学是一个充满困难的领域，不好把握。

毫无疑问，人类在晚近时期已经经历了进化，而且依然在进化。数十年、数百年、数千年以来遗传物质变化的显著性，一直是学术辩论的主题。韦德经常在他研究的人种中对最近的人类进化中的基因改变做出断言，但根本就没有科学依据，而且他也不想去寻找依据。但是我们一定不能忘记，进化无非是历经时间变迁而发生的变化，所以问题的确不在于我们是不是在进化，而在于我们是不是在自然选择的步步紧逼下发生进化。我们是否会根据我们的遗传物质来适应周遭环境？如果会这样，这些适应是否与我们通常描述人种的方式相一致？

人种是什么

人种对我们来说意味着什么？这不是一个容易回答的问题。

每个人都认为他们知道人种代表什么，并且可以在非常细微的层面区分不同种族之间的差异。东亚人典型的内眦赘皮是在亚洲范围内发生的变异，而且如果你有经验，那么大体上能够正确地区分韩国人和柬埔寨人。但是，没有人将他们区分为不同的人种。他们都是东亚人。因纽特人虽然也有内眦赘皮，但他们不是东亚人，尽管起源于东亚。我们之前讨论过，“黑人”作为科学描述词，事实上没有任何意义；把非洲人定义为一个种族团体也存有局限性，因为黑人与黑人之间在遗传学上的差异有可能比黑人与白人之间的差异还要大。然而，如果你有经验，你应该能够区分埃塞俄比亚人和塞内加尔人。他们之间的差异来自脸形、肤色、鼻子，这确切地说明了为什么所谓的“黑人”或“人种”这类表述对于科学而言没有什么价值。我们偶尔使用“黑人”来表示“有黑色皮肤，最近的血缘来自非洲的人”（与“来自印度，有着相似黑色肤色的人”相对）。这种表述很不准确。

高尔顿对于宽泛的定义和鲁莽的定论并没有觉得不妥，比如印度人、黑人、阿拉伯人，中国人[1]等字眼。我们已经可以察觉到，在这里使用的语言是多么不准确。中国是一个国家，所以在某种意义上，并不能简单地把中国人定义为在中国出生的人。“印度”这个词广义上是指一个宗教或一种文化，虽然通常用来指代

[1] Chinaman，不是常规用法 Chinese，此处 4 个称呼均带有歧视色彩。——译者注

印度次大陆的大多数人口，不包括 1.8 亿巴基斯坦穆斯林。阿拉伯人？从测量和分类的角度作为一个例子，未免太正式。高尔顿的种族歧视程度之深，在他的这些随意做出的定义中就可见一斑。

早期的分类法将人类分成 5 大类，但是这种分类法已经非常滞后了。18 世纪的德国人类学家约翰·布鲁门巴赫（Johann Blumenbach）描绘了白种人、蒙古族人、埃塞俄比亚人（广义上指撒哈拉以南的非洲人）、马来人（大致是东南亚人和太平洋岛民）和美洲原住民。到了 19 世纪末，又有了简化版本——白色人种、黑色人种和蒙古人种。美国人类学家卡尔顿·库恩（Carleton Coon）在 20 世纪中叶坚持包含 5 个略微不同的人种的分类方法——白色人种、蒙古人种（包括美洲和东亚的所有人）、澳大利亚人种（澳大利亚原住民）；黑色人种被进一步细分为“开普人”（Capoid）和“刚果人”（Congoid）（以开普敦和刚果为界，将撒哈拉以南的非洲人同中非人和西非人区分开来，划定为东非人和南非人）。

许多人尝试以最小的分组数对人类进行划分，而这个“最小”的数字一直在变动。在尼古拉斯·韦德的书中，他对于把现在地球上的人类划分成 3 个人种还是 7 个人种很难抉择，并且把非洲人、东亚人和白种人宽泛地归为大陆族群，但是可能还要加入印度人和中东人。很多人在谈论人种时表达的含义是非常宽泛的，显然这会有一些潜在的问题。我们知道，我们总把苍白皮肤和欧洲联系在一起，尤其是北欧，虽然这里几千年前才出现导致苍白皮肤的基因，和消化牛奶的基因出现的时间相近。我们已经探讨过单基因 EDAR，以及它如何给东亚人特有的浓密黑发。从遗传学的角度，我们着眼于数千基因中的少数几个，以及贯穿在基因组数百万个基因中的非常小的变异因子。没有任何一个单基因可以支撑人种的概念，正如几乎没有任何单基因能够决定一个复杂的人类特征一样，只有少数基因可以表达出明显的生理差异，使不同种群的人从外观上看彼此明显不同。即便有 EDAR 这类基因发挥作用，这些差异也只是人们之间所有遗传差异中很表面、很细微的一小部分。

人类基因组项目使得遗传学这个领域发生了巨变，因为我们的研究不再限于一个或几个基因，或是一种拼写的变异，就像用血型蛋白所做的最早的评估那样。相反，我们在数千人中扫描成百上千个基因。加州斯坦福大学的诺亚·罗森伯格（Noah Rosenberg）在 2002 年主导了这个领域的主要研究之一，做的正是上述工作，并利用新基因组学的力量和强大的计算功能，不仅仅探索了表面现象，更是深入地探究了我们的进化过程。他的团队从来自 52 个地域的 1,056 人中提取了单核苷酸多态性样本，并研究了 377 个位点上的变异，这些变异分布在每个人基因组的 30 亿个碱基上。当时这是一项大型研究，虽然在 30 亿碱基的海洋中，377 个点听起来像是一滴水那么小，但足以确定不同民族国家的基因分布。他们将这些数据输入到一个名为“结构”（STRUCTURE）的计算机程序中，通过聚类分析进行相似性排序——输入一些数字，然后要求它按照研究人员决定的分类数对这些数字进行分类。他们要求它给出 2 到 6 个分组，即根据相似性将所有人分为 2 组、3 组、4 组，依次类推。当研究人员要求计算机把所有人分成 2 组时，非洲人、欧洲人和西亚人被分成了一组，东亚人、美洲人和澳大利亚人被分成了另外一组。这算是说得通的：我们人类最早迁徙到这些地方。当研究人员要求计算机把所有人分成 3 组时，非洲人作为一个单独的组被选了出来。这也说得通：走出非洲到其他大洲生活的人只带走了一小部分已被发现的等位基因。当研究人员要求计算机把所有人分成 5 组时，澳大利亚人和东亚人一样，都被分成了独立的组。突然间，遗传学似乎证实了最传统的人种分类方法：非洲人、欧洲人和中东人、东亚人、澳大利亚人和美洲人。

但是当研究人员要求计算机把所有人分成六组时，奇怪的事情发生了。卡娜沙（Kalasha），一个约 4,000 人的北部巴基斯坦部落，变成了一个独立的组。他们是一个奇怪的种群，规模很小而且与世隔绝，活动在兴都库什山脉最高山峰上的一小块地方，这里土地贫瘠，冰川林立，只能通过山口和绳桥保持与外界的交通。他们大部分是同族通婚——与部落内部的成员结婚——并拥有自己的语言和宗教，尽管现在许多人正在转向伊斯兰教，就像他们的邻居、阿富汗的努里斯坦人在 19 世纪末所做的一样。

卡娜沙确实是一个有趣的民族，它在许多方面都是不同寻常的。但是，也并不是那么的不寻常，更不会不寻常到被分成一个单独的人种群体，没有人会这样做，即便是最狂热的种族主义思想家也不会。如果你不断增加计算机分组的数量，你会得到越来越多的人类分组，各自基于地理上或文化上的关联。事实上，如果你努力地探寻我们每个人都拥有的 30 亿碱基组成的基因密码内部的精细构造，就会发现它们之间的界限在渐渐地模糊。通过对这些“组”的分析，我们可以确认同一个组中的人确实有最多的相似之处，但是与其他组也有不少相似性的重叠。记录这些数据的各种图表显示，组与组之间的边界正在渐渐模糊。最清晰的描述与水系分布一致：欧洲人、撒哈拉以南的非洲人和东亚人。但是随着分组数量增加，巨大的隔阂减少，人类的变异也变得具有连续性。相互孤立或种族纯粹性的概念，逐渐模糊直至消失。

罗森伯格的研究是一项伟大的工作，他提出了正确的问题，质疑研究对人类进行分类的基础遗传学。通过对超过1,000个人进行研究，扫描他们身上整个基因组里数千个单一位置，它强化了——事实上是扩大了早期列万庭的研究结果：在同一个所谓的人种之间，而非不同人种之间，看到了最大的遗传差异。但是几乎同时可以证明的是，我们仔细梳理基因组时所得到的人种分类结构，和在科学出现之前的时代、高尔顿所处的时代，乃至整个20世纪根据人类天然的表面特征进行的分类完全一样。我们研究的目的并不是为了寻找导致人类之间明显差异的基因差异，而是为了寻找他们之间可能存在的所有差异，无论是外表可见的或是不可见的。

如果你想对人类进行分组，就一定会找到分组的方式。对这些分组代表的族群所在的区域做出调整，是非常有意思的，同时也提出了一个问题：为什么会形成我们现在看到的分组？尤其当基因组的其他部分，事实上是基因组的大部分，并没有显示出这种区域性的变异。

我们通常只能使用比喻的方法来解释遗传学，我在这里也试着做一个形象的比喻。想象一下现在世界上所有正在印刷的书籍。再简单一点来说，我们只参考用英文写成的非虚构类图书。出版商和书店喜欢给书籍分类，以助于推广和促销，还能帮助读者快速了解他们正在购买的书籍是关于什么内容的。现在你正拿着一本科学类的图书，虽然里面有很多与历史有关的内容，但它主要讲述的内容是生物学。我最近的一本书[1]是关于生命起源的，同样是一本有大量历史内容的科学类图书，它有很多生物学内容，还有物理学、天体物理学、地质学，甚至是化学方面的内容——为了配合年轻的地球从无生命的化学物质转变为生命系统的相关研究。

在经典科学著作中，达尔文贡献了有关地质学的部分。卡尔·萨根（Carl Sagan）作为一位宇宙学家，在他的杰作《宇宙》（*Cosmos*）中阐述了生物学和物理学，现代粒子物理学家布莱恩·考克斯（Brian Cox）也做了同样的事。核物理学家吉姆·哈利利（Jim Al-khalili）在他的最新作品中明确地介绍了生物系统中的量子物理学。所以虽然我们知道这一小类书籍属于英文写成的非虚构类作品，但若要进一步分类，就不太容易了。如果我们把所有题材的非虚构类书籍考虑进来，从废话连篇的时尚饮食类图书，到高速公路条例、汽车手册和名人传记，你就会开始发现问题所在了。但是我们不能只通过书的封面、标题来判断书的类型，而是要看书里的内容。这对分类体系有帮助吗？如果我们浏览所有书的内容，并寻找“科学”这个词，那么在科学类的书籍中，这个词的出现频率应该是最高的，但也并非没有例外。“科学”（被用滥了）一定程度上也是那些时尚饮食类图书和神神道道的心灵指导类书籍的一个噱头。内容才是至关重要的。所以我们扩大搜索条件，用“科学”和“生物学”这两个词来进行搜索，这样应该多

[1] 这本书叫《创造》（*Creation*）。

少能提高分类的精确度。但仍然有一些书包含“生物学”，而不包含“科学”。那我们能把它们纳入“科学”和“生物学”这个分组吗？如果我们想要找到关于生物进化的书，我们可能会同时使用“科学”“生物学”和“进化”这三个词。唉，可是达尔文自己都没有在《物种起源》的原始文本中使用过“进化”这个词，所以这个方法根本行不通。达尔文倒是谈到很多关于藤壶的内容，还有载着他环游世界的那艘船——“小猎犬号”。确实还有很多书，例如丽莎·桑德斯（Lisa Saunders）的《神秘船员的踪迹》（*The Mystics Seafarer's Trail*）[1]和《动植物字母填色书》（*The Plant and Animal Alphabet Colouring Book*，1979）——讲的是犬类和甲壳类动物，和达尔文、探险船、进化都没有关系。这些书明显不属于生物进化类。

所以事情就是这样，书商已经尽了最大的努力来给图书分类，所以我们通常所说的科学类书籍，如果仔细甄别，顶多只能算是模糊意义上的科学类书籍。当然，你在书店的架子上找到的挨着你手里这本书的其他图书，和任意一本在烹饪分区找到的书相比，一定包含更多诸如“科学”“生物学”和“进化”之类的字眼，所以它们才会被归到同一个合适的分类里。但它们有可能是物理学或数学类的图书。而你也不至于在书架边徘徊半天，却遇到胡编乱造、毫无科学性可言的书。我也不知道这之间的界线在哪里。

我们一直在做同样的事情。在艺术方面，有立体派、达达主

[1] 这是在推特（Twitter）上找到的，通过谷歌书籍的正文检索算法。我没有读过这本书。詹姆斯·乔伊斯（James Joyce）写的《尤利西斯》（*Ulysses*）里刻画了一个名为诺拉·巴纳克尔（Nora Barnacle）的角色，也提到了小猎犬，但是可以确定这是一本小说，可比基因组学难理解多啦。

义、超现实主义、公共艺术、影像作品、肖像和摄影作品。在政治上，我们分成左翼或右翼，保守派、自由主义者或自由论者。电影就会被分为西部片、科幻片、恐怖片或浪漫喜剧。而且，我的前女友说过，她不喜欢黑白电影。这并不是说我们强加于各种事物的分类之间存在不可量度、不可量化的差别，而是说大多数事物并不能通过这种精细划分归入某一个类别，而应处于一个包含互有重叠的类别、存在连续性的区间。“我们生来就深受非连续性思维的暴力困扰”，理查德·道金斯（Richard Dawkins）的这句话多么具有说服力。

这个比喻有一个作用。它不认可遗传分组能够大体上与地理分布一一对应。但这种对应既非唯一的，也非本质上的。这个比喻对于人类到底可以分为多少个人种这个问题确实给出了令人满意的答案：无解。这本身就是一个毫无意义的问题。

但是这个问题永远不会消失。美国原住民有遗传上的酗酒倾向，这一言论如今依然盛行，这个说法是在早些年欧洲人刚刚占领美洲大陆时开始出现的。托马斯·杰斐逊（Thomas Jefferson）于 1802 年写信给一位易洛魁族酋长，赞扬其部落做出戒除“烈酒”的决定，并这样说道：“你发现了你的部族不能克制自己对酒精的滥用，因此对于你下令禁酒，我深表赞赏。”酒精成瘾是一个超乎想象的问题，想要了解它，必须考虑到生物学、社会学和文化方面的大量因素，包括贫困、教育水平、家族史和童年创伤。是的，遗传学似乎在酒精成瘾这个高风险问题上，发挥着大约一半的作用。但是没有证据表明美洲原住民和美国白人的酒精代谢基因有任何的不同，也没有简单的单一遗传因子可能会使人成为酗酒者。

有大量证据表明，许多美洲原住民都有过惨痛的社会和文化经历，世世代代饱受压迫，导致他们失业、贫穷，以及经济地位低下，这些都是导致酗酒的危险因素。然而，美洲原住民酗酒的概率几乎是欧洲白人移民的两倍，这种情况致使酗酒多少受基因影响的说法仍被反复提及。

在 19 世纪 80 年代，两位医生在各自独立工作的情况下，几乎同时确认了一种新的可怕疾病，他们俩都是在犹太人家庭中发现这种疾病的。在伦敦，瓦伦 · 泰（Waren Tay）在同一个犹太人家庭里的孩子的视网膜上发现了红点，随着疾病的发展患儿的神经功能逐渐退化，直至死亡。伯纳德 · 萨克斯（Bernard Sachs）在纽约也发现了类似的症状，并给这个病取了一个名字：黑蒙性家族性痴愚。他们同时发现的这种疾病现在被称为泰 – 萨克斯病（Tay-Sachs），而且病因已经得到充分解释，即由 HEXA 基因突变引发的隐性遗传疾病。这是一种可怕的综合征，患者是非常年幼的孩子，他们往往在经历了长时间的大脑退化之后，很快死去。在泰和萨克斯博士发现这种病的几年之内，一些非犹太人家庭也反映他们的孩子出现了同样的症状，但因为泰 – 萨克斯病被认为是一种“犹太病”，所以这部分孩子被判定为拥有异常的特质。

事实上泰 – 萨克斯病并不是只出现在犹太人中的疾病。在路易斯安那州的卡津人和魁北克的法国加拿大人中，发病的频率和犹太人大致相同。根本就没有“犹太病”这种事情，因为犹太人并不是一个遗传意义上的独特分组。当然，在家庭和相关群体中，遗传相似率会更高，而且阿什肯纳兹犹太人中的发病率确实高于其他人群。但这并不是犹太人、阿什肯纳兹犹太人、瑟法底犹太人、卡津人或者任何其他的民族所特有的疾病。然而，荒诞的说法又一次阴魂不散。在我公开谈论种族说和遗传学时，常尝会被问到这个问题："犹太病又如何释呢，比如泰－萨克斯病？"

这就很讽刺了：科学家对于犹太人进行了大量的遗传学研究，研究量远远超过对其他许多社会群体。这可能是因为总的来说，遗传学家和科学家中犹太人的比例非常高，而犹太人又有着非同寻常的历史。犹太人散居各地，饱受迫害，使得他们在基因和文化相互作用的研究上成了非常有趣的研究对象。因为这种特殊的关注，泰－萨克斯病的流行已经被遏止了。在占犹太人总人口约三分之一的阿什肯纳兹犹太人中，周到的遗传咨询已经有效地消除了泰－萨克斯病。我想你可以在一种单纯的、不含种族判断的意义上，把它称为一种"柔性的"优生学形式。它一开始被称为犹太病并成为一个顽固的标签，伴随着偏见和无知。现在，基于对遗传学和遗传的了解，我们可以知道，它根本不是犹太病。

在体育运动中，类似的说法也根深蒂固，罔顾科学的解读。直到 1980 年艾伦·威尔斯（Allan Wells）在莫斯科奥运会的百米赛跑中夺冠之前，没有一名白人在此项比赛上赢得过金牌。历史上的百米飞人中，美国运动员占了一半。随着冷战的升级，美国抵制并拒绝参加 1980 年奥运会，这才产生了一位白人百米飞人。百米赛跑中的数据激起了这样一种观念：黑人之所以在运动上具有强大力量且更易获得成功，是因为他们相比白人运动员具有遗传带来的生理优势。回想一下，杰西·欧文斯（Jesse Owens）站在 1936 年奥运会的领奖台上，以 10.3 秒的成绩代表纳粹德国赢得了百米金牌以及另外 3 枚金牌。后来，欧文斯所在运动队的助理教练迪恩·克伦威尔（Dean Cromwell）粗暴地将这种美好的体育竞赛轻蔑地归因于生物命运的写照：

> 黑人擅长于运动，因为他们比白人更接近原始人。就在不久以前，在丛林中，冲刺和跳跃的能力对他们来说还是生死攸关的事情。

在疯狂坚持种族主义的政权面前，胜利的力量悲惨地受到种族主义的贬低。这些态度在体育界和公众中非常普遍。康涅狄格大学的两位社会学家马修·休伊（Matthew Huey）和德文·戈斯（Devon Goss）将一个世纪以来某些人关于黑人在体育上取得成功的态度批驳得体无完肤，同时也发现遗传优势是一个永恒的主题。[1] 在整个20世纪，各种理论层出不穷，试图解释为什么成功的运动员里黑人的比例高到匪夷所思。最经久不衰的理论是黑人有着比例更高的快缩肌纤维，一种能让肌肉提供爆发力的亚细胞蛋白。

当然了，对于这个论点要达到的目的来说，皮肤是否是"黑色"事实上毫无意义。与皮肤色素沉着有关的基因非常少，但却掩盖了非洲而非其他地方人民身上更深层次的遗传变异。纳米比亚和尼日利亚人彼此之间肤色的相似度高于他们中任何一方与瑞

[1] 此外，黑人运动员的成功经常被归功于生理因素，非白人运动员的成功则往往被归功于勤奋努力和认知能力。有趣的是，这些观点长久以来并不是始终一致的。大约在1933年之前，5,000米赛跑的冠军完全由芬兰运动员垄断。德国作家杰克·舒马赫（Jack Schumacher）写道："跑步肯定是流淌在每一个芬兰人血液里的能力，就像森林里的动物一样。"这是出于雅利安人的优越感对他人做出的讽刺。

典人的肤色相似度，这掩盖了这样一个事实：他们之间的遗传差异大于他们中任何一方与瑞典人的遗传差异。所以如果给人类进行分类的主要依据是肤色的话，那么潜藏在黑肤色之下的差异实在太大了，以至于无法支持遗传优势带来运动天分的论断。我们知道，在非洲的某些地区，尤其是埃塞俄比亚高地，许多长期在此居住的人都进化出了适应高海拔生活的基因。具体说来，这些非洲人与西藏人而非其他的非洲人（我们通常统称的“黑人”）之间，有着更高的遗传相似性。但是这种适应性的特质在撒哈拉以南非洲地区不太常见。所有其他方面也都是平等的（当然，从未被平等对待），我通过一个名为 ACE 的基因来处理氧气的遗传能力与大多数非洲人并没有什么不同，尽管和大部分东非人是不同的。类似地，与快缩肌纤维存在关联的 α－辅肌动蛋白 3 基因，它的其携带者能够成为成功的短跑运动员，但这个基因并不是非洲人独有的，或者甚至不是非洲任何特定的区域或民族所独有的。2014 年的一份详尽的关于非洲运动员遗传学研究的科学文献综述总结道：人们常常将黑人在体育上取得的成功与这两种基因的变异联系起来，而研究表明，“并不能够完全解释黑人运动员的成功。在非洲出现一种世界上其他地方都没有出现的基因型，可能性似乎不大”。

在文化方面的一种说法是，黑人可能是在充当奴隶的时候逐渐发展出了这种身体素质，并在繁衍中保留下来。这种推论的潜台词就是力量和好的体魄是黑奴的理想特质，身体素质过硬的黑奴能够很好地完成工作，并因此有机会生儿育女，在生育过程中，他们的基因又一代代传了下去。这是一种“常识”性的论证。但是科学却与常识是站在对立面的。科学是一套试图从我们的感知中提取客观事实的方法论工具。科学不理会我们怀有的各种偏见，而要将“是什么”同“觉得是什么”区分出来。

关于奴隶制培养出超人的想法，有几个问题。第一个问题是400年的时间不足以创造出特定的等位基因。10代人或12代人的时间可能足够扩大（或清除）一种拥有重要生物学意义的等位基因。但是，与我们讨论诸多人类行为时一样，我们并非在谈论某个有巨大威力的单个基因。涉及体育实力的生物机制的基因有几十种，并且不是均匀地分布在不同体育项目的竞技者身上：优秀的短跑运动员并不是优秀的长跑运动员。第二个问题是，据我所知，没有任何数据可以支持拥有奴隶祖先的黑人身上的等位基因发生了正选择。如果没有数据支撑，关于奴隶有效经过了选择性繁育的理论，就只是一种隐晦的种族主义的自我陶醉，是一种认知偏见，或者说是另一种形式的适应论。

显然，身体特征在体育成功中发挥着重要的作用。NBA球员的平均身高是6英尺7英寸（约2米），因为个子高打起球来会更为顺手。相反，在以白人为主导的赛马运动中，骑师通常身材小巧、体态轻盈，大致符合牛顿关于速度和质量的定律。身高受遗传因素影响很大，但是从肤色和大陆起源的角度来看，这些身高数据和人种并没有什么关系。荷兰人是地球上平均身高最高的人，同时我也深信，如果荷兰有美国那么多的人口，而且篮球在其文化中具有举足轻重的地位，普及程度又非常高，那么在荷兰人中也一定会诞生出像洛杉矶湖人队那样优秀的篮球队。

有时候，体育被认为是伟大的公平舞台，只有具有天赋并经过艰苦磨练的人，才能获得胜利。黑人因为遗传优势而更能胜任体育运动，或者是在严酷的为奴岁月里繁育出优良素质的理论，是无源之水、无本之木，其在文化中形成固有的偏见又一次证明了我们想当然的和科学所表明的东西之间，横着一条巨大的鸿沟。

有些人试图通过物种的迁徙和历史来佐证或强化人种概念的生物学基础。有一段时间，存在着关于现代人类起源自何处的讨论。问题是我们是否都作为一个物种自非洲涌出，再逐渐成长为我们今天所见到的智人的样子；或者是否早期人族（Homos）在更早时间的迁徙中，在世界各地安顿了下来，而我们就是由这些先辈进化成现在的样子。这被称为“多地区假说”（Multiregional Hypothesis），它多年来被普遍排斥。对于骨骼的研究不能证明这一点，它显示的是现在活着的人和很久以前死亡的人二者的骨骼显示出来的生理差异，并不足以确保找出任何一个在地球上生活过的人都有一条独特的进化之路；对于任何生活在地球上的拥有生育能力的人，他的繁育也不存在生理或生物屏障；一个澳大利亚原住民可以和一个美洲原住民一起幸福地生育出具有生殖能力的孩子，和非洲原住民也一样，虽然这两者之间存有我们所能观察到的最大的遗传距离。

在过去几年中，我们已经看到，通过第 1 章中讨论过的新兴的古遗传学，占据极大优势的非洲起源说又发生了一点细微的变化。显然，现代人类与尼安德特人和丹尼索斯人都进行过成功的交配，直到今天，我们还携带着他们的 DNA。这不能被定义为人类中出现了新的物种，而是将其他物种的基因融入我们的基因之中。他们对我们的遗传贡献并非无足轻重，在某些情况下，他们为现代人带来了一些未经过基因渗入就不会产生的特定特征。但是，这些贡献并不充分，也不够具体，不足以成功地形成一个论据，以支持宽泛而通俗地将人种定义为分离进化的结果。人类种族的流动性，以及在性这件事情上的出色能力，使得仅仅回溯3,000多年，就能找到我们现在所有人的共同祖先。这意味着我们用来进行人种分类的特征的遗传基础，都来自于现代。

我相信没有任何一种语言能够在我们如何讨论人种，以及遗传学和进化表明什么之间做出协调。遗传学揭示出，人类的变异及其在全球的分布，比试图使之与那些粗略模糊的术语如人种、黑人、白人达成一致的尝试更为复杂，也需要进行更为精密的探索。正因为如此，我能够轻松地说，从遗传学的角度来看，人种是不存在的。而且它并没有任何有用的科学价值。

在科学中，我们在测量和语言描述方面都渴望精确。对于分类的执念是相当人性的，也促使科学界孜孜以求。我们对生命无法做出定义，我们对物种的定义也并不充分。生命的复杂程度，大大地挫败了我们对生存方式和生存者进行分类的一次又一次高尚的努力——这恰恰令人兴奋。是的，在我们对基因组进行仔细比对时测量出的变异，大体上能与各大陆对应起来，但即使是有海洋作为屏障，其中的界限也不是非常分明，并且只能解释一小部分个性差异。明确人类或种族之间的各种差异也许仍有一些价值，比如帮助理解那些外显率在所有人群中分布不规则的疾病，以及对特定的人群予以重点关注。

但是再一次，这与流行的人种观念不符。这也当然不意味着种族主义就不存在了。这是一种特殊的经历，与数百万人不同，我的生活没有因为某一小段 DNA 让我看起来与别人不同而受到侵害。但是，如果没有经历过这种事情，是很难理解的。对我而言，这是微不足道的，但是那些经历会点燃熊熊不熄的火焰。遗传学已经表明，冲突在于人心，而不在于生物学。

尽管达尔文在《物种起源》中并没有讨论人类，但他的第二伟大的作品《人类的由来》则是致力于此。他在乘坐“小猎犬号”旅行的途中看到世界上的许多原住民群体，并仔细思考了他们的身体特征。他谈到种族和亚种时，使用了他那个时代的语言，包含了一些现在已经不再被接受的宽松定义：

> 但是因为他拥有一定程度男子气概，应该被划入优秀的人种，或者说应该叫“亚种”（sub-species）比较合适。其中一些人，如黑人和欧洲人，区别是如此明显，如果采自他们的标本被交给一位博物学家，在没有任何进一步的信息提示的情况下，他们无疑会被认定为属于善良而诚实的物种（species）。

达尔文曾在《物种起源》中使用“物种”（race）这个情绪化的词来描述生物的不同种类，“比如，包括几种白菜”。[1] 但是，他的核心想法是意识到在时间中由各种生物构成的不间断的“流动”。在 1871 年的《人类的由来》中，他表现出伟大的（或者说典型）的先见之明——他也承认，那些存在于成年男子中的人种特征，既非永久的，也非典型的：

[1] 在这句话里，他也用 race 这个词表示“种”。——译者注

> 任何人种的独特性或者长久保持的特征是否能被命名，这一点十分令人怀疑。

遗传学不是第一次证实了达尔文的怀疑。这些是基于观察的怀疑，没有受到随后的遗传机制概念影响——其中许多来自他的“半”表弟的作品。讽刺的是，高尔顿的次要理论优生学却被某些人奉为圭臬。他和路易莎·巴特勒（Louisa Butler）结婚，并在她的陪伴下走完了一生，但他至死都没有孩子，他的基因组无法一代代传承下去。高尔顿的人种定义已经不再经得起推敲了，而且确实，我们今天讨论人种的方式，也都经不住仔细的遗传学研究的考验。现在的家庭构成太过复杂了，人类的历史太过曲折，人们太有活力。地球这张巨大牌桌上的牌被洗了一遍又一遍。遗传学已经证明，人们之间存有差异，这些差异根据地理和文化因素而聚合，但不会以一种与传统人种观念相一致的方式。有时讨论这个问题时，人们可能会说“肤色只是社会结构中的一部分，但是你不能否认它们之间的差异确实存在”。的确，当我们说到“蓝色”时，指的电磁光谱中波长在450~495纳米之间的可见光，先在我们视网膜中，之后在大脑中被处理后形成的一种习惯性的体验。然而，电磁光谱是连续的，而这些随机的标记能够有效地描述我们的体验。我们在任何地方看到的人类变异也同样是连续的，但这种连续性不是线性的，这一点和光不一样。当我们着眼于某个单一特征时，或者有时我们着眼于多个性状，确实能够对人类进行分类。但是，我们也一样可以在同一族群中观察其他特征，于是又会发现不同的集群，但是所有这一切特征都不会在某个族群中一成不变，因为人类自身就不是一成不变的。泰－萨克斯病曾经在犹太人中（不是只在犹太人中）有过高发病率，但是现在情况已经不一样了。一些犹太人有红色的头发和苍白的皮肤，就像大部分苏格兰人一样，另一些犹太人却没有这种特征。生活在安达曼群岛的人的肤色与中非人非常相似，但他们是通过不同的历史和生物路径才形成了这种外貌。一些非洲黑人进化出在高海拔环境中处理氧气的能力，一些藏族人也是如此，但大多数非洲人却不具备这种能力。与“黑人”这个称谓相比，“长跑运动员”这个群体倒是更像是一个人种。

我们不必要求人们说这是正确的，或者这是错误的，但高尔顿确实是一个不好把握的人物。他的大部分科学研究都取得了非凡的成就，许多观点也同样光彩夺目。然而，他的许多看法却非常可怕。他进行科学研究的动机，似乎很大程度上来自这些丑恶的观点。科学是一个过程，力求通过让我们理解客观事实，去除我们狭隘的宇宙观，消除我们的内在偏见。事情往往不像我们看到的那样，但我们发明和发展了科学手段来修正主观上的缺陷：数据为王。弗朗西斯·高尔顿迷恋数据，这促使他建立了一门新的科学，他希望用它来验证自己的偏见，但现实却是一个美妙的讽刺——事实恰恰相反。

第5章

人类绘制出的最神奇的地图

> “对于每个复杂的问题，都有一个简单、直接、易于理解的解决方案。而这个方案必然是错误的。”
>
> ——亨利·路易斯·门肯

2000年5月，纽约冷泉港

每个科学家都知道，最有效率的对话往往发生在酒吧里。科学是一项合作性质的事业，某个科学家孤独地埋头苦干，直到某一天突然有了重大发现，这样的想法早已经过时了。在研究中，你希望数据是真实的，但如何解释这些数据，还需要讨论、辩论乃至争论，所以科学家们总是去参加各种会议，在会议上提出他们的想法，交由同行来评议。这样的机制如果能起到作用，就可以帮助他们更好地进行科研工作。没错，学术会议上的演示和讲座，对他们来说可能非常重要，但这里有一个科学界的秘密——它们可能会极度无聊。有时候那些惊人的研究成果密密麻麻地挤在幻灯片上，以一种特别难以理解的形式呈现，看了让你简直想立刻就用会场发的免费笔戳瞎双眼，或者用会议胸牌的挂带上吊自杀。有时候表达流畅、富有魅力的演讲，却在试图掩盖或夸大那些站不住脚、让人怀疑的结论。所以在这些会议上，保持清醒才是最大的挑战。

但是在酒吧里，真正的科学会被仔细地探讨，最好的想法也会发生碰撞。许多科学家在此建立了终身的合作和友谊，也有的人陷入激烈的争吵，彼此成为一生的敌人。[1] 2000 年 5 月，许多世界上最优秀的遗传学家汇聚纽约州长岛（Long Island）的冷泉港（Cold Spring Harbor）。在这里，生物学历史上规模最大、级别最高、成本最昂贵的项目即将进入收尾期。而在科学史上，这个项目也足以名列第二，仅次于之后欧洲核子研究中心（CERN）建立的长达 27 公里的大型强子对撞机发现希格斯波色子（Higgs boson）的壮举。在物理学家忙于理解宇宙的基本结构的同时，遗传学家也在努力拼凑最为困难的一张拼图。人类基因组计划持续了 8 年，已经胜利在望（虽然不会是完全的“胜利”）。他们的目的是搞清由 30 亿个碱基对构成的 23 条染色体是如何造就人类的。

它一直被描述为一个绘图项目，我认为这是一个很好的类比，虽然基因组计划和真正的绘图学在研究方向上正好相反。

[1] 我曾经看到过高级学者在酒吧里互动拳头，我永远不会透露他们是谁，所以不要问了。那场打斗并没有持续很久。

数千年来，探险家们一直在绘制河流、海岸和山脉，随着时间的推移，随着我们了解的地方越来越多，这些地图越来越大，并与其他地图相连成片。最终在 1968 年，阿波罗 8 号（Apollo 8）的航天员比尔 · 安德斯（Bill Anders）在月球上拍摄了地球的第一张照片，我们看到了自己家园真正的样子。在那张照片里，我们看到了全世界。现如今，我们可以轻松地通过类似谷歌地球（Google Earth）这样的软件，看到国际空间站从卫星捕获的家园图像，我们可以看到每一条河流、每一座山脉、每一片森林，还有城市、村庄、房屋、路灯和道路。夜晚来临，从太空站拍摄的照片上我们可以看到被灯光照亮的大都市，其间流淌着孕育人类文明的河流，仿佛动脉和静脉一般。这就是世界的模样，而文明、贸易、农业和战争则在我们所生活的这个星球镌刻下了深深的印记。

基因组的研究情况则相反。染色体的经典图像就是仿佛挤压在一起的一双袜子，再加上 X 和 Y 染色体。它们就像是远距离拍摄的地球卫星图像，看不到什么细节，从中了解不到一个细胞的情况，更别说一个人类了。到了显微镜下，我们可以看到遗传学里的大陆和海洋，但同样没有一点儿细节。而遗传学就是关于细节的。在开展基因组计划之前，我们知道关于 DNA 的一些比较大层面上的问题。少数癌症是因为两条染色体分离后又在错误的位置重新连接在一起而造成的。这种分离导致一个基因被切成两半，无法发挥作用，而它负责生成的蛋白质能够控制细胞分裂的速率。当染色体断裂后，细胞不可控地不断分裂，就导致了癌症。这类癌症背后的特定遗传缺陷，从那些低分辨率的图像中就可以看到。

但是我们努力治疗的其他几百种癌症，问题都出在基因组的编码上，即使用最为强大的显微镜，我们也无法看出异常。

21-三体综合征是由于患者在正常的一对 21 号染色体之外，又多了一条 21 号染色体而导致的。而女性特有的身体和生殖疾病特纳综合征（Turner's Syndrome）则是因为缺少一条 X 染色体所致。克氏综合征（Klinefelters Syndrome）是因为男性患者多了一条 X 染色体，变成了 XXY。如果把人体比作太空中看到的地球表面，所有这些疾病都相当于巨大的大陆灾难，像是在太空中可见的火山爆发。当然，出于大自然的慈悲，它们相对会比较少见。而其他的几乎所有遗传疾病（和正常的特征）都隐藏在山脉、平原、房屋、街道和支流中。

标记出所有的房屋、街道和支流，是人类基因组计划的主要目的。基因组是生物体中所有遗传物质的总和。几乎所有这些遗传物质都包含在染色体中，只有为细胞提供能量的线粒体里还有一小部分 DNA。这也透露了线粒体的进化起源：它们在大约 20 亿年前本是寄生细菌，在细胞中作为能量寄生虫而存在。在人类基因组中，总共有大约 30 亿个碱基对。其数量大约相当于 20 本标准电话簿中的字母数，尽管现在我再在讲座中这样打比方时，发现许多孩子都没有见过电话簿。

我要表达的关键意思是，它们的数量非常非常多。截至这次冷泉港的会面之前，我们已经确定了数千种基因。它们大多数都是在 20 世纪 80 年代末和 90 年代初探寻第一批致病基因的先驱者通过缓慢而艰苦的过程找到的。这些疾病包括囊胞性纤维症、亨廷顿病和杜氏肌营养不良。然而，即便到了 20 世纪 90 年代，基因确认的速度大大加快，我们对自己的DNA的认知仍然有着根本上的不足。其中最大和最明显的一个问题就是：人类到底有多少基因？

回到2000年的冷泉港的酒吧，一位名为伊万·伯尼（Ewan Birney）的年轻的英国遗传学家正在随意晃悠着，不过与此同时，他还做了一件影响深远的事情。如今，再形容一个人的激情或典型特质“刻在他们的DNA里”，已经没什么新意了。讽刺杂志《侦探》（*Private Eye*）就有一个专栏，专门记录从记者和名人口中说出的这个短语。不过我还是要说，伊万·伯尼就是个研究DNA的人，这项特质“刻在了他的DNA里”。如今，他已是欧洲生物信息学研究所（European Bioinformatics Institute）的带头人，这座研究所坐落于剑桥之外的欣克斯顿（Hinxton），是全球最强大的基因组研究所之一。当同龄人在上大学之前去苏梅岛（Koh Samui）或果阿（Goa）寻找自我的时候，伊万已经在冷泉港詹姆斯·沃森的实验室里赢得了一份工作。这里是基因组学的诞生地，它将在之后主导其他所有生物学科。

也许是因为伊万太熟悉这个酒吧，又或许只是酒精的作用，他做了一些愚蠢而又无聊的事情，然而实际上，这是关于自然科学最伟大的写照之一。那个晚上，他打开赌金簿，纠缠着那些全球最资深的遗传学家，让他们猜测人类有多少个基因，赌注是1美元。最接近答案的人可以获得赌金池里面所有的钱，以及1瓶苏格兰威士忌。

与基因组本身的研究一样，这张记录赌注的页面几经变更。其上满是红叉和涂改，多了9项附加条件和5条注释。这个页面被不断补充，因为这些赌徒都是科学家，他们都关心确切的定义，而且对于怎样才算一个基因，他们也存在着分歧和争议。所以，包括管理规定和其他事项（例如联系方式、公布答案的时间、“不许用铅笔下注”、每人每年只能下注一次等等）在内的这份细则，成了当时科学家达成共识的对基因的最好定义。

当时在场的所有人都下了注。在接下来的 3 年中，460 名遗传学家参与了这个游戏（2001 年，下注的金额提高到了 5 美元，2003 年又提高到 20 美元）。看着这份下注名单，就仿佛在读 20 世纪末的遗传学家名人录。其中全是我们在学生时代所知的科学巨人，包括一些诺贝尔奖得主和注定将赢得诺贝尔奖[1]的人。这群学者可能是历史上最有资格回答那个简单问题的一批人，这是为了科学，也是为了那瓶威士忌。

他们所有人都猜错了，而且都错了不是一点点。这不是一场毫厘之间的竞争，大部分人与正确答案之间都差了几万甚至几十万。英国科学家保罗 ·丹尼（Paul Denny）猜测的数目最多，他认为人类的基因数多达 291,059 个。还有很多人预测的数字超过 15 万，也有不少猜测在 7 万个左右。伯尼第一次下注猜测的是 48,251 个。按照赌金簿上的规定，结果应当在 2003 年揭晓，计算基因的方法则写在注释里。最后赢得头奖的是李 ·罗文（Lee Rowen）。她当时 49 岁，是莱诺伊 ·胡德（Leroy Hood）领导下的一个大型基因组研究中心的研究员，也是如今全球顶尖的遗传学家之一。在 2000 年的那个定义基因计算方法的晚上，她也在酒吧现场。她猜

[1] 理查德·罗伯茨爵士（Sir Richard Roberts）由于参与发现了被称为“内含子”（introns）的断裂基因非编码区，于 1993 年获得了诺贝尔奖。后文将详细讨论内含子。约翰·萨尔斯顿（John Sulston）是英国参与人类基因组计划研究的重要成员。他因为对线虫细胞死亡机制的研究，在 2002 年接到了来自斯德哥尔摩的诺贝尔奖颁奖通知电话。

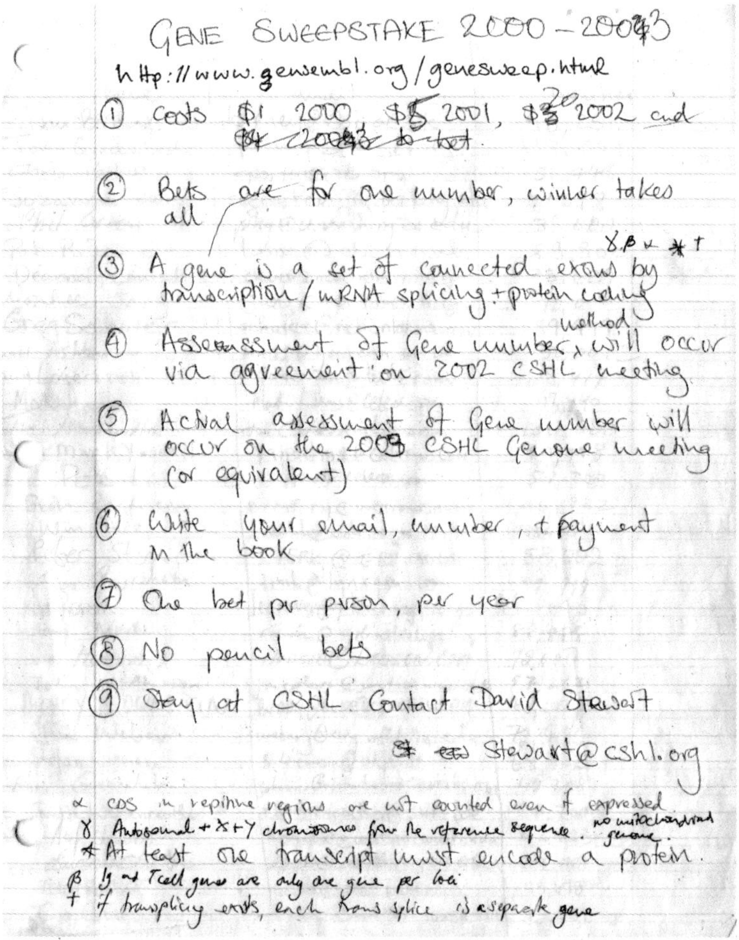

GENE SWEEPSTAKE 2000–2003

http://www.ensembl.org/genesweep.html

① Costs $1 2000, $5 2001, $20 2002 and

② Bets are for one number, winner takes all

③ A gene is a set of connected exons by transcription/mRNA splicing + protein coding γ,β,α,*,†

④ Assessment of Gene number method will occur via agreement on 2002 CSHL meeting

⑤ Actual assessment of Gene number will occur on the 2003 CSHL Genome meeting (or equivalent)

⑥ Write your email, number, + payment in the book

⑦ One bet per person, per year

⑧ No pencil bets

⑨ Stay at CSHL. Contact David Stewart

stewart@cshl.org

α CDS in repetitive regions are not counted even if expressed

γ Autosomal + X + Y chromosomes from the reference sequence. no mitochondrial genome.

* At least one transcript must encode a protein.

β Ig and Tcell genes are only one gene per loci

† if trans splicing exists, each trans splice is a separate gene

赌金簿上规定的附加条件与注释。伊万·伯尼在2000年人类基因组的会议期间开设了赌局。他请当时全球顶尖的遗传学家预测人类拥有的基因数，赌注是1美元。最接近答案的人可以获得赌金池里面所有的钱和1瓶苏格兰威士忌。最后的赢家是李·罗文，她猜测的基因数是25,947个，而实际的答案是大约2万个。

测的基因数是 25,947 个。

实际上，基因的数量约为 2 万个，与 4 个最大的乐高玩具组合加起来的积木数相同。[1]世界上最好的专家给出的答案，都是错误的。

即便是当时对基因的定义，也是不够准确的。当时约定的是将能够编码蛋白质的 DNA 片段视作基因。如今我们知道，许多 DNA 只能编码作为中介分子的 RNA，无法生成蛋白质，但它们也有重要的生物作用。这些算是基因吗？很可能也算。一如既往，生物学的复杂和有趣程度都超出了我们的想象。

李·罗文得到了一信封的奖金，不过她没有要求获得那瓶威士忌。她告诉我，奖金她也没有花："我们知道这个数字是错误的了，那我怎么能花这笔钱呢？"犯错是科学进步的支柱，我肯定不会去嘲笑这些预测，因为我们都是以无知作为起点去追求真理。伊万·伯尼的赌金簿是对科学工作的伟大展示，也代表一种无知的美德。它表明当时我们并不知道遗传学如何在人类中产生作用。在谈到那个时代时，伯尼出乎意料地引用了唐纳德·拉姆斯菲尔德（Donald Rumsfeld）的一段话来表达他的情绪。2002 年 2 月，面对记者的提问："是否有证据显示伊拉克为恐怖分子提供大规模杀伤性武器？"这位当时的美国国务卿化身哲学家如此说道：

> "据我们所知，我们已经知道一些；我们知道我们已经知道一些。我们还知道，我们有些并不知道；也就是说，我们

[1] 这四款玩具组合分别是德里泰姬陵、星战千年隼、伦敦塔桥和星战死星。

知道有些事情我们还不知道。但是，还有一些，我们并不知道我们不知道——这些我们不知道的，我们不知道。”

坦承自己可怜的无知，是一种伟大的智慧。那本赌金簿上错得离谱的预测值表明在21世纪之前，我们完全不知道关于人类遗传学我们不知道什么。我们不知道我们有多少基因，我们只有一个大致的粗略模型，认为一种基因对应一种疾病或者一种特性。我们是复杂的生物，虽然我们在身体上与黑猩猩或猫没什么不同，但我们拥有其他任何生物都无法比拟的强大智力。海豚、猴子、乌鸦和章鱼都展现了一定程度的智慧，从而可以解决问题、使用工具，或是进行复杂的沟通。我们往往会为它们的表现喝彩，不过我们在以上任何一方面都要做得比它们好无数倍。因此，认为人类的智力在基因组中有所体现，算是一个合乎情理的假设，至少我们的基因数量会更多？

但是我们编码蛋白质的基因没有比黑猩猩多。实际上，我们的基因数量还不如蛔虫，也不如香蕉，也不如米粒大小的透明水跳蚤，也不如真正的米粒。[1]我们与我们最常用来做基因测试的物种小白鼠有着大致相似的基因数量。与第二常用来做基因实验的物种果蝇相比，我们的基因数量稍微多一点。想象一下现在正在发生着什么：我正在用活体生物特有的手灵巧地键入这些词；我正在调用我的记忆、理解力、创造力和想象力，构想着一个故事；而与此同时，你也在调动同样的能力阅读我写的故事，并在想象

[1] 植物基因组学比动物的更加奇怪和不可预测。许多植物拥有巨大的基因组，我们还没搞清为什么。许多植物拥有多份染色体。它们仍然遵循着基本和普遍的生物学原理，与所有生物有着共同而明确的祖先。但是当涉及基因组的奥秘时，植物的基因组让我们的基因组看起来像乐高玩具那样简单。

我打字的样子。根据我们头骨中调用的神经元的数量和密度，我们估计人类的大脑可能是目前已知的宇宙中最复杂的事物。然而，拥有数量相同甚至更多基因的其他动物却完全做不到这一切。

人类基因组计划的最大成就就是使得我们认识到自己对于遗传学的了解多么匮乏，也就是知道了我们不知道什么。一旦你知道你需要去了解什么，未来就豁然开朗了。所以，地图已经初具形态，美景也开始渐渐出现，我们知道要去哪里探索，也大概了解了我们的探索可以收获什么。

人类基因组计划的第一大启示在于我们没有那么多基因，那么第二大启示在于基因组中的绝大部分区域都不是基因。外显子组（exome），也就是基因组中编码蛋白质，负责生命运行的 DNA，只在所有 DNA 中占据不到 2% 的比例。想象一下，一本小说，比如陀思妥耶夫斯基的《罪与罚》，里面只有 300 个有意义的句子，剩下 211,591 个词在很大程度上都是无法理解的胡言乱语。或者假如在这本书里，只有 150 个有趣的句子，其他的话都没有意义。你可以想象到这是怎样的情形。

几十年前我们就知道，基因组的大部分区域都不能编码蛋白质。其中许多都用于基因组的架构。克里克和沃森在 1953 年发现了 DNA 的双螺旋结构，就好比扭曲的梯子。

然而，情况也根本不是这样。活细胞内的 DNA 是繁忙而动态的，它会不断解旋又恢复原来的状态，并被编辑和校正。在细胞的生命周期中，当一个细胞增大并分裂成两个细胞时，就会像过去 40 亿年里的每个细胞一样，其所包含的所有 DNA 都被复制，子细胞会含有与母体相同的基因组（性细胞除外，它会分裂成 4 个子细胞，每个都只有一半的遗传物质）。为了实现这种情况，精心编排的舞蹈随之而来，染色质会螺旋化成我们熟悉的染色体。这种形态在细胞的生命周期中只存在很短的时间，而为了形成染色体，DNA 的大部分区域都需要担任脚手架的功能，而无法编码蛋白质。

那么基因在何时何地做了什么，就可以得到明确的说明了。每个细胞都有全部的基因，但是同一时间，只需要少量的基因处于活跃的状态。促进细胞分裂的基因在已经完成生长的组织中没有活跃的必要，否则它就会变成肿瘤。在精子生产过程中活跃的基因，除了在人体的睾丸内发挥作用以外，不需要在其他任何地方活跃。每个基因都有特定的活跃时间和区域，特别是在胚胎发育过程中。我主要从事一种被称为 CHX10 的基因（发音为“chox ten”）的研究，它参与了哺乳动物眼睛的生长过程。CHX10 只在眼睛的基本形状形成之后才开始活跃，这个时间大约是从小鼠在母鼠体内第 10 天开始，以及人类胚胎在母亲体内大约第 10 周开始。在那时，按照 CHX10 设定的规则，特定细胞会继续倍增，形成视网膜。这些特定细胞包括神经细胞、脑细胞，位于眼睛外部和眼球的晶状体之间。如果 CHX10 基因出现问题，孩子的眼睛就不能正常生长，出生时眼睛深陷缩小，处于失明的状态，这种情况就叫作小眼畸形。

基因 CHX10 编码的蛋白质除了在胚胎发育的关键阶段起着至关重要的作用之外，在身体内的其他地方和其他时间并不起什么作用。它不能加速食物消化，不能构建皮肤、骨骼或头发，也不能帮助血液运输氧气，或是把光子转换为我们可以看到的电信号。CHX10 蛋白质自身折叠成带状，一侧带有凹槽。这个开口的唯一目的（进一步说，是 CHX10 蛋白质的唯一目的）就是将自身嵌在一段 DNA 上。它只会嵌到一个特定的 DNA 序列中，这个序列只有 8 个碱基对的长度：TAATTAGC。这不是一个基因，而是靠近基因起始点的一个位置。CHX10 蛋白质一旦嵌在上面，就相当于发出了“开启”的信号，这个基因序列就会开始工作。它属于“转录因子”类基因，所做的一切都是通过控制这些开关来调节和调动基因组的工作。它们会统筹管理基因的运作，主要是在胚胎发育过程中，并发出通用指令——“这块细胞区域将成为眼睛”，“眼睛的这个部分应该是视网膜”，“视网膜的这部分应该是棒状和锥形的”，或者相反的“这部分不应该是光感受器”。其他下游的基因也会受到控制开始工作，并且在对应的阶段，细胞会脱离拥有各项潜能的原始状态，承担高度特殊化的任务——“你不只是一种脑细胞，现在你是一种光感受器，只能识别蓝色波段的光。”转录因子好比是大型建筑项目的指挥官，它们看着图纸，指向一个地方，并说“在那里建造东西”。转录因子本身当然也是在基因中编码的，但是它们激活的开关并不是，这成千上万个开关遍布整个基因组中。

而且这些基因本身，也被名为内含子的其他 DNA 片段所割裂。内含子本身也不编码蛋白质。所有人类的基因都用内含子隔断，有时内含子甚至比基因本身还要长。这是一件奇怪的事情：用许多的 yyyyyy 和乱七八糟的 zzzzz 来给一个正在工作的 xxxxxxxxxx 文本做标点。而且一个细胞完全了解如何从一个 DNA 的基本编码，通过 RNA 这个遗传密码的临时信使，生成具有完整功能的蛋白质，这一点让我印象极其深刻。

还有假基因（pseudogenes）。这些是曾经活跃过的基因，不过在进化过程中，它们的功能变得不再重要，于是在某一时刻被否定选择了。它们像所有的DNA一样发生了随机突变，然而产生的影响几乎可以忽略不计，或者根本不存在，就这样被抛弃在了我们的基因组中。我们知道它们曾经很重要，因为对于其他动物来说，它们提供的功能仍然很实用。鲸鱼只有浮上水面才能闻到气味，它的基因组里就有几百种关于嗅觉的基因残骸，而狗和老鼠仍然在使用着这些基因。对我们来说，鼻子的嗅觉并不需要那么灵敏，嗅觉感受器相关的许多基因无法让我们的生活发生什么实质性的改变，于是它们就在我们的基因组里面待着，慢慢地锈蚀掉。

此外，有大量的DNA只是在不断重复。此外，有大量的DNA只是在不断重复。此外，有大量的DNA只是在不断重复。就像这句话一样，有的DNA甚至会重复成百上千次。有时候，这些重复是至关重要的，而且重复次数也会因人而异。这些不是基因组中最吸引人的地方，但这些未知的重复区域正等待着我们去探索发现。

基因组中还有许多大段的DNA，看起来几乎没有任何作用，我们也不知道原因是什么。它们在20世纪60年代获得了一个“垃圾DNA”的名字，这个名字就像是一个诅咒，之后的相关研究一直没有太大进展。它可能只是填充物，或者是被染色体所捕获的零星碎片，没有什么作用。并非所有的非编码DNA都是垃圾DNA，但所有的垃圾DNA都是非编码的。这些垃圾DNA到底能起什么作用；它们是否只是在进化过程中暂时被束之高阁，未来还会起到作用；还是说它们早就应该被丢进进化的垃圾桶里？学界对这些问题进行了很多研究。但其中存在的一个问题在于语言的准确性。当我们给某个生物学概念一个朗朗上口的昵称时，它们可能确实会一直带着这个昵称的特色，从而影响科学研究。例如，“原始汤”（Primeval Soup）是 20 世纪 20 年代出现的通俗称谓，用来描述生命起源的假设。然而，合适的化学成分聚集到一起，形成一锅可以孕育出生命的汤，这种言论从根本上来说就是错误的，有时会阻碍甚至误导研究领域，让它们走向歧途。弗朗西斯 · 克里克（Francis Crick）于 1956 年将分子生物学的核心要点，即 DNA 转录为 RNA，RNA 翻译成蛋白质，命名为“中心教条”（Central Dogma）[1]。“教条”是科学研究自 17 世纪以来一直试图避免的一个术语，因为这意味着不需要权威证据论证的、无可争辩的信仰。令人费解的是，使用“教条”来命名的克里克在他的科学研究事业中，一直是只信证据，而不盲目崇拜权威的。20 世纪伟大的生物历史学家霍勒斯 · 贾德森（Horace Judson）就此询问过克里克，而他回答说：

> “我不知道‘教条’是什么意思，我也可以把它称之为‘中心假说’……教条只是一个比较顺口的表达而已。”

以上证明了，在科学研究上最出色的天才也会犯愚蠢的错

[1] 这里更常用的说法是“中心法则”，“中心教条”是较为少见的说法。不过后文的阐述是从 dogma 的“教条”含义展开的，所以这里译成“教条”。——译者注

误。[1]“垃圾 DNA”也属于这种类型的称谓。这是由韩国的遗传学家大野乾[2]提出的，这个简单的比喻却吸引了许多非学界人士的关注。多年之后，伊万 ·伯尼来到了现在的位置，他领导了一个巨大的国际联合会，试图评估人类基因组中非编码 DNA 的作用，包括这些被称作“垃圾”的区域。这个非凡的项目在 2012 年结项，产出了数十篇论文，还有一个庞大的数据库，供我们所有人用来研究 DNA 内部的联系。这是一个富有炒作意味的话题，包括主要论文发布在《自然》杂志上[3]，产生了极大的影响力。论文的标题以及相关新闻报道的标题，都指出基因组中有 80% 的部分拥有生物化学功能。科学家在实验中寻找着它们的生物活性，但这两种概念并不相同。对论文刻薄、残酷的评论几乎立刻袭来，批评者指出 DNA 有化学反应不代表它在身体里就能实现功能。而另一些科学家也对这个项目的规模感到愤怒——这是后人类基因组计划时代的又一个例子，表明只有大型的国际合作才能赢得项目资金和公众的关注，而那些研究不起眼项目的小型实验室却资金匮乏、无人问津。这其中有着一定道理。

这里的一部分问题是措辞。能够编码蛋白质的基因在人类基因组中只占不到 2%。剩下的大部分区域做了一些工作，包括担任开关——当我们在子宫中发育，或是行使生命机能，或是与这个

[1] 事实上，克里克后来澄清了这个明显的错误。他表示，尽管中心教条的机制看起来很有道理，但在 1957 年，几乎没有可支持它的实验证据。他表示他用“教条”这个词就是出于这种考虑，因为“所有的宗教信仰都没有严谨的论证基础”。

[2] 大野乾还试图用 DNA 编码对应八度音阶的音符演奏乐曲，当然，并不怎么好听。

[3] 那时候，我在《自然》杂志和伊万共事。当时我也参与了炒作，编写并制作了一部动画，由演员、音乐家和喜剧演员蒂姆 ·明钦（Tim Minchin）配音，描绘了当时媒体对数据库的看法。那是一部很棒的动画，我很喜欢它，不过接受许多媒体的采访让我觉得有点透不过气，可能是玩过火了。事情就是这样。

世界进行互动时，它们操控着基因是否被激活，编排了一场绚丽的生命之舞。还有些我们尚未发现其功能的区域。这些 DNA 是垃圾吗？不是。那是有用的东西吗？我们也不清楚。基因组中高达 85% 的部分似乎根本没有经受任何选择压力。许多作家将我们非编码区域的 DNA 描述为“基因组里的暗物质”。暗物质是指我们所知道的存在于宇宙中的，占了宇宙中的大部分质量的一种物质，但是我们还说不上来它究竟是什么。我们不知道那是什么，但是根据我们的宇宙演化模型，可推测应该存在这样一种物质。我非常不喜欢这个比喻。科学上的比喻应该起到阐释或启发的作用，而不能仅仅因为它听起来很有深意，就被用来混淆视听。对我来说，这正是在用一件我们根本就不明白的事物，来解释另一个我们不懂的东西，因此完全没有起到解释的作用，相反还加厚了神秘的面纱。它本身只是一个未解的科学问题，却显得像是一股神秘的力量。而科学中，没有神秘主义的容身之所。

基因开关、基因支架、假基因和神秘区域构成了基因组几乎所有的部分。人类基因组计划并不简单，花费了 10 年时间，利用了全新技术和前所未有的计算能力，耗资 30 亿美元方才完成。以下是具体原因。

Imagine, if you will, that this very sentence is a gene.

（如果你愿意，想象一下，这个句子就是一个基因。）

这是一个有结构的句子，每个单词都很重要，虽然有些部分没有其他部分那么重要（例如“如果你愿意”），缺少它们并不影响必要的整体含义。祈使动词对于句子想要表达的意义至关重要，名词也是如此——没有“基因”“句子”或“想象”，整个句子的意思就会被改变，或者完全丧失。语言通常被用作 DNA 和基因的类比，显然是因为两者都是由字母组成，其中的顺序对于句子或者 DNA 的意义都至关重要。DNA 的编码会通过活细胞的机制转化为蛋白质，而所有的生命都由蛋白质构成，或由蛋白质决定。因此，语言和基因的类比是恰当的，不过也仅限于一定的程度，尤其是因为这些句子已经明白地写在这页纸上了。而 DNA 的含义是加密了的，而更糟糕的是，它不是以一种直接的方式写入我们的基因组的。进化是盲目而缓慢的，在数十亿年的时间里，它也从来没有打算让自己的这个过程被大自然的某些儿女所解读。

在英文中，我们会在这些单词之间放置空格，这样我们阅读起来就可以轻松一点，但 DNA 标点符号是不可见的。所以如果用句子做比喻，它就变成：

Imagineifyouwillthatthisverysentenceisagene

在基因组中，DNA 并不会老老实实地排成一个整齐的句子。基因位于染色体上，由前面提到的随机的内含子分开，而内含子的插入点与句子结构或意义无关，于是句子就变成了：

Imag ineify ouwillthat thisverysentenceisag ene

传达句子含义的是外显子——在 DNA 中它们会把基因翻译成有意义的蛋白质。内含子和外显子都是由 DNA 中那些碱基组成的，或者在我举的句子的例子中，由英文字母表中的 26 个字母构成。内含子可以是任何长度，通常有 1,000 个碱基对以上。在这里我让它简单一些，只让它们占据 30 个碱基对的长度。它们大多是随机的，但也包含了指定断点位置的注释。我现在用 STOP（停止）和 START（开始）来表示它们，以便识别它们的存在，所以句子现在变成了：

Imag*STOP*ANSJTUWIRNASHTPQLESNI*START***ineifyouwilltha**
t*STOP*NJGUTHRBERTGOPLAMNSD*START***thisverysentenceis**
ag*STOP*RITUEYRHTFPLMNASCHJWS*START***ene**

在开始和结束时也会有一些意义不大的填充内容。在基因的前面，通常会出现一个提示语，例如 CHX10 的结合部位是可以打开这个基因的开关。同样，我也把这部分的长度缩减到 30 个碱基对，句子现在的模样变成了：

JVNFKJVFJVNLKN*SENTENCECOMING*laksmingshqwuing**Ima**
g*STOP*ANSJTUWIRNASHTPQLESNI*START***ineifyouwillthat***ST*
*OP*NJGUTHRBERTGOPLAMNSD*START***thisverysentenceisag***S*
*TOP*RITUEYRHTFPLMNASCHJWS*START***ene**OSHFNDBUBV
LSJFBJNBFKLSBKKFJBKJBNV

为了便于大家辨识，我把原来的句子保持着粗体和小写，而具体的指令用了斜体大写。但是基因的注释并不是这样的。在基因组里，每个碱基的地位都与其他碱基完全一样。套用这个原则后，句子变成了：

JVNFKJVFJVNLKNSENTENCECOMINGLAKSMINGSHQ WUINGIMAGSTOPANSJTUWIRNASHTPQLESNISTARTI NEIFYOUWILLTHATSTOPNJGUTHRBERTGOPLAMNSD STARTTHISVERYSENTENCEISAGSTOPRITUEYRHTFPL MNASCHJWSSTARTENEOSHFNDBUBVLSJFBJNBFKLS BKKFJBKJBNV

……这样一来，整个句子的含义就混沌不清了。这也说明了，为什么对于我们来说，阅读基因组是一件让人头疼的事情。以上只有 210 个字符，其实大大减少了字母的使用，一页里面就能容纳下它们。而以下这个，才是一个真正基因的模样：

ATGACGGGGAAAGCAGGGGAAGCGCTGAGCAAGCCCAA ATCCGAGACAGTGGCCAAGAGTACCTCGGGGGGCGCCCC GGCCAGGTGCACTGGGTTCGGCATCCAGGAGATCCTGGG CTTGAACAAGGAGCCCCCGAGCTCCCACCCGCGGGCAG CGCTCGACGGCCTGGCCCCGGGCACTTGCTGGCGGCGC GCTCAGTGCTCAGCCCCGCGGGGGTGGGCGGCATGGGGC TTCTGGGGCCCGGGGGGCTCCCTGGCTTCTACACGCAGC

CCACCTTCCTGGAAGTGCTGTCCGACCCGCAGAGCGTCC
ACTTGCAGCCATTGGGCAGAGCATCGGGGCCGCTGGACA
CCAGCCAGACGGCCAGCTCGGATTCTGAAGATGTTTCCT
CCAGCGATCGAAAAATGTCCAAATCTGCTTTAAACCAGA
CCAAGAAACGGAAGAAGCGGCGACACAGGACAATCTTT
ACCTCCTACCAGCTAGAGGAGCTGGAGAAGGCATTCAAC
GAAGCCCACTACCCAGACGTCTATGCCCGGGAGATGCTG
GCCATGAAAACGGAGCTGCCGGAAGACAGGATACAGGT
CTGGTTCCAGAACCGTCGAGCCAAGTGGAGGAAGCGGG
AGAAGTGCTGGGGCCGGAGCAGTGTCATGGCGGAGTATG
GGCTCTACGGGGCCATGGTGCGGCACTCCATCCCCCTGCC
CGAGTCCATCCTCAAGTCAGCCAAGGATGGCATCATGGA
CTCCTGTGCCCCGTGGCTACTGGGGATGCACAAAAAGTC
GCTGGAGGCAGCAGCCGAGTCGGGGAGGAAGCCCGAGG
GGGAACGCCAGGCCCTGCCCAAGCTCGACAAGATGGAG
CAGGACGAGCGGGGCCCCGACGCTCAGGCGGCCATCTCC
CAGGAGGAACTGAGGGAGAACAGCATTGCGGTGCTCCG
GGCCAAAGCTCAGGAGCACAGCACCAAAGTGCTGGGGA
CTGTGTCTGGGCCGGACAGCCTGGCCCGGAGTACCGAGA
AGCCAGAGGAGGAGGAGGCCATGGATGAAGACAGGCC
GGCGGAGAGGCTCAGTCCACCGCAGCTGGAGGACATG
GCTTAG

这是 1,086 个碱基对的长度。乘以 300 万，然后就是我们基因组的总长度了。这段序列来自14号染色体上CHX10基因的一小部分，实际上就是前面提到的编码DNA嵌入位置的那一段。DNA只有4个碱基，而且只是编码序列，没有加入随机的用来割裂基因的内含子。你会注意到，即使是这样，这已经是非常难以解析的形式了，而且相当无趣。尽管其中绝对包含了一个编码，但除非你事先已经知道，否则你无法确定编码是什么，也没有破译编码的固定模式。不过幸运的是，遗传密码在20世纪早期已经在实验中被破解，而且不是通过编码处理破解的。（尽管在克里克和沃森提出双螺旋结构的设想时，编码的结构已经被其他人设想过了。苏联核物理学家乔治·伽莫夫（George Gamow）[1]在1953年写了一封疯狂的信给克里克。信里的编码是错误的，但是它引发了克里克的一些思考，最终帮助他走到了正确研究编码如何工作的路上。）

人体内有大约2万个类似上面的序列的基因，它们本身长度不同，还有着不同长度的内含子，隐藏在人类DNA的30亿个碱基对中。基因就位于基因组里的某个染色体内。我们一共有23对染色体，每对中都有一条来自父亲，另一条来自母亲。每条染色体内都含有上千个基因，但更多的是我们还未探明的填充物。1994年，当李·罗文将第一段测序完毕的人类DNA存入公共数据库中的时候，超过50万个碱基的数据量实在太过庞大，电脑当场就崩

[1] 乔治·伽莫夫是一位非常有智慧，而且具有很大影响力的物理学家，他的工作为宇宙大爆炸的学说奠定了重要的基础。他还与他的学生拉尔夫·阿尔弗（Ralph Alpher）一起写了一篇文章，并将他的朋友汉斯·贝蒂（Hans Bethe）添加到作者名单中，其唯一的原因是这样一来这篇论文就可以被称为“阿尔弗·贝蒂·伽莫夫”，也就是简称为“αβγ论文”。1932年他两次尝试使用独木舟逃离苏联，但是都失败了。

溃了。

接下来需要进行的任务，规模也是巨大的。在计算能力变得强大到足以在基因组中寻找有意义的 DNA 之前，这就像是在干草堆里找一根针一样。尽管这看起来还挺有趣。想象一下，一片田野里有 50 列干草，每列都有 100 米长。一共有 60 万片这样的田野，里面只有 2 万根针。这些针还都是干草制成的，而不是金属针。而且每根针，都还会再分裂成几小段。

但这就是遗传学家所要做的事情。20 世纪 90 年代中期以来，技术正在以惊人的速度发展。改善和加速基因组测序的技术也逐渐发展。现在的主流技术被称为“鸟枪法测序”，方法就是把许多份比较长的 DNA 炸碎，变成一些小的序列单位，然后再对它们进行测序。解读较短的序列会容易一些，因此通过随机的碎片副本，你可以慢慢拼凑出完整的 DNA 序列。

政治家也为科学领域的成就所倾倒。随着第一张人类基因组排序草图的完成，2000 年 6 月 26 日，克林顿总统在白宫东厢面对着全世界的媒体做了发言。他旁边站的是人类基因组计划的领头者弗朗西斯 · 柯林斯（Francis Collins）和同样在该领域探索的私人科学家克雷格 · 文特尔（Craig Venter）。在他们身后的屏幕上是短发的首相托尼 · 布莱尔（Tony Blair），他代表着参与这个项目的英国。克林顿将第一个人类基因组描述为：

> “人类所创制的最奇妙的图谱……
>
> 今天，我们正在学习神创造生命的语言。”

无论你是否热忱地信奉宗教，这都是一个大胆的宣言。当然，这也不是完全正确的，不管你的宗教情感如何。确实正如他们所发现的，绝大多数的基因组都完全不是可以被翻译的语言。只有基因才带有特定的编码含义，剩下的部分可能有一些别的用处，或者根本就没有什么用处。几十年前，我们就已经破解了基因的语言。其实现在做的事情，更加类似于整理上帝那庞大而极其混乱的档案。

那一天的情形我记得很清楚。我并没有试图学习神的语言。当时恰逢我在读博士，我正试着从那所谓完整的人类基因组中寻找到 CHX10 基因。我可以看到它的大部分都位于 14 号染色体上，但是这还远远不够，我甚至不知道它的方向。这不同于书中句子，顺序都是从左到右的，从第一个字写到最后一个。基因的方向是任意的（可以想象一下把这句话的顺序倒转一下：的意任是向方的因基）。世界各地的数千名研究人员的处境都一样，他们努力追踪着要研究的基因，或是寻找与基因相互作用的 DNA。数据库能够提供那些尚未被发现的基因的线索，然而回到 2001 年，当时的数据库残缺而混乱。我在另一个染色体上发现了和 CHX10 非常相似的基因，于是认真地花了一些时间，试图找到它开始和结束的位置，并探寻它的功能。直到有一天，另一个实验室的研究报告被放到我的桌子上，其中详细描述了这个基因的情况。这件事情就这么不了了之了。

如果这是上帝的语言，那么人类基因组计划对于天堂里的编辑们来说，就是一笔伟大的财富。这是一个在当时极其盛大的工程，而且我认为总统和首相加入宣传也是恰当的，或许科学也需要他们让公众（资助项目的人）兴奋和行动起来。但基因组的绘制还没有完成。事实上，它就是残缺不全的。当年的那个版本是最好的草图。2001 年 2 月，当《自然》杂志发表人类基因组计划的正式论文时，它还没有完成。到 2003 年 4 月，官方正式宣布 99% 的基因组已经绘制成功，并将它们放入数据库中，然而这也不是完整版的基因组图。次年 5 月的质量控制研究证实，实际的完成率只有 92%。再到如今，人类基因组计划作为数据库中的参照序列，仍旧每隔一段时间就会更新一次。

由人类基因组计划发展出的工具和技术，为后来对 DNA 的进一步研究提供了更好的基础。HapMap 是下一个大型的基因组项目，旨在扫描世界各地人们的 DNA，以确定大规模的不同群族的人之间的个体差异，以及可能增加某个体携带特定疾病或特征的概率的遗传变异现象。语言、书籍和词语常被类比成 DNA，理由很充分：字母组成了词语，词语组成了句子，句子构成了段落，而 DNA 的情况也大致如此。错别字和编辑工作可以微妙地改变语句所要表达的含义，如“不平等”（inequity）变为“不公正”（iniquity）；或造成更加大的差异，如“弱”（weak）变为“星期”（week），整个意思都被改变了。有时候要表达的意思被完全地颠倒：“我还没准备好”（I'm not ready），如果句子里面“not”的“t”变成“w”，句子就会变成完全相反的意思：“我已经准备好了”（I'm now ready）。有一些简单的变化，不会对要表达的意义造成根本影响，比如“舒适”（cosy 和 cozy）。大多数书籍在不同的印次之间，没有太大变化，大多数书籍的生命周期也很短暂，注定要在图书馆中被束之高阁，不再有改版的机会。而《圣经》这种上帝的语言，则是一个典型的反例，它数千年来被不断修改、反复解读和翻译。因为它承载着重要的文化信息，同时还配有精美的语句，因此它受到了人们的尊敬和研究。这些翻译的精准程度，与遗传学的情况一样，是至关重要的。

例如：早期版本的《圣经·旧约》是用希伯来文写的，有一个地方使用了“almah”这个词来描述一个名叫以马利（Immanuel）的男孩的母亲，这个男孩的名字意思是“神与我们同在”。而“almah”没有直接对应的英文词汇，也没有相对应的古希腊语词汇，而是广泛地指“年轻女子”，或是“还没有生孩子的女人”。到了耶稣所在的时期，犹太人已经开始采用希腊语和阿拉米语，不再说希伯来语了。“almah”变成了希腊语“parthenos”，还有了更加具体的“处女”的意义。这是生物术语孤雌生殖（parthenogenesis）的命名来源。它描述的是在没有雄性的情况下，一些昆虫和爬行动物可以生出下一代，也就是处女生殖。但是，在这个翻译过程中，女人变成了处女，小孩子变成了救世主弥赛亚（Messiah），耶稣的故事就变得大不一样了。马修和路加在《新约》中讲述了这个故事，10亿天主教徒将其称为福音，也就是我们在圣诞节的时候所吟唱的颂歌。

编辑带来的改变可能就不会那么微小，而且更贴近生物学的情况。无休无止的不完美复制对DNA而言是至关重要的，否则生物就没法去适应不断变化的环境。字面上讲，突变可能不是那么理想，特别是如果变化还出现在关键位置的话。1631年，伦敦的皇家印刷厂出版了钦定本《圣经》。在《出埃及记》（20:14）中遗漏了一个单词，不知道是意外还是恶意的捉弄，遗漏的这个词是

“不”。这本书被称为“邪恶的《圣经》”，第七戒中的“不可奸淫”没有了这个“不”。那些突变版本的书被匆匆烧掉，所以没有流传很久。

DNA 中的这些突变被称为多态性，多年来，人类基因组计划和 HapMap 都在尽可能地寻找出人类基因组里碱基的拼写错误和变异。所有目前流传在世的数十种版本的《圣经》都是《圣经》，它们都记录了上帝和耶稣的故事和教导，以及与此相关的一些事情。遗传学也是一样的道理。没有任何证据表明地球上的任何一个人不是智人。有时候我们也会说，从 DNA 的角度来看的话，人类 99.9% 的内容都是相同的。这一点意义不大，甚至可以说是一种要滑头的诡辩，因为它没有对这些差异的性质做任何评论，只是从广义上说我们的 DNA 差异不太大，只有千分之一。然而，即使从纯粹的数字角度来看，这个差异依然是巨大的。我们有 30 亿个碱基对，它的千分之一不同就意味着 300 万个的差别。而且这只是从多态性的角度来说的。

在 DNA 片段中可以看到人们之间的许多差异，DNA 片段的大小各不相同，而且重复的次数也不同。人与人之间相同 DNA 片段的重复数量有着巨大的差异。DNA 中非常小的重复单元被我们称为微卫星（microsatellites），它们的长度通常为 5 到 10 个碱基对，并且可以在任何地方，5 倍到 50 倍地重复。小卫星（minisatellites）的长度则通常在 10 到 60 个碱基对之间，它们可以影响基因的调控方式，控制基因运转的强度（参见第 6 章，关于可怕的“战士基因”MAOA 的误命名）。而且它有着很强的应用价值，可用于 DNA 指纹分析，从而在侦破案件时大显身手。关于这些奇怪的重复单位，以及为什么会进化出这种结构的研究正在进行当中。就2000年所谓的人类基因组的完整草图而言，以上提到的这些自然且重要的变异，都没有被算在其中。

上述事实听起来显得有些严重，不过在我看来，人类基因组计划依旧堪称迄今为止人类进行的最大的科学探索项目之一。它取得了效果，控制了预算，并按时结项。这是一个设想宏大，而且是为了全人类的共同福祉而推进的公共项目。这些序列永久免费地提供给所有的人（只要可以接入互联网）。詹姆斯·沃森、约翰·萨尔斯顿和弗朗西斯·柯林斯以及许多其他顶级的遗传学家将此视为唯一合理的继续推进遗传学研究的途径。生物医学慈善机构惠康信托也深知这一点，并倾注所有的精力去筹集资金，支持这个未来将成为21世纪生物学研究基础的协作项目。人类基因组计划从根本上改变了生物学的研究方式：超大规模的国际合作如今已经司空见惯。涉及多个学科和机构的联合项目已经成为对疾病、基础生物学、进化和疗法进行研究的基础，它们的研究成果都被记录在巨大的DNA数据库中。事后看来，如果没有人类基因组计划，就很难想象我们如何把生物科学继续这样成功地研究下去。[1]

那是15年前的事情了。在此之后，随着研究成本的降低，基

[1] 克雷格·文特尔的私人资助项目以塞莱拉公司（Celera）的名义推进着。他们与人类基因组计划的公共资助项目携手并进，在技术上相互推动，并激励着彼此。在技术上，他们打成了平手。《科学》杂志刊登了文特尔的成果，其中包括了他自己的项目组所得出的基因组序列，而《自然》杂志发表了人类基因组计划的成果。双方约定在同一天出版，一起宣布他们的发现。人类基因组计划的成果已经成为遗传学数据的准绳，并且永远免费提供给所有人，也是学术界被引用次数最多的参考文献之一。不过除了好奇之外，我没有看到出于其他目的了解塞莱拉公司基因组的人。以上内容在这里只是一个脚注，不过在我看来，是一个关于科学史的说明。

因测序的数量呈指数级增长。我们现在知道了几乎所有的基因，以及它们的位置在哪里。我们知道不同人群中基因之间多达数百万个的微妙差异。我们知道有多少单个基因通过可变剪接（alternative splicing）[1]而产生多种效果。然而，我们仍然不知道基因组的大部分区域在做着什么。2000 年 6 月，克林顿总统曾经宣布，疾病的终结就在不远的拐角处。

> “我们对这份复杂、美丽、上帝最神秘和神圣的礼物感到了前所未有的敬畏。凭借这种深刻的新知识，人类正在获得巨大而崭新的治疗能力。基因组学将对我们的生活乃至我们后代的生活产生真正的影响。它能彻底改变我们对大多数疾病的诊断、预防和治疗的方式。”

人类基因组计划完成后的这些年里，医学确实发生了革命性的变化。我们比历史上任何时候都更多地了解疾病的病因。我们知道同样的疾病在不同人身上为何有不同的表现。癌症的遗传诊断可以准确地显示出癌症类型，让我们有机会使用对应的治疗方案。我们也知道了随着肿瘤的增大，癌症的基因组也会改变和进化，让药物更加难以应对，但也让我们拥有了高度个性化的新型治疗方案。然而，通过对基因组的了解，我们根除了多少疾病呢？答案是零。基因疗法让人类可以彻底治疗哪些疾病呢？答案是无。

[1] 有些基因的一个 mRNA 前体可以通过不同的剪接方式，产生不同的 mRNA 剪接异构体，从而可以编码多种蛋白质，这种情况被称作可变剪接。——译者注

这并不是人类基因组计划的重点。基因组是数据库，科学是建立在数据的基础之上的。如今，DNA 正被用来诊断数十种癌症、心律失常，用于确定数千种疾病的原因。这些疾病由于在历史上太过于罕见了，以至于难以获得有效的历史研究基础。我们寄予厚望，认为基因能够帮助人类在对疾病的治疗上产生突飞猛进的发展，而这也许是我们的误解。人类基因组计划让我们发现，那些复杂的特征和疾病是受到许多基因的影响的，而在那些基因内，有些变异似乎看起来无伤大雅，但变异的累积可能就会引发综合征或者行为异常，比如可怕的囊包性纤维症。以 20 世纪 80 年代的观点来看，这是一种遗传机制单纯的疾病，然而从现在遗传学的角度来看，会发现情况并不简单。全球大约有 7 万人罹患这种疾病，患者的肺和呼吸道被黏液粘连，因此呼吸困难。虽然治疗方式的改进，极大地提高了患者的生活质量和存活率，但是存活下来的人寿命仍然比正常人短很多，20 世纪 50 年代的患者能够存活至今的少之又少。几十年前我们就知道，囊包性纤维症是一种遗传性疾病，以一种很容易预测的方式传给下一代。20 世纪 80 年代，科学家发现问题出在囊性纤维化跨膜传导调节因子（CFTR）这个基因上，患者的该基因比较短，甚至会断裂，导致肺功能受到严重影响。这是一种常染色体隐性遗传病，这意味着错误的基因位于与性别无关的染色体上，患上这种疾病的患者同时得到了父母双方的缺陷基因。在基因测序和人类基因组计划之前的时代，我们已经知道如何甄别这种疾病的遗传性，主要是通过观察家族树的方式。携带单个有缺陷的 CFTR 基因的人，不会有明显的症状，但是如果两个带有此类基因的人结合，则他们所生下的每个孩子都有四分之一的概率结合两个缺陷基因，继而出现囊包性纤维症。[1]这种模式完美地诠释了孟德尔定律，在 20 世纪 80 年代，这是遗传学家典型的研究方向：一种具有明显遗传特征的疾病。

西方国家大约有四分之三的患者都具有相同的突变类型，但是疾病的严重程度却各不相同。同样的突变导致了不一样的症状，这种情况我们过去可能会归因于随机变异，或是难以理解的人类个体差异。试图揭示这项遗传疾病奥秘的研究长征继续进行着。2015 年秋，研究人员发现了 5 个遗传修饰因子，它们会改变症状的严重程度，但却不属于 CFTR 基因的一部分。这些遗传变异究竟会如何影响患者，我们还不得而知；而它们与 CFTR 不在同一条染色体上，这一点在我们的整个基因组研究中也非同寻常。染色体不是随机分配的遗传基因储存单位。每个物种的染色体数量是固定的，至少对人类而言，已经有上百万年没有变过。我们会从父母那里各继承一套染色体，并拥有对应的基因。但对于染色体结构背后的逻辑，我们完全没有头绪，而基因在整个基因组中的作用，似乎也完全没有从它们在 23 对染色体上的排列顺序中呈现出来。我们现在知道有许多遗传修饰因子（未来还会有更多）会给这个特别的基因施加影响，这一点既让人震惊，与此同时又在情理之中。令人震惊的是，囊包性纤维症是一种我们从现代遗传学开始出现以来就已经研究多年的疾病，开始研究的时间甚至远远早

[1] 这并不意味着如果你有四个孩子，其中就会有一个患病。每个孩子具有相同的患病概率，因为对于每个孩子而言，概率都是独立事件。这就和买彩票是一样的道理，如果你每周都买彩票，那么你每次赢得奖金的概率都是一样的。

于人类基因组计划被拟出来的时间。而情理之中的地方在于，在基因组学的时代，遗传学本身就呈现出这方面的趋势。即便一些基因似乎有着明确的功能（就像在孟德尔的豌豆杂交试验中，可以通过家族来追踪的那些），也不是单独发挥作用的。这些基因也不能够从人类的生物学环境中分离出来独立研究。相反，其他一些基因的影响反而能被感知到，它们带来的影响较大，我们至少知道它们位于基因组的哪个位置。

这只是成千上万个小型研究中的一个。我们了解囊包性纤维症的这一特征，还要借助于后基因组时代的新技术。而确认基因及其效果的标准办法是研究那些患有疾病的人，并试图理出根源。头 3 个被确认的致病基因都是通过研究患者和患者家人身上携带的基因组，然后对它们进行仔细的排查，来发现它们之间最细微的相似之处，这一切就像是军事演习那样严谨和辛苦，一心向着目标出发，不达目的誓不罢休。在 20 世纪 80 年代和 90 年代，这仍旧是一个非常缓慢的过程，虽然人类基因组计划使得基因研究盛行，让这个过程容易了许多。

当为 DNA 测序变得便宜且容易了之后，我们开始研究一些不同的事情：尽可能多地找到具有相同症状的人，查看他们全部的 DNA，借此看看还有什么引人注目的其他相同点，又与没有疾病的人有什么不同点。在研究囊包性纤维症的修饰因子时，研究人员就测序了 6,000 名病人的基因组，查看了数千处个体差别。他们得出了一些有趣的数据，据此找到了 5 处明显的差异，这些位置的 DNA 在不同患者身上也有差异。

这项技术被称为全基因组关联分析（Genome Wide Association

Study，简称 GWAS，发音为 Gee-woz）。变异的地方无法告诉你任何疾病的起因，只是表明在基因组的这些地方存在着一些异常。成百上千的人，带着遍布 23 个染色体的成千上万的自然遗传变异点。如果你拿两个人来做研究，并比较他们的基因组上的这些变异点，你会发现很多很多的差异。如果你拿 1,000 个人来做比较，你会看到更多的差异。但如果这 1,000 个人有一项共同的特征，那么他们存在的差异就会从一片混乱中慢慢浮现出来。[1]

全基因组关联分析得到的图形被称为“曼哈顿图”（Manhattan plots），因为它们类似于城市的天际线。如果你样本中的人没有任何特定共同特征，那么你就会拥有一张类似 23 个街区的图，每个街区代表着一条染色体，里面有成千上万个单独的变异点，就像是构成这 23 个街区的成百上千的高度相仿的建筑物一样。但是如果样本中的某一些有着共同的特点，比如说囊包性纤维症，那么其中就会突然出现一些“摩天大楼”直指天际。这些突然出现的高峰可能就是 DNA 中潜在的问题。这属于“协同”研究，所以无法判断原因本身。如果你运气好，全基因组关联分析显示的高峰正好属于我们基因组中已知的部分，那么峰值就代表我们知道这种变异会产生怎样特别的问题。回到本章开头将基因组比作世界地图的那个说法，那么这就像在地面上插上旗子，并表示我们不仅知道这里出现了问题，还派了调查专家来到这里进行研究，并找出了问题出现的原因，比如说是地壳断层，或是水源有毒。但

[1] 这些差异究竟是疾病导致，还是随机变异？研究人员必须对两者的可能性进行测试，才能进行后续的研究。我们可以利用 Odd Ratios 这项统计工具来探寻一件事情的发生与另一件事情的发生之间是否相关，关联性多大。在全基因组关联分析中，该工具能够衡量特定基因型与特定疾病的关联程度。

是，通常情况下，全基因组关联分析给出的图像上可能会有几十甚至几百个小旗子，当我们派调查专家过去时，他们什么都找不到，只能发现一些特殊的标注，或是许多能够造成累积效应的很小的问题。

第一份全基因组关联分析研究成果于2005年发布，当时只研究了93个患有视网膜疾病的病人的基因组样本。扫描他们的基因组样本后发现，位于1号染色体上的一个部分发生了异常。研究人员发现，在这个基因里发生了突变，进一步仔细的数据统计分析显示，约43%的与年龄相关性黄斑变性（Age-related Macular Degeneration）的患者具有这种特殊的自然遗传突变。自此以后，这项技术的应用范围和能力出现了突飞猛进的变化。2007年，真正的突破来自一项名为“惠康信托案例控制联盟”（Wellcome Trust Case Control Consortium）的大型研究：这项研究涉及50个实验室，1.7万例患有七种主要疾病——冠心病、糖尿病（1型和2型）、高血压、躁狂抑郁性精神病、克罗恩病（Crohns）和类风湿性关节炎——的患者，并测试了50万种单核苷酸多态性，最终发现了几百个对这些常见疾病拥有微小却显著影响的基因。

不管怎么说，这项研究为未来打下了基础。随着研究样本规模的增加，大量病人和普通人的数据将会被用于研究，我们将揭示几乎无限种人类变异。基于更多的数据信息，我们将梳理出人类遗传学中最细微、最精密的细节。基因组成了芯片中的数据，数千种自然发生的变异被记录在玻璃片上，你可以将受试者的DNA留在上面。如果观察的DNA是相同的，他们就会粘在一起，通过一些简单的化学标记，它们甚至会发光。这样，我们就可以轻松地从我们的基因组中挑选出那些与我们希望测试的特定条件相关联的自然差异。现今，每年发表的关于全基因组关联分析的论文有数百篇。2016 年 1 月，在第一篇关于年龄相关性黄斑变性的全基因组关联分析的论文发表 11 年后，一个庞大的跨国研究组织公布了最新的研究成果：他们分析了 1.6 万多名患者的基因组，发现了基因组 34 个不同位置上的 52 种变异。

多年来，针对这些研究也有许多批评，一些是技术上的问题。有时为了方便省事，设计实验时只是简单地利用了如今大部分人类遗传学实验室作为标配的基因芯片。不过，全基因组关联分析这些年来最大的贡献，可能就是证明了我们的假设又一次错了。这些研究发现了目前遗传学领域最大的谜题，而在此之前我们完全不知道它的存在。

丢失的遗传力的奥秘

许多人普遍认为，常见疾病是由共同的遗传因素引发的。这个假设是基于一个类似这样的前提：基因的数量比基因组时代开始时我们所有人笃定的数量要多得多。

事实并非如此。在全基因组关联分析正在进行的那个年代，许多被绘制出的基因天际线并没有像现在的曼哈顿一样出现林立的高峰，甚至还比不上伦敦，而是更像牛津或剑桥的城市规划，平坦而伴随着低矮的山丘。

我们从家族史和双胞胎研究中了解到，由强大的可测量遗传因素导致的疾病，并没有带来少数几座暴露出一个关键错误基因的摩天大楼。恰恰相反，我们观察到了几十座，甚至几百座低矮的山丘，许多并不具备统计学意义上独一无二的特征，但是其出现的频率足以使其略微醒目。在我们研究的某种疾病的患者身上，能观察到许多突变，但似乎在疾病病因学的层面，它们并没有发挥什么生物学相关的作用。就好像你正在阅读一篇文章，你不同意它的大前提，但又没办法确认出现了什么特定的错误。整体的感觉都是不对的，但具体的错误却是难以捉摸且伪装得很好的。

全基因组关联分析研究让我们所有人都感到困惑。自弗朗西斯·高尔顿开展这项工作以来已经过去了一个世纪，但我们并没有看到我们期望了解的遗传根源，就像那么多的人类遗传学故事向我们揭示的那样。高尔顿的想法是通过大自然的怪异克隆来研究遗传现象——同卵双胞胎。双胞胎有两种类型：同卵双胞胎和异卵双胞胎。同卵双胞胎是完全相同的，因为在受精后最初的发育过程中，胚胎分裂并且分开，变成两个具有相同遗传物质的细胞束，每一个都会长成一个孩子。异卵双胞胎则是两个卵子同时受精的结果，所以他（她）们之间的遗传相似性并不比分别出生的兄弟姐妹高，他（她）们只是碰巧分享母亲的子宫而已。

1874年，弗朗西斯·高尔顿向不同家庭和各家医院的管理者发出了调查问卷，用来

> “收集数据，以估算通常来说‘先天’与‘后天’因素分别对成年人的身体和意识有多大的塑造作用。‘先天’被定义为与生俱来的一切，‘后天’则被定义为出生之后受到的所有

影响。”

他收到了关于双胞胎的 94 个回应。但他其实并没有正确地了解其中的机制（当时还没有分子遗传学），他发现，原则上同卵双胞胎彼此拥有同样的先天（也就是遗传）特质，因此他（她）们之间若存在任何可衡量的差异，往往是后天环境所而非先天因素造成的。这个简单的前提才是大部分当代遗传学的基础。

通过这些比较，高尔顿创立了一种科学模式，用以划分哪种是遗传因素、哪种是环境因素。基因在受孕时就已经确定下来，并且原则上从那时起就固定下来。他当时着手创建一个自那时以来就饱受争议的概念，即所谓的“遗传力”。这是一个很微妙的想法，并且很容易让人产生错觉，因为它听起来有点像“通过遗传获得的”——字面意义显而易见，因此关于“遗传力”科学含义的困惑正是源自这种恼人的科学意义上的混淆。[1]遗传力被用来衡量在一定的人口中，有多少差异可以用遗传学来解释，又有多少差异是由环境决定的。说起来很简单，但是一旦进行深究，就会造成困惑了。

我们假设所有的日本人天生就是黑头发。这意味着在日本发色没有变化，所以在日本发色的遗传力为零。这是一个完全由遗传决定的性状，但是因为所有人都拥有相同的决定发色的基因结构，所以不存在天然变异。在日本出现任何发色变化，都是染发造成

[1] 一位研究人员曾经告诉我，她希望所谓的“遗传力”被认为是完全虚构出来的东西——她提到了库尔特·冯内古特的小说《第五号屠宰场》中主人公被外星人绑架之后，在特拉法玛多星球发生的情节——因此我们不应该无休止地纠缠于争论遗传力的含义到底是什么。对于以下遗传学术语也应秉持同样的态度：等位基因、微卫星、连锁不平衡、表观遗传学。

的，这显然是不可遗传的。当精子和卵子结合实现受孕时，性别就由遗传决定了。由于人类有两种性别[1]，性别的遗传力是100%——我们在人群中看到的所有性别变化都是由遗传决定的。或者我们尝试举这个例子：所有人都只能掌握一种语言（为了简单起见），这表明语言能力是由遗传决定的；你说什么语言完全取决于你出生在哪里，所以这是由环境决定的。因此在这种情况下，你说什么语言不受遗传因素的影响，这意味着语言的多样性是环境造成的，所以它的遗传力为零。让情况变得更加复杂的是，遗传力仅适用于群体。它衡量的是不同群体的人之间的差异，而不是为了说明一个个体具有多少先天和后天的特质。关于二者之间的比例，目前还无法做出测量。

上面的这几个例子是非常荒谬的被简化的行为，目的是为了阐明这种度量是何等艰巨。大多数的特点都不是非此即彼的。高尔顿给了我们"先天与后天相互对抗"这种说法，但是我们知道两者之间其实并不冲突。先天（基因）与后天（除了基因之外的一切事物）之间复杂的相互作用，正是塑造一个人的方式。"先天与后天相得益彰"（nature via nurture）[2]是一个更好表达方式。多年来，对于双胞胎的研究，为我们提供了关于复杂人类特征的遗传力的大量数据。人类的所有特征中，没有比智力更加复杂的了，一个多世纪中对于双胞胎的研究结果完全一致，向我们表明不管使

[1] 并不十分正确。有许多遗传紊乱会导致性别不像这个表述断言的二分法这么简单：患有特纳综合征的女性就只有一个X染色体。患有克氏综合征的男性的性染色体是XXY。生物学从来不简单。

[2] 马特·里德利（Matt Ridley）2003年出版的优秀书籍的标题。它最初是由行为遗传学家戴维·莱肯（David Lykken）提出的。

用何种方法来进行测量，人口中的智力差异都在 50% 左右。这意味着，我们在一个人群中所看到的智力差异一半是由遗传决定的，一半是由环境决定的。[1]关键在于：当我们使用全基因组关联分析技术，通过研究数量巨大的人口来探寻遗传成分时，我们只能找到冰山一角。同样的情况也适用于我们对于许多复杂疾病的研究，我们曾认为这些疾病的根源在于我们的基因和天然变异，在后基因组时代，通过双胞胎研究（和其他的技术），我们将开始揭开这二者的神秘面纱。即便是相对而言最直观的事物，比如身高，都被证实是神秘莫测的。

我们都知道，身高和遗传因素高度相关。一个世纪以来的数十项研究表明，在给定人群中，绝大多数的身高差异都归因于基因，只有小部分是由环境造成的。如果人群中最高的人是 7 英尺，最矮的人是 5 英尺，那么他们之间就有 24 英寸的差距。这其中大约有 22 英寸是遗传导致的差异。成千上万人的数据已经被纳入全基因组关联分析，这使得许多与身高相关的等位基因脱颖而出。但总的来说，即便你将每个似乎对身高有影响的基因所产生的结果累加起来，它们所决定的高度也只能达到 1~2 英寸。构成另外 20 英寸的遗传差异是从哪里来的，现在谁也不知道。

心脏病也是一样的情况。精神分裂症也是如此。同样毒瘾也是。相同的情况还适用于阿尔茨海默病、自闭症、糖尿病、双相情感障碍，还有智力水平；适用于差不多我们研究的所有疾病和行为。基

---

[1] 关于智商的遗传力，测定智商时遇到的问题，以及由这个科学分支衍生出的政策和争论，有一些书，也可能有很多书进行了探讨。这本书不在其中。我确实为 BBC 广播 4 频道撰写并主持了一系列涵盖这个主题的纪录片，而且它们是无限期免费提供的。在线搜索“Born Smart，Born Equal，Born Different”就能找到。

因不能决定几乎所有的人类生理状况和心理状态引发的结果。我们研究了数十个甚至数百个基因，每个基因都能产生较小的累积作用，但是放在我们所生活的世界中，就都变得微乎其微了。

问题部分在于我们非常努力地给疾病分类来界定它们，并且试图治愈它们。然而，每种疾病都是病因和病人之间独特的相互作用。有些疾病并不像其他的疾病那么独特，但是涉及行为、心理学和精神病学的疾病尤其独特。这就是为什么我们一直在重新分类和完善对疾病的定义。自闭症，现在更为正确的名称应该是自闭症谱系障碍，因为自闭症患者有着一套的连续性的行为特征。一些人的症状比其他人更加严重，另一些人的症状则不太一样。

一些遗传力丢失是因为全基因组关联分析研究方法存在局限性。它只关注常见的单核苷酸多态性，也就是我们在人们身上经常能够看到的差异点。丢失的遗传力很有可能只是存在于罕见的变异中。重复的 DNA 片段很可能是一些复杂的性状和疾病的遗传诱因。这些所谓的拷贝数变异（CNVs）对于基因序列来说很不易识别，因为就其本质而言，它们和基因组中的其他大量基因片段是相同的。拷贝数变异中的突变常常会突然出现在某个个体身上，而不存在于家族遗传史中，这也使得它更加难以被追踪到。

我们还不知道丢失的遗传力去了哪里。但它是一个科学奥秘，而不是一个超自然的奥秘，它就藏在基因组的某个地方；这些丢失的遗传力很有可能就藏在某些我们尚未发现的突变里，这些突变数量极大，但影响极弱，它们将和生命的复杂性共同构成可测量的条件。10 年后再问我这个问题，说不定那时我就会知道答案了。

所有这些故事讲述的其实是同一个故事，遗传学一直在弱化这个故事，但是在文化上，我们无法动摇它。我们如此不顾一切地试图找到简单的规律来解释我们自己。这个想法就是，一个基因将编码一个特征，或者一种疾病，我们可以通过追溯家族、世代和历史来进行追踪。在遗传学诞生的几个世纪之前，这个想法就已经存在了。

第一件关于遗传咨询的记载出现在犹太教的核心书籍《塔木德》中：

> 如果她给她的第一个孩子行了割礼，而那孩子死了，第二个孩子行了割礼后也死了，她不能再给她的第三个孩子行割礼了；可是拉比 · R. 西蒙 · 嘉玛德尔说：她给她的第三个孩子行了割礼，但绝对不能再给第四个孩子行割礼了。当然，反之亦然；那么，现在这些孩子中，哪一个是后者？——来听听希亚神父（R. Hiyya b. Abba）以约哈难（R. Johanan）的名义怎么说：曾经的西弗里斯（Sepphoris）四姐妹，当大姐给她的孩子行了割礼，孩子死了；当二姐给她的孩子行了割礼，孩子也死了；当三姐给她的孩子行了割礼，孩子也死了。最小的妹妹来到了拉比 · R. 西蒙 · 嘉玛德尔的面前，他告诉她："你切不可给你的孩子行割礼。"但是否有可能，如果三姐曾经来过，他也会这样告诫她？——如果是这样，那么希亚神父说这番话的目的是什么呢？（不）他有可能是要告诉我们这样一个事实：这四姐妹身上发生的事让他做出了某种猜测！

我们现在认为以上这段描述说的就是我们所知的血友病导致的情况，患有这种病症的男孩血液不易凝固，因此就置身于因失血过多而死亡的极端危险之中。这是在1989年确定的由于遗传原因导致的疾病之一，它是由X染色体上的单个基因引起的疾病（因此仅影响男性，携带缺陷等位基因的女性，其第二个X染色体能够进行修正）。其实犹太教祭司早在公元前200年就发现了这种疾病，看到了这种潜在致命的遗传变异是如何传递的，并特别让生于血友病史家族的男孩免于行割礼。在1803年，一位名叫约翰·奥托（John Otto）的费城医生在一个家族中准确地描述了血友病，这家的男性受到了侵袭——他称之为“血流不止的人”，而这个家庭的女性成员则是健康的变异基因携带者。通过研究该家族的历史，他追溯到了一位女性携带者

> “名为史密斯，居住在新罕布什尔的普利茅斯附近，并将以下特质传给了她的后代。”

在知道孟德尔和他的豌豆的故事，以及他从海量的豌豆杂交试验中归纳出的遗传规律之前，数个世纪以来，人们已经看到并知道父母的特征是如何传到孩子身上的。我们都知道哈布斯堡唇，事实上是这个家族沉迷于无休止且不光彩的近亲通婚的明证，却被他们视作皇室血统的标志。欧洲的第一位女王伊丽莎白有着红色的头发，她还装饰了一排红色的假发，或许是因为在经历过一次天花后，她天生的红褐色头发变得稀疏。一些历史学家认为，她一直试图保持这种形象是为了使自己看起来更像她崇敬的、满头

红发的父亲亨利八世。

遗传学是对家族的研究，几千年来我们已经研究了许多代家族成员之间的相似之处。在大多数时间里，我们已经发现并研究了遗传中最表面且最明显的方面。并不是说这些特征或这些遗传模式是不真实的，只是它们太过于简单了。然而，人类是非常复杂的，所以为什么会有人认为人类遗传学一门是简单的学问？物理学有着将宇宙简化为简单模型来描述万物的天然趋势。我们有标准模型——一堆方程式，描述了所有物质由 12 种基本粒子构成：夸克、电子和至关重要的希格斯玻色子，等等。随着时间的流逝、研究的加深，物理学还会变得更加精确，但大多数物理学家认为，根据以前的研究结果，未来宇宙的模型将变得更加简单。生物学家有时会让物理学家嫉妒，因为每当我们探寻出一个重大的规则时——普遍的遗传学规律，通过自然选择实现进化——一旦我们开始研究这些理论，事情就会变得更加复杂。

孟德尔在豌豆中发现了他的遗传规律，预言了基因的概念——一个精确的关于遗传的单位。意大利实验主义者西奥多 · 博韦里（Theodore Boveri）注意到，如果在那不勒斯海湾采摘的海胆中出现染色体异常，那么它们就会产生畸形的外观。在 20 世纪最初的几十年中，托马斯 · 亨特 · 摩根（Thomas Hunt Morgan）在纽约发现，决定果蝇眼睛颜色的遗传编码位于某些染色体上：有些在性染色体上，有些在其他的染色体上。当他看到彼此靠近的基因很可能被一起遗传到下一代时，他开始意识到遗传学的复杂性。这个想法被称为“连锁”，其单位中带着他的名字——“厘摩”（centimorgan）。将我们的认知从大段的 DNA 细化为遗传密码的单个因子，是我们在功能层面，在我们自己身上，在我们祖先的身上理解进化的一种方式。

在20世纪90年代，基因的发现向我们揭示了飞蝇或蠕虫是如何构成的，乃至人类是如何构成的。它们和所有兽类动物的构成都非常相似，而且在我们所见的范围，某些基因似乎拥有同样的功能：头在身体一端，尾巴在另一端；这个地方应该是一只眼睛；这里是身体前部，这里是背部。即便昆虫和哺乳动物之间看起来的区别那么大，我们也能看到它们身体里有同样的基因在发挥同样的功能。这些绚丽的基因以超乎想象的方式标示了人类的历史，同时标示了地球上生命发展的历史。遗传学家弗朗索瓦·雅各布（François Jacob）用令人愉悦的语句展示了进化就如同一位巧妙的发明家。如果某种事物能以一种方式发挥作用，那么它也能以另一种新的方式发挥作用。在我们如何理解不同物种起源于共同的祖先的问题上，Hox基因、Pax基因和主控基因有着革命性的贡献。想想这该有多奇怪：一个基因只是简单地给身体下指令说“这个组织将长成一只眼睛”，却不管这眼睛会长成什么样。又是多么不可思议，基因只发出指令说哪里长出脑袋，哪里长出尾巴，却不管你的脑袋看上去会像我这个人类一样，还是像蠕虫一样。

这个神奇的发现强化了这样一种观念，即基因控制着不同的事物，控制着脑袋、眼睛或者尾巴。所有这些由主控基因启动的遗传程序都是依据具体情况发生的。它们或许拥有界定的力量，但是如果你把老鼠身上的一个Pax6基因（让老鼠长出眼睛的基因）插入一只果蝇的基因中，长出来的会是果蝇的眼睛，而不是老鼠的眼睛。遗传学历史上的每一步都强化了这样一个概念：所有我们可以观察到或者想象到的事物，都有着它们对应的基因。因此推动了这样的观念：这些对应万物的基因意味着命运，即你的命运存在于你的基因中。

好吧，遗传学现在可不是这样说的。这种具有欺骗性的叙述一直持续到了今天，这个消费遗传学的时代。当我让 23andMe 探索我的基因组时，它揭示了一些非常具体的、奇怪的事情。当我喝了酒以后，我不会脸红也不会呕吐（只是小酌而已）。我有湿耳垢，我没有导致囊包性纤维症、泰 – 萨克斯病、镰状细胞性贫血或高雪氏病的等位基因。我有 28% 的概率拥有金色的头发。实际上这意味着：和我拥有完全相同的发色的等位基因，而且这个等位基因在基因组上的位置也和我一样的人，其中 28% 会有金色的头发。有一件事情对我来说略微重要一些：在我的联姻家族中，出现过一种会引发肺部疾病的等位基因，幸而我不是其携带者，这让我一下子放心了不少，因为这大大减少了我的孩子罹患肺部疾病并将这种疾病遗传下去的概率。

当我们谈论遗传学时，这类素材模糊地促成了我们半真半假的谈话方式。我有棕色的眼睛，这相对于蓝色的眼睛来说是显性性状。当我在学校学习遗传模式的时候，学到了为何蓝色的眼睛是一种隐性等位基因作用的结果，而棕色眼睛是显性等位基因作用的结果。因此，如果你有一个显性基因和一个隐性基因，你就会有棕色的眼睛。如果你有两个蓝色眼睛的等位基因，你就会长出蓝色的眼睛。如果你有两个棕色眼睛的等位基因，那么你就会长出棕色的眼睛。所有这一切道理都非常直白，而且正确。

我们把这些可能出现的结果都画在一个整齐的表格即庞尼特

方格上，它是在 20 世纪初由雷金纳德·庞尼特（Reginald Punnett）设计的。用它可以推算出豌豆是否会有皱起的表皮，或者把囊包性纤维症这种疾病传给后代的概率，或者有不同眼睛颜色基因的父母，生出来的孩子的眼睛出现各种颜色的概率。即便父母双方都有棕色的眼睛，仍然可能生出一个有蓝色眼睛的孩子，前提是他们两个人都携带了蓝色的隐性等位基因，而且即便这种可能性是存在的，概率也只有四分之一。四分之三可能的结果还是他们的孩子有棕色的眼睛。

我们也曾学到，一个人卷起舌头的能力展现了相似的遗传模式。也有其他学校教过，小指末端关节的弯曲能力也取决于这种遗传模式——其他的例子还包括搭便车时翘起的大拇指的弯曲程度，或是耳垂紧贴颅骨的程度，以及下巴的凹陷程度，等等。还有，双手紧握、十指相扣，一只手的大拇指会在另一只手的大拇指之上，如果你试图换一下它们的上下顺序，就会觉得非常奇怪。多年来，这也被当作单个基因遗传性状的案例教授给学生。

19 世纪 60 年代，孟德尔在布尔诺进行的庞大的豌豆杂交实验中，确立了这类遗传的比例规则。他所提出的这些规则是正确的。各类特征被不同的基因编码，并且它们是分别遗传的。能够产生不同表现型的同一基因的两个不同等位基因的组合，不会产生两种表现型的混合，而是根据孟德尔定律，出现一种占优势的显性性状——豌豆皱皮，花朵的颜色，舌头的卷曲能力，眼睛有可能出现的颜色。麻烦的是，我们人类比豌豆更复杂。这些特质并不一定非常明确。对于卷舌头这件事，有些人可以，而其他人不能。但是，通过 20 世纪 50 年代的同卵双胞胎研究，数十年来我们已经知道，这种性状不是一个简单的孟德尔式的特征。在 33 对同卵双胞胎中，有 7 对双胞胎是不能一致卷舌头的——一对一模一样的兄弟或姐妹，其中一个可以卷舌头，另一个却无法表演这种极其重要的暗黑艺术。20 世纪上半叶，遗传学巨匠之一阿尔弗雷德 · 斯特蒂文特（Alfred Sturtevant）在 1940 年首先提出卷舌是一种孟德尔性状，即由单个等位基因赋予其携带者这种能力。在双胞胎研究之后，他做了一个优秀的科学家应该做的事情，改变了他的想法，并在 1965 年说："看到在当前的作品中卷舌仍被列为孟德尔式的案例，这让我很尴尬。"即便在今天，学校里依然在教授这个案例。

双胞胎研究还表明，同卵双胞胎双手紧握、十指相扣的方式也不是完全一样的。耳垂是不是紧贴在颅骨上：有些人是，有些人不是，大多数人的情况在两者之间。眼睛颜色的遗传原理是对的。棕色相对于蓝色确实是显性性状，蓝色处于隐性地位，如果父母双方都是蓝色眼睛，那他们就不可能生出棕色眼睛的孩子。但也有另一种基因会导致棕绿色的眼睛。这就意味着，人类眼睛颜色的色谱范围，覆盖了从最浅的蓝色到最深的深棕色，所以尽管我们眼睛的多种颜色变化可以相对简单地归因于遗传模式，但这并不是一个简单的孟德尔性状。到目前为止，另外还有 10 个等位基因已被证明能够影响眼睛颜色，这意味着基于父母眼睛的颜色预测他们孩子眼睛的颜色是不科学的。对于人类来说，这样的简单、直接、易于理解的答案，很有可能是错误的。

科学需要你

2001 年，一些记者将人类基因组计划的第一轮结果解读为人类遗传学的某种灾难。赌金簿不在公众熟悉的范围内，直到多年以后，还鲜有遗传学圈外的人真正了解这件事。不过，有些记者选择将人类基因组计划作为一个发现进行报道，即我们曾认为我们了解遗传学，这种想法被证实是错误的，遗传学是一个由灾难所控制的领域。其他的记者则宣称该计划就是在浪费钱，因为我们所发现的结果是我们没有预料到的。同样的情形也发生在全基因组关联分析研究开始揭示我们所没有预见到的复杂情况时。2011 年时，《卫报》这样报道：

> “在针对所有的常见疾病，如心脏病、癌症和精神疾病的遗传学研究结果中，只有少数对于人体健康具有真正的重要意义。缺陷基因很少导致或只是致使我们轻度地感染一些疾病，这样的结论导致人类遗传学这个领域正处于严重的危机之中。”

并没有什么危机，只有科学。英国一位颇受欢迎的名人治疗师奥利弗 ·詹姆斯（Oliver James）在 2016 年的英国国家新闻中反复声称，遗传学在行为特征和心理障碍的遗传中，只起了很小的作用，或者根本没起作用。媒体对于这种富有争议和离经叛道的观点非常感兴趣，都争相对他进行报道，因此在电视广播的许多平台上和出版物中，他都得以煞有介事地进行陈述。可是他错了，而且他的错误很容易被证明。他和其他重复这个观点的人都误解了遗传力丢失的问题所在，把缺乏论据以支持某个论点的情形，错当成某个论点不能成立的论据。我们由遗传决定论转向了遗传拒绝论。

两个极端的想法都是过分简化导致的错误。的确，我们还不能解释我们预测的大量导致一整套性状的“先天”因素。但这就是科学，科学家所做的事情就是弄清楚他们了解什么、不了解什么，然后慢慢把这些未解之谜从我们不了解的事情变成了解的事情。如果我们都能正确地做科学研究的话，我们都可以成为拉姆斯菲尔德。

没有哪种技术是专门为了解释人类而生的，探索是无止境的。遗传学家正在处理关于曾经存在过的实体的，有史以来写就的最长的、最繁杂的编码信息。作为对“科学家们不了解所有的事情”这类愚蠢的攻击的回应，幽默的达拉 · 奥布莱恩（Dara O’Briain）已经多次指出——这是事实：如果我们了解一切，我们就会停下脚步了。每种技术都有它自身的优点和缺点。所有的科学研究都是在某些方面有缺陷的，所有科学成果的取得总是有一些先决条件的。研究基因组是一项需要时刻保持谦卑的奇妙练习。没有“顿悟时刻”，也几乎没有真正意义上的革命性发现——套用科学社会学家托马斯 · 库恩所创造的那个棘手的词——“范式转移”（Paradigm shift）。我们的探索只是以冰川变化的极慢速度推进着。我们在不断探索未知的边缘，这是一个永远没有尽头的智力拼图游戏，而科学则是这个游戏的工具之一。

我们受文化的影响，容易对遗传学产生误解，从哈布斯堡唇到我们谈论遗传的方式。就绝大部分情况而言，科学应该严肃对待。我们应该关心如何学习并理解事物，这样才能尽可能地更新关于它们的认知，而不会被神话或误解所困扰。这之所以重要还有一个原因，就是我们可以越来越快、越来越便宜地获取基因组信息，我们可以获得原始数据——关于引发疾病和导致某些特征的危险因素。相比于学习遗传路径中的复杂性，了解表观遗传与环境的相互作用，以及分析强调风险和种群动态的统计数据，掏出 100 英镑显然容易多了。我们执着于这些简单的故事，以此来延续神话，却不愿意深入探讨对于成为人类至关重要的、奇妙的复杂因素。

至少现在我们知道了很多我们曾经不知道的事情，就像酗酒者承认他们自身有问题一样。20 年前，我们还做不到这一点，就像伊万 · 伯尼的赌金簿所揭示的那样。这就是进步，而且还有那么多的事情有待探寻。

如果你想要知道答案，最好的方法就是加入我们。在人类基因组计划进行过程中和之后所发明出来的技术，产生了大量基因组数据其数量之大已经超出了我们现在的处理能力。巨大的 DNA 序列数据正静待我们进一步挖掘。还有更多的数据等待我们去研读，而且数据还会增加。我相信，人类遗传学的前进方向，就是从每个人出生开始对其进行完整的基因测序。然后，我们将进入尚未完全被意识到的数据安全和隐私领域，这些问题需要结合尽可能广泛的咨询，在社会层面得到解决。但是，事实上我们的多样性是无限的，如果要探究人类在个体特征和疾病方面的差异，在遗传和历史中的差异，我们就需要尽可能多地获取数据。然后我们需要处理这些数据。

人类是富有探险精神的一个物种。1,000 年来，我们不停地建造、发明和测试，以图了解世界、宇宙、我们自己，以及我们所处的位置。还有很多的领域有待我们去进一步探索，但让我们直面这个事实：你几乎不可能成为宇航员，你的孩子成为宇航员的可能性也不大。对于宇宙的探索很艰难，选拔人才的标准异常严苛，在整个人类的历史中，只有不到 1,000 人能够成功进入这个领域。但是，每个细胞内都有一个有待发掘的世界，你可以为这方面的探索尽一分力。唯一完整的地图是为一颗死去的星球所绘，在那里时间已经冻结。我们的遗传图谱在不断地发生变化，因为从古至今，人类世代繁衍、生生不息；地球上的人们不断地迁徙、融合；对癌症和其他疾病的抗争从未停止，终有一天，这些病痛将销声匿迹，仅仅成为历史学家的谈资。我们需要遗传学家、数学家、计算机科学家和程序员、考古学家、医生和病人。快来加入我们吧！

第
6
章

命运

人生在世必遇患难，如同火星飞腾。

《约伯记》第五章第七节

2006 年 10 月 16 日，田纳西州波尔克县基姆西山

在田纳西州的山里，戴维斯·布拉德利·沃尔德鲁普（Davis Bradley Waldroup）坐在自己的拖车屋中，等待着与他关系不睦的妻子彭妮和他们的 4 个孩子一起回家。这对夫妻的关系已经紧张了好几个月。今天他喝了许多酒。当妻子带着孩子，以及她的朋友莱斯利·布拉德肖（Leslie Bradshaw）到家时，戴维斯拿着 0.22 口径的来复枪，与他们发生了激烈的冲突。彭妮说她要离开这个家。于是他生气地抢过了她的车钥匙，扔到了树丛里。几分钟后，戴维斯开枪了，布拉德肖身中 8 枪，当场身亡。彭尼试图逃进山里，

但是戴维斯用枪击中了她的背部，追上去用小折叠刀捅了她几刀。随后，他拎起一把铲子，疯狂地敲打她，又用砍刀补了十几下，还剁下了她的一根手指。

戴维斯把她拖到了拖车屋里，想要做爱，但他很生气，因为她浑身是血，而且没有任何反应。他告诉孩子们“来和你们的妈妈说再见”。但她还是设法逃跑了。几分钟后，警察到达了这个血案的现场：墙上的血迹、拖车屋、地毯，甚至戴维斯当天喝酒时读过的《圣经》都还在那里。在这些令人毛骨悚然的确凿证据面前，他低头认罪，承认自己有谋杀妻子的意图。他将在田纳西州面临审判。

2009 年 3 月 25 日，波尔克县（Polk County）的大陪审团经过 11 小时的审议，最终判定戴维斯 · 布拉德利 · 沃尔德鲁普犯有对莱斯利 · 布拉德肖的加重绑架罪和故意杀人罪，以及对彭尼 · 沃尔德鲁普的加重绑架罪和实施未果的二级谋杀。他没有被指控一级谋杀，从而避免了死刑。不过他仍然面临 32 年的监禁，法官建议他不要上诉，因为下次陪审团恐怕就不会这么宽宏大量了。这次案件的复杂性是引发争议的原因。被告人的辩护团队表示，戴维斯不应被判一级谋杀罪，因为他“没有进行预谋犯罪的思考和判断能力”。按照戴维斯法律团队的说法，原因在于遗传学。

他们辩护的根据是简称为 MAOA 的单胺氧化酶（monoamine oxidase）。MAOA 基因编码的酶类可以破坏一种被称作神经递质（neurotransmitters）的分子。当我们在日常生活中思考或做事时，神经递质会充当大脑中突触（synapses）之间的信使，同时调节它们的活动情况。神经递质共有 100 多种，血清素（serotonin）、多巴胺（dopamine）和去甲肾上腺素（noradrenaline）是其中最著名的几种。它们会使得我们快乐或悲伤，也会受到药物使用、性别或疾病的影响。它们携带着信息，在细胞之间闪过，而MAOA会把它们切开。就好像你收到了信件，读过了它们，接下来就会把它们撕掉。MAOA是典型的分子工具，在这个层级的大脑活动中不断发挥作用，也是人类正常生活中不可或缺的一部分。当它未能全力工作，或是异常的遗传变异影响了人类的神经元时，就可能发生各种问题。它与一些患者的心血管疾病有关，又与另一些患者的癌症相关。而在人类行为方面，我们已经发现MAOA与自闭症、阿尔茨海默病、躁郁症、注意力缺陷、多动症和严重抑郁都有着密切的关系。这种影响的多样性在大脑的分子中并不罕见，但它表明了基因和行为之间的关系有多么复杂，有时候甚至是难以理解的。

到20世纪末，实验室发布的研究报告显示：特定版本的MAOA在攻击性十足、行事冲动或拥有犯罪行为的人群中出现得更为频繁。这类研究是从荷兰奈梅亨（Nijmegen）的一个穷凶极恶的大家族开始的。往前一直追溯到1870年，这个家族里的5代人里，纵火犯、蓄意谋杀犯和强奸犯无所不包。这个家族的男性智商往往很低，一般在85左右，远远低于人类的平均水平，几乎处于智障的边缘。这个家族里的女性担心其中一些男性的行为会威胁到她们的安全。奈梅亨的医生汉·布纳（HanBrunner）检查了他们家族的历史，并把问题缩小到X染色体上共同存在的异常现象。这可以从一定程度上解释为什么这个家族的男性会变得不正常，而女性却没有——许多只影响男性而不涉及女性的遗传都被称为X

连锁遗传，因为根本原因在于男性只有一个 X 染色体。女性由于有两个 X 染色体，所以其中一个 X 染色体出现异常的时候，可能不会出现影响。X 染色体上包含许多基因，但 MAOA 被当作了重点研究的候选目标之一。其在消化神经递质中扮演的作用，使得科学家有充足的理由相信它会影响人类的行为，而这是从早期针对小鼠的研究中得知的。布纳测试了这个荷兰家族的男性的尿液，并发现其中 MAOA 作用导致的遗留物明显低于正常水平，也就是说被切断的碱基数量很少。看起来 MAOA 并没有正常地在他们的体内发挥作用。

之后几年里，随着人类对基因组的了解逐渐加深，关于 MAOA 的研究也发展得很快。2000 年，又有一项研究进一步证实了 MAOA 与暴力倾向之间的关系，不过问题不在基因编码本身，而在其启动子（promoter）上。该启动子是位于基因之前的一段 DNA，可以接受信息，激活 MAOA。一般人的 MAOA 启动子上会有一块 DNA 的重复区域，而攻击性更高、强迫行为更加严重的男性，这部分区域的 DNA 重复次数会更少。

2004 年左右，MAOA 被冠以“战士基因”的绰号。人们指责那些小报攻击或扭曲科学，通常都是有理由的，因为他们总是倾向于抓住细小的信息，然后歪曲整个科学研究的意义。但这一次，煽动跟风的媒体，引发未来十几年里关于犯罪和基因之间关系的巨大争论的，是权威学术杂志《科学》。杂志发表了一篇针对猴子的研究报告，报告中称发现了拥有变种 MAOA 的猴子拥有更强的攻击性，这种缺陷型基因反而能让猴子在与其他猴群的战斗中取得优势。那篇文章的标题是“战士基因”。

这种观念就真的扎根了。2007 年，在新西兰进行的一项小型研究声称，一种特定版本的 MAOA 在毛利人中很普遍。这是 13 世纪起就居住在这些岛屿上的波利尼西亚原住民。研究人员说：

> “众所周知，历史上的毛利人是无畏的战士。”

“众所周知”的说法，让我简直要起鸡皮疙瘩。如果在一本科学杂志上看到这种话，我的脑海里就会把它翻译成“我们实在找不到确切的依据”：这可能是真的，但很难证实。这项研究的样本只包含 46 名男子，只要父母双方有一个人是毛利人，他们就会被判定为所谓的毛利人。这些人中，有 17 人被定义为纯种毛利人，因为他们的 8 个曾祖父母都是毛利人，所以他们的毛利人 DNA 比较纯。研究人员检验了这一组人的 MAOA 基因，然后就给这个民族下了这样的文化定义：毛利人在遗传学上更加容易有暴力侵向。

毛利人确实名声在外，他们自古以来就有战士文化，在国际橄榄球比赛开始前，看到毛利族的哈卡战舞（Haka）时，就算是壮汉也会心神震动。但是，“无畏的战士”对我来说不像是一个科学上的定义。而更像是一个先入为主的价值判断，也无法被量化。尽管有时新西兰会被认为是欧洲殖民者尊重原住民传统的经典案例之一，但实际上，对于毛利人的偏见是真实存在的。在科学论文中继续强化毛利人这种刻板印象，合适与否值得商榷。如果把对 MAOA 等位基因和行为的研究扩大到毛利人之外的其他种族，中国人中 MAOA 基因存在缺陷的比例最高，达到 77%，而白种人是最低的，仅 34%。那么从遗传学上看，中国人应该获得“战士”的称谓吗？

2003 年的一份长篇论文指出，如果犯罪者在孩童时期遭到过性侵，那么在他身上与暴力倾向有关的基因缺陷就会有严重恶化的趋势。该结果在 2012 年的荟萃分析（meta-analysis）[1] 中得到了进一步的确定。

相关研究在继续深入，各种细微的条件都被考虑到，而法律也紧随其后进行修正。2009 年，生活在意大利的阿尔及利亚人阿卜杜勒马利克·巴尤（Abdelmalek Bayout）因为杀害一名哥伦比亚人而被捕。然而由于他也是 MAOA 缺陷基因的携带者，最后法官给他判处的有期徒刑比正常情况少了 3 年。同一年开始的一项实验研究使用了“辣椒酱范式”，这是一种常见的心理测试法，被试者可以使用辣椒酱来惩罚潜在的敌人。多年来，辣椒酱在各种假想冲突的测试中得到了应用，因为它们不会真正伤害到参与实验的人。科学家用辣椒酱来衡量人们对那些可能偷了他们钱的小偷实施惩罚的冲动程度和意愿高低。那些 MAOA 基因存在缺陷的人，往往会更快地给出更多的辣椒酱。

同年在美国的另一项研究显示，美国黑帮里有很大一部分成员都存在着 MAOA 缺陷。对于这些人而言，在发生冲突和争论时，他们更倾向于使用武器。同时这项研究还显示。40% 的帮派成员拥有正常的 MAOA 基因，而大多数携带 MAOA 缺陷基因的也是正

[1] 对于多个单独进行的研究而言，许多观察组样本过小，难以产生任何明确的结论。因此学界提出了荟萃分析的概念，即把许多研究的数据结合起来，进行深度而系统的分析。——译者注

常人，没有加入黑帮。他们承认了这项初步研究存在着一些不足，并得出了结论：

> “调查显示，像大多数反社会行为一样，黑帮的形成和活动，涉及基因与环境的相互作用。”

其实可以把“像大多数反社会行为一样”替换为“像所有人类行为一样”。科学家要是将“大多数反社会行为”同“所有人类行为”区别开来，那就太诡异了。

即使是权威的科学期刊，有时也会讨论这些断章取义的奇怪观点。2008年，《自然》发表了对于“冷酷基因”的发现，还配上了希特勒、罗伯特·穆加贝（Robert Mugabe），萨达姆·侯赛因（Saddam Hussein）和墨索里尼的照片。2010年，另一本严肃的学术期刊在开篇第一句话中就驳斥了所谓“犯罪基因”的观点，尽管文章的标题将突变的“战士基因”称为“精神病基因”。值得赞扬的是，对于遗传学、行为和法律之间的联系，这篇文章提出了一个微妙而精辟的观点：

> “在判刑时考虑遗传因素是一件非常愚蠢的事情，除非我们谈论的是21-三体综合征或其他一些大幅度降低智力和行动能力的疾病，”美国爱达荷州博伊西州立大学（Boise State University）司法系的安东尼·沃尔什（Anthony Walsh）如是说，“这是自由主义者担心自己的愚蠢被暴露而臆想出来的‘遗传决定论’。他们需要的只是去上一两节神经科学和遗传学课程，

去打消掉他们那种‘我的基因 / 神经元使得我不得不做这些’的想法。在文明世界中，任何人都必须对自己的行为负责。”

MAOA 影响的不仅只是暴力犯罪和冲动。过去几年，对于 MAOA 的研究又扩大到了其他方面。2000 年的一份研究指出了 MAOA 基因的一个变种与上瘾赌徒之间也存在微小的联系。2009 年的一份研究又声称其与冒险者之间存在关联。文章认为，这种基因会驱使人们前去冒险，并使人有冲动性的行为。其实从某种程度上来说，所有的科学论文都存在缺陷。其中许多研究在统计学上意义不大，或者说服力不强，或者样本量小得惊人。他们可能没有做错，不过这样无法让他们寻得科学的真相。

2014 年，瑞典卡罗林斯卡研究所（Karolinska Institute）的杰瑞 · 提汉（Jari Tiihonen）带领团队，对芬兰的 800 名暴力罪犯进行了研究。这些人犯案共计 1,154 起，涉及过失杀人、蓄意谋杀或暴力袭击。MAOA 再一次从基因组中“脱颖而出”，另外科学家还发现了一个被称为 CDH13 的基因。这项研究使用了全基因组关联分析研究（GWAS）的方法来寻找暴力犯罪的遗传学线索和这两种遗传变异。CDH13 基因生成的蛋白质与大脑中的神经元，尤其是杏仁体（amygdala）有关。这是脑内对称的一对葡萄大小的神经元聚集组织，与情绪反应、决策和记忆有关。杏仁体出现缺陷会导致人类容易恐惧、攻击性强，而且有酗酒的倾向性，所有这些状态都可能导致暴力犯罪。杏仁体缺陷会导致的其他反应还包括焦虑、性取向改变，并引发独处时的暴力倾向。CDH13 也是构成注意缺陷多动障碍（ADHD）的主要因素之一，这个病症的特点是行事冲动。在这群芬兰罪犯中，有 80% 的谋杀案都没有预谋，而是冲动作案。这是否符合我们的推测？不一定，这些仅仅是一个巨大的拼图中我们推测出的一些蛛丝马迹。它们或许有关联，或许没有。它们可能是推动某些行为的因素，乃至直接诱因，但目前为止我们还不太清楚具体情况。这项研究的作者也非常清楚这一点，他们明确地指出，这些样本的数量不够，所显示的关联在统计学上的可信度不足，不能被视为辨别潜在的暴力罪犯的强有力依据。他们甚至更进一步地说：

> “根据法医精神病学的基本原则，只有考虑到惩罚或法律责任时，罪犯的实际心理能力才有意义，推定的危险因素本身在最后的判决中没有法律作用。”

杰瑞·提汉在 2014 年接受 BBC 采访时表示：“在一般人口中，发生严重的暴力犯罪是非常罕见的。所以即使相对风险增加，绝对风险仍然很低。”

所有这些研究都指出，引发暴力犯罪的因素可能会在合适的（或更准确地说，错误的）情况下组合起来，仿佛导火索一般被点燃。人类的行为很复杂，遗传学也很复杂。现实世界中发生的事件往往无法体现出这种复杂性。要注意，有研究表明，三分之一的白人男子与那些实施谋杀或使用辣椒酱惩罚他人的被试者有着一样的缺陷基因。但是他们实际上都没有谋杀他人。戴维斯·沃尔德鲁普携带着所谓的“战士基因”，他在儿童时期遭受过可怕的殴打和虐待。当晚，当他杀人并导致另外一人残疾时，喝了很多很多的酒，已经为施加暴力和使用武器做好了准备。我不支持对他执行死刑。但毫无疑问，他和阿卜杜勒马利克·巴尤的辩护团队所称的，至少部分免除犯罪责任的说法是站不住脚的。正如沃尔德鲁普案件的一名陪审员所说：

> “坏诊断是坏诊断，坏基因是坏基因。”

尽管有了这么多的研究，但我们还是不太清楚这个基因的作用机制，它如何参与生物行为，人类的生活经历和机遇会如何与外在世界产生作用。即使我们已经搞清楚了这一切，带来的法律后果也依旧是模棱两可的，并且会受到政治倾向的影响。我们是基因的奴隶还是主人？都不是。而且这是个过度简单化的愚蠢问题。换句话说，就是生物决定论产生了深远的法律影响。当然，对于司法制度来说，这早就不是新鲜事了，只是现在遗传学已经被推到时代的风口浪尖，它现在已经成为法律辩护的万金油，与生俱来的命运成了某些人的借口。如果缺陷基因的携带者在孩童时期遭到暴力殴打，那么他成年后出现暴力倾向的确是与之有关的。但利用这种复杂而难以理解的遗传学根据去寻求免罪，还不如用它带给我们的启示去做些别的改变，比如不要虐待儿童。

下面要讲的这件事已经在美国反复发生过很多次。2012 年 12 月 14 日，20 岁的亚当·兰扎（Adam Lanza）带着他的手枪、霰弹枪和半自动突击步枪，开车到家乡康涅狄格州桑迪胡克（Sandy Hook）的当地学校。在那里，他杀害了 26 人，其中包括 20 名小学生，最后他用手枪射死了自己。在开车到学校之前，他还把自己的母亲杀死在床上。在发生这桩难以置信的罪行之后，人们对他的动机和行为展开了许多分析和猜测。电子游戏往往被归咎为助长玩家疯狂杀人的罪魁祸首。同年 12 月 20 日，美国参议员就递交了提案，呼吁研究电子游戏与暴力行为之间的关系[1]，理由是让“父母、儿科医生和心理学家更好地了解这其中的关系”。

兰扎确实是一名游戏玩家，而在最后做出这些疯狂举动之前，他一直在玩《使命召唤 4》(*Call of Duty 4*)，这是一款非常暴力的射击游戏。面对渴望搞清原因和罪魁祸首的公众，媒体纷纷发表独家文章进行解读。然而，把这一切归咎于游戏是个奇怪的观点，因为《使命召唤》系列游戏在全球销售了 1,500 万份。[2] 而在 2015 年，美国青年男性中玩电子游戏的比例高达 84%。这意味着他们大部分人都爱打游戏。即便是疯狂的枪击案发生的频率以令人心碎的态势上升，暴力电子游戏和犯罪行为的关系从统计学上看也极其微弱。因为电子游戏的传播太过于广泛了，因此在统计学上讲，暴力视频游戏和谋杀、暴力行为之间有因果关系的想法是非常荒谬的。枪杀案的最后总结报告里显示，兰扎还喜欢玩《舞蹈革命》(*Dance Dance Revolution*)和《超级马里奥兄弟》(*Super Mario Bros*)，前者是模拟迪斯科舞蹈动作的跳舞机游戏，而后者则要求玩家收集金币拯救公主。

地方当局接下来又试图把犯罪归咎于遗传学因素。如今，基因组测序成本低廉，他们不仅测定了 MAOA 基因，还测序了亚

[1] 该领域的研究显得“意见丰富、数据不足”。我在 2016 年参与撰写了一篇论文，试图探究电子游戏中的暴力程度和青少年后续犯罪行为之间的关联。我们发现前者对后者的影响很弱，远不够当作有力的论点。这个结果一点都不吸引眼球，不过伙计们，这就是科学。

[2] 事实上，我也曾花了很多的时间玩《使命召唤》的前几代版本。

当·兰扎的整个基因组。媒体报道称，这样就可以看看他的邪恶是否深深刻在了 DNA 里。他是否生来就是个谋杀犯？

亚当·兰扎是个心理不太正常的男孩，他被诊断有感官处理障碍。这往往会导致阿斯伯格综合征（Asperger's syndrome）等自闭症谱系障碍，或是引发强迫症，从而让儿童难以参与正常的社交活动。所有这些异常情况的出现，都有遗传因素在起作用，然而没有一种是单纯由基因引发的。迄今所有的研究都表明，许多基因在病因的诊断中只起着很小的作用。当谈到复杂的精神障碍时，这是一个非常典型的说法。没有任何一个基因可以直接导致复杂的精神障碍，它们之间的关联非常弱。此外，任何一种疾病和暴力犯罪之间都没有任何已知的关联。

不管怎样，《纽约时报》在 2012 年圣诞节前夕报道称，康涅狄格大学（University of Connecticut）的研究人员将对兰扎的基因组进行测序。虽然一位女发言人发布了他们的计划，但细节尚不清楚，迄今为止也没有公布结果。许多科学家对此表示意外，或是不屑一顾。哈佛大学医学院的遗传学家和神经病学家罗伯特·格林（Robert Green）对《纽约时报》表示：

> "某个共同的遗传因素会导致产生大屠杀行为，这样的假设几乎是不可思议的。我认为我们希望看到的不只是这样的东西。我们想要有更具体的解释。"

作家和科学家 P.Z. 迈尔斯（P.Z. Myers）补充了一个简明扼要的结论，我对此完全同意：

“我完全可以预测到，当他们看到亚当·兰扎的DNA时会发现什么。他们能够看到的就是人类。在他的整个基因组中，将会有几万个与标准参照组不同的核苷酸变异分布在各处，因为我们所有人都与众不同。对于其中99%的差异，科学家都不清楚它们会引发什么样的反应。”

对兰扎基因组的解读可能是徒劳的，虚张声势地伪装成科学也只是徒劳。我们可以得知兰扎的头发颜色，或他的耳垢的性质，或少数其他特征。我们或许还可以得知他患有一系列疾病的风险。但是即便有几千次类似兰扎犯罪的枪击案，所有这些罪犯的基因组都被测序，而且他们的基因特征从统计学上来看都与普通人有着明显差别，那么，根据我们所了解的更简单的人类特征来看，这些遗传上的差异或许也只在人类遗传力中占据很小的一部分。

上面所说的情况不可能出现，为此我敢赌上我的房子。即使情况真的如此，它能带来怎样的政策变动也未可知。我们是否要对所有新生儿的基因组进行测序？如果有人基因型与兰扎有99.99%相似，我们是否要对他进行密切监视？我们会把他放在一个潜在罪犯的审查名单上吗？ 沃尔德鲁普和巴尤都以遗传学为由得到了从轻判决。那么在另一种政治环境下，我们是否可以因为一个人生下来就携带这种不好的基因，就对他们加重判决呢？由于他们的基因问题也不可能得到治愈，所以我们是否可以仿照纳粹德国的做法，积极主动地奉行优生学，把这些人直接根除？这种简单粗暴的判断，来源于对遗传学简单粗暴的误解。遗传学是一门概率性的学科，任何仅依靠DNA测序而得出结论的做法，在我看来都是非常冒险的行为，极容易导致愚蠢的失败。

在这类案件中，我们会寻求统计数据来得出确定的结论。这里就有一个：100% 的大规模枪击事件都是由于持枪所导致的。我可以保证，即便这些枪击案的所有罪犯有某个共有的基因型（这显然不可能），但假如他们根本无法获得枪支，那么这类案件也就不可能发生。

这些故事与科学本身一样新鲜。几个世纪以来，我们一直试图将犯罪行为和各种复杂的人类行为进行生物学归类。近来，遗传学或脑部扫描都被斩钉截铁地看作是某种特殊情感或行为，如虔诚、嫉妒或爱情等的根本原因。如今，对于那些漂亮的脑部扫描图，我们已经非常熟悉了，其上有各种颜色的小点。“点亮”已经成了描述神经行为的常见用语，它们可能会被大脑所有者特定的行为或者想法所激活。这类扫描，包括磁共振成像（或是为了特定目的而实施的功能性磁共振成像），像遗传学一样，属于健康发展的领域，而且可以利用科学的方法很好地理解。它不像是把一个人放在扫描仪中，然后问他几个问题，看他如何反应，机器如何显示结果那么简单。正如我们不能简单地解读某个人的基因，并以此为依据推断这个人的行为一样，我们也没有办法读懂别人在想什么。通过扫描，我们可以了解大脑中的氧气消耗量，以此作为一个人正在努力思考的考量因素。但就像遗传学一样，在得到任何结论之前，也需要经过仔细的分析和校正。大脑活动的细微之处，以及细胞水平上的思维，是极其精妙的。这些脑部扫描可以带来丰富的信息，但不具备决定性。尽管这与公众从新闻里读到的情况不太一样。对于呈堂证供而言，需要的是可靠的证据，而科学中存在着如此多的不确定性，这会在判决过程中混淆视听。

约翰·韦恩·盖西（John Wayne Gacy）是美国杀人最多的连环杀手之一。他活跃于芝加哥及其周边地区，以十几岁的男孩和年轻人为目标，暴力袭击他们，对他们进行性侵。20 世纪 70 年代，他因谋杀 33 名男孩被执行死刑后，他的大脑被单独取出，用于研究灰质和白质中是否存在着罪恶的源头。在此之前的 1929 年，彼得·库尔滕（Peter Kürten）在德国西部的莱茵兰谋杀了至少 9 人，并对其他许多人实施了暴力行为。这让他获得了“杜塞尔多夫的吸血鬼”的恶名。1931 年，他在断头台被斩首后，大脑也被取出，用于研究罪恶的根源。如今，他的头颅被做了防腐干化处理，在威斯康星州的信不信由你奇趣博物馆（Ripley's Believe It or Not! Museum）展出。这两个杀人犯的大脑都没有透露任何犯罪的线索。它们就仅仅是普通人的大脑而已。

人们希望通过基因来了解人类的各种神奇的行为，而不仅限于暴力犯罪。2014 年，英国电视台 4 频道在黄金时段播出了一个名为“已故名人的 DNA”的系列节目。节目中选取了许多历史名人，如贝多芬、约翰·列侬（John Lennon）、拿破仑和阿道夫·希特勒，伴随着奇妙的音乐，对他们的 DNA 进行了一次探寻，试图查明其中是否包含让他们取得巨大成就的奥秘。

已故名人身体部位的交易是一项奇怪的生意。《已故名人的 DNA》这个节目有着残忍的娱乐感，却又不必受到道德的困扰。观众普遍认为该节目能给他们带来一种幸灾乐祸的有趣观感，尽管主要原因在于这项探寻旅途代价不菲。例如，从拿破仑身上切下的阴茎样本太小，萎缩之后无法用于 DNA 提取；而收购玛丽

莲 · 梦露和约翰 · F. 肯尼迪（John F. Kennedy）的头发所用的 1 万美元也打了水漂，因为它们在阳光曝晒下，所含的 DNA 已经被破坏殆尽；节目组还用 5,000 美元获得了乔治三世（George Ⅲ）的头发，却发现那是假发；从一个行为古怪、否认大屠杀的纳粹徽章商人那里买来希特勒的头发，这个过程令人有些不快，不过最后发现该样本来自一个印度人，而不是这个刽子手，观众的厌恶之情又有了一些缓解。

当然，寻找死者的身体不是这档遗传学扫盲节目的重点所在。皱着眉头的主持人用抑扬顿挫的声音问道："他们的 DNA 能否揭露出玛丽莲 · 梦露为何魅力超凡，阿尔伯特 · 爱因斯坦为何聪明绝顶，阿道夫 · 希特勒为何泯灭人性？"答案当然是"否"。不过这样的话，节目可能就要短很多了。DNA 里是否隐藏着人类的罪恶根源？并没有。那么智力水平和 DNA 是否有关呢？确实，遗传因素会影响智力，而且这是一个重要因素。然而，这类研究是以人口而不是个体为衡量单位在寻找特定基因和个体智力发展的相关性，而且并没有取得什么成果。而提到魅力超凡，我并不喜欢玛丽莲 · 梦露，有我这种想法的人相信也不在少数。我个人更加欣赏劳伦 · 白考尔（Lauren Bacall）这种类型的美女。我似乎记得一个短语，意思说的大概是，"眼睛"所看到的东西与这对眼睛的"主人"有很大的关系，即所看所闻之事物是美是丑，主观程度很大。确实存在着一些美丽女性的标准样板，但其中许多都是不同文化所特有的，甚至在这些特定的文化中，接受度也没有那么普遍。毫无疑问，玛丽莲 · 梦露的身体有部分是她的基因所致，而她的魅力也有部分是她的身体所致。但是，她的举止、演技、人格、服装、妆容、发型和其他所有帮助她变得更美的东西，都没有被编码在她的DNA中，也无法由基因组学来揭示。在成为玛丽莲·梦露之前，她名为诺玛·让（Norma Jean），是一个红发女孩。不过我敢打赌，在讨论她是否可以当作标准美女样板的时候，金发也是入选的重要特质之一。

无论我们讨论的是犯罪、心理特征、精神疾病，还是完全正常的人类特征如政治倾向、酒精敏感度、同性恋、性欲偏好等等，基因都不是其中的原因或基础，也不是这类特性的触发器。它们只是导致以上这一切的潜在因素：概率。

我们希望科学是精妙、复杂的，而不追随潮流的。唉，但事实并不是这样。技术正在变得更加易得，被人们广泛使用。实验室、出版机构、基金会和个人，都在利用这些技术进行研究。然而期刊的地位并不相等，其上所刊登的内容，也并不一定就是真相，只代表某项研究已经通过了某种标准，足以发表在正式刊物上，与其他科学家进一步探讨。这样的审查标准显然与媒体界不太一样。遗传学在不断发展，数据在不断产生。它很复杂，很不确定，需要反复分析、比较和实验验证。科学研究、出版、让信息为公众所知，这样一个复杂的生态体系已经遭到了破坏。在第5章的开头，亨利·路易斯·门肯完美地描述了这种现象，他所讽刺的是一个报纸出版人：

> “对于每个复杂的问题，都有一个简单、直接、易于理解，并且是错误的解决方案。”

没有人能够找到决定邪恶、美丽、音乐才能、科研天赋的基因，因为它们根本不存在。DNA 不是命运。特定基因的变种可能会改变某种特定行为出现的概率；而更大的可能是，许多基因的微小差异会与环境作用，增加或降低某种特征出现的概率。而环境中包含了所有与 DNA 无关的事物。

用谷歌搜索“科学家发现……的基因”，你会看到成千上万个相关标题，从权威媒体到垃圾媒体，几乎都会有类似的报道。例如：

“科学家发现可卡因成瘾的基因”

《卫报》，2008 年 11 月 11 日

“科学家们发现‘变性者基因’，让男人感觉像一个女人”

《每日邮报》，2008 年 10 月 27 日

“科学家发现决定身高的基因”

BBC 在线，2007 年 9 月 3 日

“研究发现：某基因预示着你的死亡时间”

《大西洋月刊》，2012 年 11 月 19 日

“可以吓倒你的基因：科学家发现了一种会增强恐惧感的‘焦虑基因’”

《每日邮报》，2002 年 7 月 19 日

“科学家发现导致肥胖的关键基因”
《今日美国》，2015 年 8 月 19 日

“科学家发现可以预测性取向的‘同性恋基因’”
《每日镜报》，2015 年 10 月 9 日

性和每个人都相关。有些人是纯粹是同性恋者，另一些人则完全是异性恋者。但其实大多数人在思想、言语和行为上都处于这两者之间。还有一些人则是无性欲的。性欲就像其他一切特征一样，会受到遗传因素的影响，而影响程度难以衡量。针对双胞胎的研究表明，性取向的遗传力约为 50%，这大约意味着同卵双胞胎如果有一个是同性恋，另一个也是的概率大约是 50%。有些人认为自己一直是同性恋，这种想法甚至出现在他们有性意识之前。人类的行为会随着时间的推移而发生变化，这意味着遗传力在一生中也会发生变化。一些研究指出，某些基因多态性与同性恋行为之间存在联系，但是同样的，这些也只是可能的基因型。拥有这些遗传变异不一定会让你成为同性恋；没有这些遗传变异，你也不一定就是异性恋。

以上这些新闻标题的简单叙述全部是错误的。[1] 它们主要来自前一章所述的全基因组关联分析，尽管文章中都有研究中涉及

[1] 我把这条定律叫作“卢瑟福定律”，当然这仅仅是出于虚荣心，没有其他意义。就像互联网时代普及开来的戈德温定律（Godwins' Law，在网上想得到正确答案的最快方法不是提问题，而是发布一个错误的答案，网民们纠错的速度比回答问题的速度快得多）或贝特里奇定律（Betteridge's Law，当一篇文章以问句作为标题时，一般情况下最终的答案都是否定的）一样。我所提出的卢瑟福定律指的是：“如果科学家发现了某种决定 X 的基因，而 X 是一种复杂的人类特征的话，那么他们一定没有发现这种基因，因为这种基因根本不存在。”

的元素，但标题通常并不能准确反映实际研究的结果。一些疾病确实是由于单个基因的问题导致的，但是该疾病的表现也是高度可变的，在遗传学中，这种概念被称作“外显率”（penetrance）。即使与遗传学最直接相关的疾病，例如前一章讨论的囊包性纤维症，也会受基因、细胞和体外环境等各种因素影响。遗传就是一场关乎概率而不是命运的游戏。

这不仅仅是标题作者的错误。科学的历史显然也有需要被责备的地方。孟德尔通过研究豌豆植物的个体特征给我们留下了遗传定律。到 20 世纪，我们超越了遗传定律，揭开了 DNA 的面纱，破解了遗传的密码。在 20 世纪 80 年代，我们确定了第一批致病基因，它们会引起“特定疾病”如囊包性纤维症、杜氏肌营养不良或亨廷顿病等。我们研究了家庭成员中眼睛颜色的变化，以及其他一些可以在镜子里看到的表面特征。而 20 年之后来到了基因组时代，我们才发现之前那些都是不寻常的特征。我们率先发现那些特征，是因为它们能够在家族中遗传下去，易于观察。但大多数人类的特征、行为和疾病都很复杂，几十、几百、几千个基因，加上难以预测的外部环境，都与之有着密不可分的联系。

遗传决定论的一个最简单的例子是颅相学。19 世纪，乔治 · 康布（George Combe）在英国和美国引领了一场潮流，他声称大脑和头骨的形状决定了人格特质，如谨慎、自负、真诚或尽责。这个趋势持续了几十年，偏离主流回到达尔文和高尔顿的时代，而后者恰对该理论中所述的行为偏差表示过不满。在意大利，切萨雷 · 龙勃罗梭（Cesare Lombroso）则坚持认为罪犯是天生的，而非后天造就的，可以通过一系列身体特征进行识别。这些可识别的罪行的范围包括强奸、谋杀和盗窃等，判定的证据包括眉毛的形状、脸部或头骨的不对称性、手臂的长度，以及耳朵的形状等。

他的测量方式很不准确，这阵潮流已经过去，如今，颅相学被正式认定为伪科学。它有务实的闪光点，但是缺乏深度。颅相学只是徒有其表：人体特征的差异并不明显，但因此对人类个性做出的判定却天差地别，简直异想天开。它仅仅是一个想法，无法经受科学的检验。随着显微镜的发展，解剖学也从宏观视角进入了细胞层面，随后我们了解了 DNA 的作用方式。我提到的那条“卢瑟福定律”仍然适用：不可能单单通过颅骨的隆起和基本形态来预测某个人的复杂行为。同样的，单单通过 DNA 也不可能做到这一点。

1944 年 11 月，荷兰西部

第二次世界大战已经接近尾声。德意志第三帝国对欧洲的邪恶侵袭即将终结。盟军于 6 月通过诺曼底登陆，成功攻入德国境内，纳粹不得不向后退却。荷兰南部的部分地区已经被解放，但盟军在圣诞节前结束战斗的计划失败了。他们企图借用市场花园行动计划（Operation Market Garden）越过莱茵河进入德国，但在阿纳姆（Arnhem）和其他地方，他们没有成功地夺取所需的桥梁，未能将敌军逼回本土。当年 9 月，荷兰铁路工人举行罢工，试图削弱纳粹的统治，但是他们遭受了最后一次痛苦报复。纳粹开始禁止向荷兰西部运输食品，饥荒开始了。到了 10 月，黄油消耗殆尽，之后是动物脂肪。德国人还撤走了许多牲畜和存粮。到 11 月，禁运措施有所放松，柏林的德国政府开始允许一部分食物进行水上运输，这对于遍布运河的荷兰非常重要。然而冬天来了，等到水路运输大开绿灯之时，河面已经结冰。因此，荷兰饥荒的冬天开始了。

在接下来的几个月里，饥荒非常严重。最保守的估计下，也有 1.8 万人直接死于营养不良。根据当时的消息，郁金香的球茎和甜菜都成了库存的膳食补充品。燃料用完了，于是荷兰人只好拆掉建筑、家具和轨道上的木材。已经到了配给的时期了，但是因为食品存量不足，发到每个人手上的份额也越来越少。从 9 月至来年 3 月期间，每个人仅能领到 1.3 升植物油，也就是每月仅有一小杯。马铃薯本是配给品，但很快就没有了，人们只能用马铃薯券去公共餐厅换一点稀汤。战争的前几年，每个人每月还能领到 2,200 克面包，到 11 月时只剩 800 克，等到 1945 年 4 月，配额就只有 400 克了。

1945 年 4 月 29 日，星期日，英国皇家空军（RAF）和加拿大皇家空军开展了“甘露行动”（Operation Manna），美国空军也决定开展“贪吃行动”（Operation Chowhound），为饥荒的荷兰投掷食物。纳粹德国同意不向他们开火。6 天后，纳粹德国投降，食品又开始源源不断地向荷兰输送。

这个恐怖的事件发生在现代社会，这个时代下，我们对公共健康有了较好的了解，对这个事件也有了详尽的记录。在食物配给期间，纳粹有效地执行了一个我们可能永远也不会去做的实验。他们向实验对象问了这个问题：“如果你让人们饱受饥饿之苦，他们会做何反应？”

这个实验的许多结果虽然非常悲惨，但却并不出乎意料。经历过饥荒年代的人们，会受到一系列健康问题的困扰，无论是生理上，还是精神上。奥黛丽 · 赫本（Audrey Hepburn）当时 15 岁。她像许多其他人一样，遭受了饥荒寒冬之苦，只能用郁金香球茎来当作面包和饼干充饥。成年后，她患有贫血、呼吸系统疾病以及水肿，这些病症伴随了她一生，而这一切都是因为 1944 年的营养不良导致的。不幸的是，这些病症都是可以预测的。人类出生后，DNA 已经不会改变了，但是在恶劣的环境中，由于营养不良，赫本基因的表达受到了限制、改变和破坏。由此引发的一系列健康问题将贯穿她的一生。与一般人群相比，或是与饥荒前后诞生的兄弟姐妹相比，诞生于饥荒之冬的孩子体形都较小，而且体重不足。他们也更有可能患上肥胖、糖尿病、精神分裂症、心血管疾病或者乳腺癌等疾病。

营养不良可以通过许多方式影响身体健康，其中一种外部世界对于我们先天生物系统的作用方式被称作表观遗传学，字面意思就是“除遗传学以外更多的”。在人的一生中，DNA 不会有所改变（除非受到癌症随机突变的影响，或者是由辐射或其他诱变剂的影响而引起了突变）。但是，所有 DNA 都存在于所有细胞中，因此需要有一套合适的机制来确保合适的基因在合适的时间进行合适的表达。表观遗传学的机制就是用来实现基因调控的——它可以修饰 DNA，而不改变基因序列本身。打个比方，DNA 是一份管弦乐谱，音符是固定的，不能改变。假设你购买的乐谱是贝多芬的《第七交响曲》，无论你是买的 1916 年出版的版本还是 2016 年出版的版本，它们都应该是一模一样的。然而，如果让不同的管弦乐团来演奏的话，可能听起来就完全不是一回事了。管弦乐团的指挥和管弦乐团中的每一位演奏者都会仔细标注乐谱，并在手稿上注明如何演奏音乐，是使用渐强还是狂欢，或是慢板。即使本身的乐谱是相同的，但每一场表演都独一无二。在 DNA 中，写下的内容从不改变，但是其他因素会以各种各样的方式对它们进行注释。最常见的一种是一种被称为甲基的小分子标记。它由 1 个碳原子和 3 个氢原子构成，会黏附在 DNA 中的 C 碱基（胞嘧啶）上。它拥有使 DNA 沉默的效果，如果它在一个基因中，该基因就不会被转录成 RNA，并且永远都不会生成蛋白质。如果它附着在基因的启动子上，那么该基因将不会被激活，这个指令类似于“不要使用下列句子”：它不能帮助这个故事顺利进行下去。

DNA 序列本身并不会改变，这是本质。然而 DNA 的修饰作用会发生改变，而且根据生物体的行为，还是可逆的。几十年前我们就已经知道了这一点。我们可以用地球上一半的人来举一个最明显的例子。女性有两条 X 染色体，但其实只需要其中一条。因此，在每个细胞中，某条 X 染色体会被随机选择，贴上甲基化的标签。许多个体基因也是这样调节的，与之对应的特征也依赖于这个系统。老鼠母亲会舔它们的孩子，那些被舔得更少的小老鼠，压力水平明显更高，这与表观遗传学中与压力相关的基因被标记更少有关。一些小白鼠如果被投喂特定的食物，皮毛颜色的基因表现也会出现改变，不过引发的连锁反应还会让它们体重更重，更容易发生癌症。你刚才吃的三明治，就会引发你身体的一些表观遗传改变，一部分基因需要在接下来几分钟乃至几小时里面活跃起来，帮助你消化这种食物。表观遗传学是生物学的重要组成部分。随着测量标记如何产生、对环境有怎样的反应的技术得到发展，表观遗传学也在蓬勃发展。

但是，就像是时常会发生在科学研究中的事情一样，当某个领域的科学取得一些小小的进展时，新闻媒体就会进行铺天盖地的疯狂报道，把它描述为可以解释和解决所有未知问题的万能钥匙。许多人都喜欢真实却具有欺骗性的科学概念，这样他们就可以把它们与自己的江湖骗术搅和在一起进行推销了。就像是“量子”这个词语刚刚出现的时候，显得富含科学上的神秘气息，于是“量子愈合”这个词应运而生。听起来就像是运用灵气进行高深莫测的治疗。不过让我们面对现实吧，已经有许多这种愚蠢的短语跟风而出了。这个基础物理学中的词汇扩散到了从洗衣粉到思维方式等各个领域。获得类似待遇的科学术语还包括“神经”和“纳米”。“神经营销”“神经创业”“神经政治”等事物都只是假借那一点科学之光的噱头。鉴于这些使用所谓的科学术语进行夸张宣传和不遗余力吹捧的江湖骗术，我们可以预见，表观遗传学可能会被包装成下一个量子学说。并被声称可以用于各种疾病的治疗，就好像它有魔法一样。实际上，它只是另一个生物学的领域罢了。

在荷兰进行的可怕的纳粹实验产生了一个前所未有的饥饿人群数据库。这些忍受饥荒的人的生活一直被关注和研究，纳粹德国的残酷迫害导致他们出现的健康问题，提供了营养不良会产生怎样后果的关键信息。然而，意想不到的是，有一些后果居然延续到了他们的孩子身上。在那个饥荒的寒冬出生的人，如今都已经 70 多岁了，他们之中许多人的孩子也已经是成年人了。幸存者出现许多健康问题是意料之中的，然而他们的后代也是如此，就令人震惊了。在哺乳动物中，表观遗传的修饰倾向于在每一代重置，但是一些罕见的表观遗传标签似乎可以从父母传给孩子，至少往后传递好几代。我们在小鼠中看到过少数这类现象，在人类中这种情况更少。在小鼠中，恐惧或压力等学习到的行为可以通过表观遗传机制传递给它们的子代，然后传给子代的子代，再继续传递下去。这意味着，从目前来看，某些基因的DNA甲基化发生在母亲身上之后，不会像我们预计的那样在后代身上重置，而是会在怀孕时传递下去。

饥荒之冬出生的孩子的后代，不会比一般孩子更加瘦小，也不会拥有更高的患心血管疾病的概率，然而，他们更加肥胖，也就是说，新生儿肥胖率更高。而且在他们生命的后期，患有糖尿病和其他健康问题的风险也有所增加。这是第一次在人类身上观察到这种现象，也就是说，母亲的遭遇不仅会影响孩子，还有可能影响孩子的孩子。

其他地区的人口中也有一些类似的现象发生，不过很少。瑞典上卡利克斯（Överkalix）农村地区的人口是一个经常被引用的案例。过去一个世纪以来，这个地区的农作物收成情况变化剧烈。如果祖父在青春期前遭遇了农作物收成差的时节，孙子的寿命就会显著上升：他们的祖父因遭受饥饿而获得了一些东西，并且把它们传给了后代。英国布里斯托尔的科学家利用巨大的数据库，进行了一项名为“埃文河纵向研究”（Avon Longitudinal Study）的类似研究。它可谓是跨代研究的典范，其中发现，比起青春期之后才吸烟的男性，青春期之前就开始吸烟的男性的孩子会胖很多。

显然，他们也获得了一些东西并遗传给了后代。

这些结果是复杂而令人费解的，其中的关联可能比较细微，需要更多的研究和探索。不幸的是，科学话题很容易与潮流相关联，许多科学家对此都非常感兴趣，但令他们焦虑的是，对于跨代的表观遗传学的研究并不充分，无法证明那些流行的大众观点。那些用啮齿动物进行的实验研究，以及在荷兰和瑞典饥荒中观察到的细微的跨代遗传效应，看起来都是那么的迷人而令人困惑。

人们对这些发现感到兴奋的原因之一是，在达尔文之后，我们否认了可以通过后天途径获得进化的生理特征这一想法。让－巴蒂斯特·拉马克（Jean-Baptiste Lamarck）就是这种观念的领头人，这种学说直到今天都以他的名字为名。他的观点是：使用率高的性状传给下一代的概率会更高，相应地，使用率低的性状传给下一代的概率会降低。尽管这种想法经常被学界嘲笑，但实际上，拉马克是一位了不起的科学家，为 18 世纪和 19 世纪生命科学的发展提供了许多伟大的思路。不过，正如许多伟大的生物学家也经常会犯错一样，拉马克这种后天性状可以遗传的观点是错误的。达尔文的进化论支持的是盲目机制的自然选择，它后来渐渐取代了拉马克的理论，但这也只是发生在达尔文逝世、后人对他的想法进行了仔细研究以后。事实上，达尔文本人曾经有力地支持拉马克先生的观点。他在 1868 年提出了一个假设，即植物中的非性别细胞可以产生“泛子”（gemmules），它们会收集环境信息，并聚集到生殖细胞中，因此，植物的后代就能体现出前一代对环境的适应。奥古斯特·韦斯曼（August Weissman）在一次实验中验证了一个类似的想法，他试验了5代小白鼠，共68只，剪断了它们的尾巴。后来出生的901只幼崽中，没有一只是没有尾巴的。他测试的并不是“用进废退”说的正确与否，不过也叩问了后代是否会继承前一代后天获得的特性。当然了，正如遗传学家史蒂夫·琼斯（Steve Jones）所指出的那样，犹太人进行这样的实验已经几千年了，他们习惯于行割礼，然而到目前为止，没有一个男孩出生时是没有包皮的。拉马克的假说是错误的。在孕育后代之前，父母双方的基因已然固定，导致物种进行的DNA变化在怀孕的时候就已经决定了。

在对小鼠、大鼠和极少数人类进行跨代研究之后，乍看之下，我们得出的结论似乎与进化论的核心相矛盾。真的是这样吗？也许不是。如果这些变化是永久性的，那么我们确实正面临着难题。但鉴于在老鼠的实验中，施加给它们的变化最多只能持续几代，再到后面就失效了，所以这种作用效果虽然有趣，但并不是革命性的。我们还不知道荷兰的饥荒会给人类造成什么样的永久影响，因为我们还没有活那么久的时间。创造论者（和其他不相信事实的人）会引用表观遗传学的理论，声称达尔文的进化论是错误的，跨代的表观遗传学研究证实的是拉马克的进化论。然而事实并非如此，因为这种变化不是永久的，也不会改变DNA序列本身，而自然选择却会。即使是我们观察到的几个遗传的表观变化，也都不太容易预测，更不用说精确预测。如果上卡利克斯的居民的祖父生活在饥荒年代，那么他们的寿命会更长。但是，饥荒年代幸存的妇女的子孙们，预期寿命反而比较短。所以结论是什么？没有结论。我们需要更多地去研究这个问题，即使有一天，我们确实发现了表观遗传标记，它可以永久地遗传下去，并且发挥选择作用，那么它在进化的海洋中，也只是小小的一个水滴而已。如果你能给我展现一个有力的这类案例，那我可以向你展示几十亿个符合达尔文进化学说的例证。

新时代的意见领袖和易受欺骗的记者们将表观遗传学作为改变我们人生的途径之一。他们错误地以为基因即命运，例如认为冥想等生活方式的选择带来的表观遗传变化“可以让我们最大限度地改变自己的命运”。这句话来自著名的意见领袖迪帕克·乔普拉（Deepak Chopra）。

我认为这真的取决于你所谓的“命运”是什么意思。如果你命中注定要消化你吃下去的午餐，那么完全没错，表观遗传学会发挥关键的作用。如果你注定今天晚上要去睡觉，你的表观遗传标记也会做出相应的改变。在你的生活中还会有其他不那么重要的表观遗传修饰。甲基化标记可以影响涉及癌症的基因，并且人们确实正试图开发逆转表观遗传标记的药物，以重新激活沉默的基因。所有这些都是生物学的重要组成部分，在未来几年应该得到合理适当的科学研究。至于少数涉及跨代影响的研究，我们可以拭目以待，看看这些效果是否是真实的，能持续遗传多少代。与此同时，让我们正视表观遗传学：这是生物学的一个重要而迷人的组成部分，目前还处于起步阶段，值得我们认真深入地去研究。它不是全新的理论，不是魔法，更不是邪教；它不会颠覆达尔文的进化论，也不会给你的人生和命运带来超自然的力量。我们会永无休止地探寻表观遗传学，从而揭开关于人类的未解之谜。新技术的出现会让我们更好地理解更多的表观遗传效应。这个新兴领域令人兴奋，而这些工作需要脚踏实地。此外，在我们静待这些奥秘揭开面纱的同时也要谨记：科学永远不欢迎神秘主义的思想。

第7章

对于人类未来的简单介绍

"你好，我的朋友！我们都对未来充满兴趣，因为你我都将在未来度过余生中的每一天！并且请记住，我的朋友，未来的这些事情，都会在未来的生活中影响到你。"

——惊人的克里斯韦尔，《外星第9号计划》(1959年)

一个电视制作人曾邀请我共进午餐，他问了我一个非常重要的问题："人类什么时候能够进化出飞行的能力？"一个新的超级英雄系列片即将在电视上播出，片中角色的DNA发生突变，给他们提供了漫画书中才会见到的不可思议的力量，如飞行、心灵遥感、时间旅行、心理控制等，就像是漫威系列中发生突变的X战警，但显然又绝不是漫威的X战警。制片人对可能与这些片子产生关联的科研计划很感兴趣，诸如验证人类拥有超能力是否具有科学性，以及世界上的人类是否有可能进化出此类超能力。

我很快就回答了他：我确实有这种计划。我喜欢漫画，并且到今天还一直在读，并且在过去的 30 年中，我花费了（或者说浪费了）大量的空闲时间来考虑超能力出现的可能性。但答案并不存在于奇怪的故事或惊人的幻想中。所以，我发表了一个伟大的虚张声势的演讲，来举例说明我们如何进化出富有巨大创意能力的大脑，能够规划和预测未来，能够进行发明创造，这有助于我们从许多自然选择的历史枷锁中解脱出来。我们通过发明烹饪，使食欲变得具体化，所以我们再也不必消化一整块难嚼的分子，因为它们已经通过我们独有的可控元素——火，部分分解了。我们通过狩猎和采集，通过驯养各种野兽、种植各种植物，从游牧生活的方方面面中解脱了出来。这也改变了我们的文化、技术，甚至是我们的基因（如第 2 章中所讨论的）。我们已经彻底消灭了不时使古人类出现大面积死亡的一些疾病，如瘟疫、某些恶性传染病、癌症、天花等。天花曾经每一年都导致数十万人死亡。自 20 世纪 80 年代以来，由于可以接种疫苗，天花病例不再出现了。脊髓灰质炎看起来很快就会成为只有历史学家才感兴趣的疾病。由于发明和科学以及在我们的进化轨迹中产生的技术，这些进化压力已经发生了彻底的改变。

“我们还要多久才能飞？我们一直在飞啊！”我慷慨激昂地抒发着我的情感。我们发明了飞机和直升机飞上天空，发明了火箭探索空间，甚至滑板和喷气式飞机也就是不久前出现的。我们已经能在月球上行走，很快，地球的子女又将登上另一颗星球，就像氪星之子卡－艾尔（也就是我们熟悉的超人）来到地球上一样。

“我们已经是超人了”。

他看起来很高兴，而且很受触动。然后说：“也就是说，你觉得我们将会在未来几个世纪里进化出飞行的能力？”

我吃完了我的比萨，道谢后离开了。人的肢体确实断断续续地发生过进化。所有动物的基本身体构造大致上是相似的，暗示了一个共同的进化起源。指示“一条腿应该在这里”的基因，在长着腿的所有物种中大致相同，这意味着它们拥有联系紧密的进化起源。这些被称为Hox基因，指定身体某些部分应该长在哪里，而且正是它们的突变、复制和增殖决定着几乎所有生物的机体变异。昆虫通常有6条腿，蜘蛛有8条腿，而千足虫之类的爬行动物就有许多条腿了。但是，Hox基因仅仅是由标准的、让昆虫长出6条腿的基因（存在于大多数小型节肢动物身上）复制出来的。

蝙蝠的翅膀和鸟的翅膀在功能上是一样的，但却是通过不同的进化路径得到的。我们称这种现象为“趋同”。1亿年前，一些恐龙的前臂已经将功能提升到能使它们滑翔的程度了，而且它们的骨骼更轻并且中空。恐龙在具有飞行能力之前很久就有羽毛了，包括强大的霸王龙，甚至更大、更可怕，却又反常地长着绒毛的肉食类恐龙，但数百万年后，羽毛将使恐龙获得升到空中，甚至直接飞起来的能力。哺乳动物更早的时候就从恐龙的时代分支出来了，形成如今1,240种蝙蝠的小型啮齿类动物已经出现了，但它们还要再经过几千万年才能进化出飞行能力，而且它们从未曾有过羽毛。它们在结构上是相似的，但又是不同的；它们都是前肢发生了适应性变化，这意味着它们共同的根源不在于飞行，而在于四肢的起源。动物的四肢是同源的：骨骼显示出类似的功能，可以伸展并弯曲成不同的形态。在提供上升力，在飞行中振翅和滑翔时，鸟类和蝙蝠的翅膀，用进化生物学的术语来说，不是同源的，但却是类似的，实际上就等同于它们与昆虫翅膀或机翼之间的对比。虽然鸟类和蝙蝠的翅膀与昆虫的翅膀功能相似，但有一点不同，即前两者的翅膀中有类似的骨骼，就像是海豚的鳍和马蹄二者也有相似的组成部分，这再一次证明了四足动物的腿是同源的。所以，如果我们的前肢进化成翅膀，那么我们将失去手和手臂，或者长出一整套新的前肢。这个进化选项对于人来说没有那么迫切的需求。更重要的是，我们没有让自己长出翅膀的基因，除非我们在子宫中遇到怪诞的事，极其迫切地要求我们的手臂变化成翅膀。但这不可能也不会发生。

蝙蝠和鸟类历经数千代不断筛选出对它们有利的基因，这些基因带来的微小改进一代代累积，使它们获得了飞行的能力。正因为四肢在进化的宏伟计划中是如此的古老，我猜想，如果我们在它们的进化中加入一些幻想，比如，一个未出生的人可能出现了某种基因变异，可以被刺激长出一对额外的肢体。那么这个孩子将成功地复制并把这种变异传递给后代，数代之后，那些发生变异的基因就会传遍整个人类族群，每一次传递中，都会选出能够使人长出更大、更像翅膀的肢体的基因。我想，这个过程要持续数十代，甚至数百代。翅膀只是为推动一些基因进入后代身体中提供最佳机会的媒介。在鸟类中，一旦翅膀停止提供上升力了，就会慢慢退化，就像在我们现在看到的不会飞的鸟，如鸸鹋、鸮鹉、几维鸟身上发生的情况。昆虫在进化的过程中对它们所携带的基因进行优劣比较，从而（通过选择有利的基因）获得了看上去灵巧的翅膀而抛弃了用处不大的。它们需要逃避捕食者，需要获取食物，或者在求偶时向雌性炫耀——这些都是它们发生进化的非常标准的原因。这个过程中需要花费的时间是我们难以想象的。所以在进行假想的时候，也只能是基于形态学上令人信服的可能性，就比如说，一个男孩意外被一只放射性蜘蛛咬了一口，然后就获得了用手腕编织蛛网的能力。[1]

但是，暂且不论为何获得翅膀这种身体变化不可能发生，以及长出足够强大以至于能够独立摆脱重力束缚的肢体会提出巨大的新陈代谢需求，我们永远不会进化出翅膀的真正原因就是我告诉那位制片人的原因。我们一直在飞行，因此我们不需要进化出飞行的能力。并没有一个生态位需要想象中的人物来填补。如果通过某种令人难以理解的、挑战现实的突变，一个拥有飞行这种新型能力的孩子出生了，他相比我们这些俗世庸人拥有的优势也可以忽略不计，而且他的怪异特质很可能会使得他无法找到性伴侣。

这不是进化发生的方式。这是从漫画书、科幻小说和创造论中才会出现的极端简化的进化方式。我们可以看到，我们和所有物种的所有奇妙的适应能力，都是为了达成某个目的而产生的。我们通过对适应性的观察就能轻易地发现，所有的事物都是为了更好地服务于另一些事物而变成现在的样子。我们没有特别突出的鼻子，以便于眼镜在鼻梁上保持平衡，就像伏尔泰书中的潘格洛斯博士所说的那样，这是由于历史、时间、运气和性等因素共同

---

[1] 在最早版本的《蜘蛛侠》(《惊奇幻想》第 15 期，1962 年)中，彼得·帕克（Peter Parker）是一名少年科学天才，发明了可以用手腕编织蛛网的装置。漫画书超级英雄每过几年会重新升级一次，直到 2002 年的《蜘蛛侠》电影中，蜘蛛侠才获得了从自身机体产生白色蛛丝的能力——是对十几岁的男孩可以喷射出白色黏稠液体的一个隐喻。

作用的结果。鼻子，确实还有嗅觉，出现的时间比人类早了几亿年，所以我们背负着祖先留下的重担；亿万年来，通过自然变异，为了适合它们的用途及我们整个脸形的改变，为了让我们看起来更具吸引力，我们鼻子的形状发生了改变。我们鼻子的形状确实是由基因决定的，一个族群中不同等位基因的变化频率，即是衡量进化的标准。鼻子的形状或许是个糟糕的例子，因为我相信无论是有着大鼻子还是小鼻子的人，都能生育后代（至少据我所知，目前为止还没有关于鼻子大小和生殖能力相关性的研究）。那些能够削弱或增强我们的生殖能力，或影响相关健康问题的等位基因，的确是关系到我们整个物种进化的微妙话题。“我们还在进化吗？”是遗传学家被问到最多的问题。答案是：是的。

我们的基因组是进化发生的地方。随着时间的推移，我们的 DNA 在每一代中都会发生变化。这些变化大多数是微妙的，很多是不重要的，而有些是非常有意思的。我们人类能看到 3 种颜色。在我们眼睛的后部有光感受器，也就是一组高度专业化的细胞，其目的是逐个捕获海量进入我们瞳孔的光子。有两种通常被称为视杆细胞和视锥细胞：视杆细胞会调整以获取运动中和低光照条件下的景象，它们分布在视网膜的边缘（这就是为什么我们能用余光瞥见模糊的运动物体）；视锥细胞分布在眼睛的前部，这就是为什么在你眼前的位置拥有最敏锐的色觉，比如当你用手握住什么东西远远地在身侧挥动，你可以察觉到有东西在运动，但是看不出它的颜色。一共有三种类型的视锥细胞，每一种都适应某种特定波长的光，这决定了我们看到的颜色，宽泛地说是短波、中波和长波，大致上对应蓝色、绿色和红色，但是在它们的波长范围内会有重叠，并且不同人看到的颜色会有细微的差别。这些视锥细胞之间的任意差异都可以归因于一种单一蛋白质，即视蛋白。光子通过透明的角膜，然后通过晶状体中的无核细胞，再通过胶状的房水和玻璃体，通过3层脑细胞、神经和血管，到达眼睛的正后方，视蛋白就位于这里的视锥细胞的尖顶处。[1]在那里，它们被视蛋白分子捕捉，使得视蛋白分子自动对自身形状做出细微调整，分子在扭动时触发了电脉冲，电脉冲在光感受器的另一端发射出来并穿过数层神经细胞——这些神经细胞的神经纤维集中地接入视神经，接入大脑的视觉皮层，你就是这样看到东西的。

许多哺乳动物只有两个视锥细胞，所以它们看到的颜色不如我们看到的鲜艳。大多数旧大陆猴和猿类有3个视锥细胞。猫有更多的视杆细胞，所以它们在黑暗中的视力比我们要好得多，但它们不能看到更多颜色。螳螂虾家族中的某些种类至少有16个视锥细胞，能精准地辨识红色、蓝色、绿色，还有偏振光、紫外线，以及许多我们看不见的、只能出现在梦里的光。

让我们（和许多虾类）能够看到3种颜色的突变，最初不是因为某一个碱基发生变化，进而导致整个基因组的构造发生变化，

[1] 眼睛的设计是非常奇怪的，在到达有实际发挥作用、捕捉光线的感光细胞的实际位置之前，还有好几层层叠的结构。这就像是你用麦克风接线的那一端对准你想要录音的人，让他对着线说话一样。但是，讽刺的是，进化是盲目的，什么是有效，什么是精确的，无所谓，至少只要确实有效就行了。墨西哥的洞穴鱼在进化中淘汰了它们的眼睛，因为在它们生活的环境中——像黑夜一样，眼睛根本没有用处。翻转我们的后视网膜将是一个巨大的遗传学任务，就像是让我们长出翅膀，是不可能发生的，或许永远也不会发生，虽然章鱼和鱿鱼的视网膜确实以一种更合理的方式分布。当然，眼睛经常是创造主义者选择的武器：他们在事实和罔顾事实之间进行冗长乏味的斗争时，可以不停地转动眼睛。“眼睛，”他们抱怨道，“太复杂、太完美了，不可能是靠运气进化成这样的。”章鱼可能会同意这个观点，但是考虑一下这些情况：白内障、近视、斜视、小眼畸形、虹膜缺损、远视、视网膜脱离、青光眼、色盲等数十种“设计缺陷”，这些也许是缺乏远见的设计导致的，或者说“设计师”本身就很糟糕。

而是一些整段的 DNA 在大量复制的过程中产生了错误。颜色由我们看到的光的波长决定，短波视蛋白的基因位于 7 号染色体上，而中波和长波视蛋白基因位于 X 染色体上。这就是为什么男性比女性更容易出现色盲：对于女性而言，如果一条 X 染色体上出现错误的视蛋白，也可以由另一条 X 染色体上的视蛋白进行修正；男性却没有这样的保险机制。在我们灵长类动物进化中的某个时候，X 染色体上的一个视蛋白复制为两个，使得其中一个可以自由变异而整体不至于丧失功能，因此我们轻松地获得了新的色彩敏感度。所有这一切都发生在数千万年前，远远早于人类出现的时间，但是有一些类似的事情现在也可能在我们之中发生——事实上，是发生在我们中一半人的身上。一些女性可能能看到 4 种颜色。通过另一种随机复制，她们已经在其中一条 X 染色体上获得了第四个视蛋白。估计有八分之一的女性拥有这种额外的基因变异，但这第四个视蛋白是否会带来辨识 4 种颜色的能力，还未可知。我们看到的单色在拥有这种辨色能力的人看来，可能就是彩色。这是一个新的研究领域，但是这种状况似乎很少见，很少被考虑到。有一些女性已经被纳入研究，她们似乎能比普通的三色辨识者更清楚地看出颜色的差异。我们通常用石原氏测试法进行红绿色盲测试，测试中会展示一个圆形，内含多种颜色的小一些的圆形。在（对色觉正常者而言）最显眼的地方有一个数字，但是因为这个数字是通过阴影效果的设计凸现出来的，所以对于色盲患者是不可辨别的。四色辨识测试是基于辨别绿色调的能力设计的，我们一般只能看到橄榄色。

为什么我们会进化出辨别 3 种颜色的能力，相关理论广泛而多样。许多研究者认为，拥有从繁茂的绿色树冠中一下子发现红色浆果的能力，对于我们在树木之间来回摇摆、搜寻食物的类人猿祖先而言，是一项巨大的优势。

拥有区分 4 种颜色的能力到底有什么优势，至今仍是个谜。虽然许多动物超过我们，能分辨不止 3 种颜色，但人类中拥有四色辨识力的个体却是最近才随机产生的——偶然性成分大于时间的积累，但这不太可能是基因的一个负面的突变选择，因为它不会引发任何表现型的问题。这只是我们拥有无限进化可能的又一个例子。它不太可能传播广泛，但是谁又知道呢？ 5,000 年后再问我一次吧。

这仅仅是产生了鲜明效果的一个突变的例子。大多数突变都不会产生如此有趣的效果。 DNA 的复制并不完美，我们的细胞中有大量的纠错机制。但如果出现突变，大多数是单一基因的变化，偶尔会有小段的 DNA 发生变化。没有突变，进化就不会发生，因为如果没有变化，自然选择的机制也不会生效。从进化的角度来看，追求完美的过程是乏味而不切实际的，离经叛道是至关重要的，至少在基因编码方面应该如此。DNA 复制的过程需要一些不完美。通过偶然的机会，你已经获得了至少 100 个突变，而且这些突变是你独有的。如果你有孩子，你可以把它们再传给他们，他们自己也会获得很多属于自己的突变。只要人类继续发生性行为，那么就会导致越来越多的人类出生，而我们的物种就将继续进化。我们无法避免进化，就像我们无法改变天气一样。

当然，我们已经极大地改变了天气。我们在这片土地上已经耕种了 1 万年的时间，我们猎杀动物，导致其中一些灭绝。我们在地球上出现后，已经改变了它的地貌和动植物分布。历史上发生了多次气候变化，而我们都适应了。曾经，冰河期来来去去，但现如今，由于我们在地球上的活动，冰河期不会再回来了。通过现代农业实践，以及不到 3 个世纪的持续的工业革命，我们已经使地球明显变暖。在那段时间里，我们超乎想象地变得更加健康。世界各地人口的预期寿命都延长了，事实上在英国，如果以地铁站为标识进行测量，从伦敦市中心一直向东，到相对穷困的郊区，人们的预期寿命呈缩减之势。但是，如果把世界上所有人都考虑在内，预期寿命还是延长了。我们拥有孩子的数量比历史上任何时期都要少，但成活率却提高了。在大多数文化中，我们都可以和自己的意中人结婚。所有这些事情可能都代表着我们已经从自然选择的束缚中解脱出来了。我们可以自由选择自己的伴侣（包括在越来越多的文化中，同性也可以结为伴侣），何时要孩子，以及是否要孩子。

在最近的过去，农业改变了我们的饮食，改变了我们消化食物的基因，改变了我们所喝的牛奶，改变了我们迁往的北部村落。我们砍光了森林，导致了积水及其滋生的蚊子，为做出应对，我们也发生了进化，导致镰刀形细胞的基因为其携带者提供了防御疟疾的保护。基因组学开启的新世界为人类提供了一个巨大的数据库，我们可以通过这个数据库有效地对所有的人类进行比较，以了解我们 DNA 的进化率和我们的整个 DNA，而不仅仅是研究突然出现并且已经赋予我们新力量或新性状的个体基因。我们使用参照基因组和各种变异的数据库，包括常见的和罕见的。2013 年，乔什 · 阿基及其在西雅图华盛顿大学的同事比较了 6,500 个人的基因组，只是为了研究单核苷酸多态性的个体差异。他们扫描了 1.5 万个基因，发现了 115 万个单核苷酸多态性。他们应用了 6 种不同的测试方法来衡量这些等位基因中的每一种何时在历史上出现，同时把我们作为一个物种，自开始农耕以来数量已经增加了 1,000 倍以上的事实考虑在内。在这些差异中，有四分之三是在过去 5,000 年中出现的。我们还在不断进化吗？答案是毋庸置疑的：我们不是由多次基因突变而形成的物种，而是一个不断发生基因突变的物种。

我们的 DNA 发生的这些单一变化中，大约有 164,688 个可能不是好消息。它们是导致蛋白质发生轻微变化的 DNA 变异，但可能使蛋白质效率降低或带来更坏的结果——功能障碍。根据阿基的数据，这些单一变化中的 86% 也是在过去 5,000 年中出现的。我们确实在进化，但同时我们也在不断遇到新的遗传问题。

这可能也是不足为奇的，考虑到我们都是从非洲缓慢迁徙到全球范围的。大概 8 万年前，大约只有几千人迈出了关键的一步，成为现在世界上其他地区人类的祖先。他们走出去了并且不断繁衍。5,000 年前，世界上一共有 500 万人左右。到了 2025 年，我们估计全球人口会达到 90 亿。他们向地球的各个方向蔓延，进入欧洲、亚洲，跨过白令陆桥，一路穿越美洲，向东到达中国，向南到达印度和大洋洲。

这些移民所到之处，都会留下他们的遗传痕迹。我们已经看到农耕文化如何改变了我们的基因组，我们也看到疾病的出现如何以另一种方式使其发生变化。文化塑造了我们不断变化的基因。今天，如果你去印度的海得拉巴做选择性外科手术，那么你会被问到的第一个问题是："你是吠舍（印度封建制度中的第三等级，即一般平民）吗？

吠舍是印度的四大古老等级之一，被称为"商人种姓"，是与婆罗门宗教种姓或贱民相对的。关于社会等级的问题赫然印在海得拉巴医院同意书的顶部。有些人认为这个问题表明了潜在的社会偏见，但这是很具有印度地方特色的。事实上，这是一个根植于印度基因组进化的聪明问题。20 世纪 80 年代，外科医生开始注意到，一些被注射麻醉剂的患者，在药效过了好几个小时以后仍然处于无意识的状态。典型的全身麻醉剂是一种药剂的混合物，注射入体内可以召唤出睡眠精灵让人昏迷不醒。通过观察药物作用消失的过程，医生确定了原因：一种称为琥珀酰胆碱的功效短暂的肌肉松弛剂。琥珀酰胆碱被用来抑制肺部的肌肉组织的闭合，方便医生插入呼吸管，以维持病人在被麻醉以后的呼吸。在某些情况下，其效果会持续数小时，而不是正常的几分钟。这对于健康没有严重的影响，只是使得人工通气时间延长很多，并且病人在小手术后会出现反常的长时间睡眠。仔细检查后，他们发现这只发生在吠舍身上。通过研究他们的基因组[1]，我们了解到一种单一变化——编码丁酰胆碱酯酶的基因上的一个碱基发生了改变，而这种酶通常有助于减少血液中与麻醉剂相似的分子。

[1] 印度人基因组调查始于 2009 年，从全国各地抽样调查，从偏远的村庄到大城市。它揭示出，尽管当代的人口群体构成有着难以置信的多样性，但只源自于两个不同的古代族群。其中一个来自北方，是欧洲人和中东人的远房亲戚，他们首先向北走出非洲。其中的南方族群和北方族群的差异，与其和中国人的差异一样大。这些区别现在是不可见的：这两个群族的基因都不可避免地被重新洗牌了。几乎所有被采样的印度人都显示了这两个祖先族群的混合特征，但是各自所占的比例不同。这些基因组显示出印度的遗传多样性比欧洲人要高出 4 倍：不同群体的印度人之间的差异，比苏格兰人和德国人之间的差异更大。

进一步检查结果证明，波斯犹太人和因纽特人也容易出现同样的假性胆碱酯酶缺失，不过是另一种不同的突变导致的。据海得拉巴的印度遗传学家说，这种突变发生在大约1,000年前的一名未知者身上，并且通过同族通婚在其所在的群体中永久地保留了下来。犬舍的数量超过2,000万，所以大规模近亲繁殖似乎不太可能使这种变异在一个如此庞大的群体中保留下来——虽然吠舍这个阶级也不至于严密到完全阻止其成员渗透到其他群体。还有人则推测，这种特定的等位基因可能在未知的条件下赋予了携带者更多的优势，就类似于镰状细胞的杂合性可以预防疟疾。吠舍和因纽特人都有着容易导致发胖的饮食习惯，食物来源分别是酥油和鲸脂；因此，这两个人群中经常出现肥胖的人，也许这种变异具有代谢大量饱和脂肪酸的作用。围绕丁酰胆碱酯酶基因选择的追溯至今没有显示出任何选择的迹象，也没有证据表明它已经与相邻基因一起发挥作用，为其携带者提供某种优势。然而，这个突变基因可能几个世纪来都没有发挥作用，只是一个无关紧要的等位基因上的典型的单核苷酸多态性。随着的近代医学的到来，这种自然变异突然变得有趣。现在，吠舍使用的麻醉剂是针对他们的基因组专门订制的，是由一个民族文化塑造的进化。那个等位基因仅仅是一直存在着，但是在它存在的若干年中，并不产生什么影响。虽然现在它对于药物代谢有显著影响，但好在它不是致命的，也不会降低生殖能力，所以不会承受选择压力。

种姓是一个奇怪的进化实验。这是一个非常复杂的社会等级制度，主要是阻止来自不同社会阶层的个体进行通婚。虽然现代社会尝试打破种族的藩篱，但是印度的大部分婚姻依然是按照这种规则安排的，即便在大都市的中心，这种阶级制度正在放松。尽管如此，报纸上的个人交友广告上写的“最好面谈”和“富有幽默感”等描述，仍然被种姓制度过滤掉了。这意味着基因和基因组已经而且还将继续在不同的社会分层中大体保持原状。而在英国，在历史的发展中，社会结构已经变得模糊，不同社会群体之间的通婚越来越常见，传统的上层阶级和下层阶级成员之间结合，诸如查泰莱夫人和她出身卑微的情人之间充满热情的故事，不断上演着。上层集团的家族出现了起伏和重构。在印度，基于种姓的社会限制严格地要求同族通婚。有一段时间，人们怀疑是在英国殖民统治期间，种姓制度在印度变得根深蒂固——英国强制执行并鼓励先前就已存在的，但还不那么正式的种姓制度，作为社会控制手段。使用基因组学，我们可以估计一个社会公约对于印度人基因组的哪些方面产生了影响。 2013 年对基因组的研究显示，至少在 1,900 年以前，种姓制度下的等位基因通过同族通婚开始分化，这一日期与从历史角度提出的模糊的时间界线不同，而要精确得多。DNA 表明研究，早在殖民者到来之前，种姓制度就已经在印度盛行了好几个世纪。

基因组的进化是明确的。我们通过文化和技术来塑造它，我们还曾通过主动脱离自己的非洲根源，以及随后的爆炸性的人口增长来塑造它。它继续改变着每一代人。问题不是“我们还在进化吗？”而是“我们在未来还会经历自然选择吗？”

这是一个更难回答的问题。其真正的难点在于“自然”这个词。在任何意义之中，我们生活中的任何东西都不能被认为是“自然的”。我们改变了我们生活了数万年的世界中任何一个可以想到的方面，并且在控制（或至少是试图控制）我们已经深刻改变的环境时，伴随着这个操控力，进化将会固执地选择出我们之间的差异性。食物和性是让我们的基因延续下去的两个关键因素，但是现在我们可以吃任何想吃的东西，并且我们所有的食物几乎都是通过古老的遗传工程，也就是我们所知的农耕发明出来的。我们可以过自由的性生活，却几乎不以繁殖后代为目的。卫生设施、住房、医药、财富都有了保障，使我们免受历史上曾使人口锐减的生存压力之苦，免于受到自然选择的影响。大多数妇女现在都能活到生育年龄，而且她们确实会生孩子。总的来说，我们现在想要多少孩子就生多少孩子，而不是像以前那样尽可能地多生孩子，尽最大可能使我们的基因在生存威胁和时间考验中留存下来。在 19 世纪，一名英国的女性平均有 5.5 个孩子，但到第一次世界大战结束时，这个数字降到了 2.4 个。

评估我们不间断的进化是否正在经历某种形式的选择的两个关键因素是：新生儿的死亡率和妇女生育孩子的数量。斯堪的纳维亚半岛是我们获取最多数据的区域，在 18 世纪末的瑞典，婴儿死亡率徘徊在三分之一左右，今天这个数字是千分之三。这种差异是人类与进化的关系不断变化的一部分。这意味着我们发明了一些应对严酷的自然的方式，意味着通过自然选择实现进化的进程会大大放缓，虽然并不会停止。儿童死亡数字是进化发生的驱动力，因为他们的基因不会再传递下去，而幸存的等位基因更有可能通过繁衍传递给后代，进而传播到整个人口中。通过大大改善医疗和公共卫生条件以及避孕措施减少儿童死亡数字，使得自然选择对人类的影响力减弱了。

潜在的平衡来自选择。随着女性寿命的增加，她们拥有生育能力的时段延长了，但是她们生儿育女的时间发生了变化，并且这种变化会持续下去。只要女性生育孩子的数量是可变的，以及成活的孩子的数量是可变的，自然选择就仍有发挥作用的可能性。这些只是最近才被提出的问题，相关数据尚未收集充分。婴儿死亡率在不同历史时期变化非常大，虽然总体而言呈下降趋势，但在世界各地的情况也不尽相同。在富裕国家，儿童死亡这一状况得到了极大的改善，从上个世纪的准确数据即可看出。据联合国的报告，许多富裕国家（新加坡、日本、整个斯堪的纳维亚半岛、欧洲大部分地区）的婴儿死亡率大约为千分之二或千分之三，是根据出生后存活时间不超过 1 年的婴儿的数量计算出来的。每 1,000 名新生儿的死亡数字，英国是 4.19，美国是 5.97。排名最靠后的 10 个国家都在非洲，这个数字为 70~90。在 1950 年，斯堪的纳维亚地区的婴儿死亡率也是最低的，但那时在瑞典、挪威和冰岛，每 1,000 名新生儿中大约出现 20 例死亡。当时的 10 个新生儿死亡率最高的国家中，只有 6 个非洲国家，数字大约是四分之一。

这些不平等使得要绘出我们物种进化的全球图景是一件不太可能的事情。我们的分布太广泛了，各个地区之间的差异太大了。收集婴儿死亡率的数字十分关键，但是当我们去探寻真正感兴趣的 DNA 片段变化频率时，就没有足够的数据了。仅仅在过去几十年中，我们才有远见（和资金）科学地研究几千年来的家族树产生了何种影响——以时间为线索一代代对人类进行追溯。对美丽的马萨诸塞州弗雷明汉镇人口的长期研究始于 1948 年，最初只是收集有关心脏健康的数据。但是多年来对超过 1.4 万人的研究形成了一笔潜在的巨大财富，医生和科学家们在对这个小镇进行观察的50年间，已经发表了1,000多篇论文。他们发现妇女生育孩子的数量一直在波动，这与文化有关。在20世纪50年代和60年代，当我们不太关注吸烟、运动和高脂食物时，弗雷明汉妇女所生育孩子的数量比90年代要少。要使进化能够继续，性状必须是可遗传的。虽然吸烟和高胆固醇水平具有可遗传的成分，但并不是这种可能发生的进化的潜在动力。简单地说，通过更加健康的生活方式，弗雷明汉的妇女们有了更多的孩子，从而将更多的基因传递下去。一开始，平均而言，她们早早生一个孩子，然后就不再生育了；到了后来，平均而言，她们会多生一个孩子。他们还发现，平均来说，略微丰满和个子较小的妇女会有更多的孩子。如果这个趋势继续下去，不受当地文化环境的中任何改变的影响，到了2400年，弗雷明汉的妇女平均将会变矮1英尺，体重增加2磅。从更广的范围来看，这种缓慢的人口转变对于进化来说更具有代表性，但并不完全是革命性的，可能会因为环境因素的突然改变而完全消失——学校用餐政策发生变化，或者像工厂关闭之类微不足道的事，以及小镇人口的迁出。人类性状的进化从来不是抛开环境因素孤立出现的。

芬兰人最近最大限度地深入审视了自己的进化之路。2015年，科学家汇编了跨度大约为300年、历经15代人的家族谱系记录的数据——大约涉及1万人。3个世纪见证了从农耕文化和捕鱼文化向工业化国家的转变，以及这些革命所带来的所有文化习俗的变化。18世纪时芬兰人的数量只有45万，刚从败给东部俄国人和西部瑞典人的战争浩劫中恢复过来。俄国人反复侵犯他们的领土，瑞典人也一样。断续的和平与繁荣使得 19 世纪芬兰的人口翻了一番，到 2010 年时则超过了 500 万。他们的出生率从 19 世纪中叶的平均每个家庭生育 5 个孩子下降到了今天的平均每个家庭生育 1.6 个孩子，但是存活率的提高弥补了出生率的下降。19 世纪，三分之二的芬兰婴儿出生于 60 年代，但到第二次世界大战时，这个比例超过了 94%。

伊丽莎白 · 博隆德（Elisabeth Bolund）和她的同事们仔细阅读了教会记录，并重建了芬兰历史上最全面的家族树。他们在妇女生出第一个孩子和最后一个孩子之间的时间，梳理了各种有用的数据，包括寿命、家庭拥有孩子的数量、母亲生育第一个孩子和最后一个孩子的时间，并且通过研究随着时间的推移这些数字在不同家庭间如何分布，他们分析了哪些数字是受到基因的影响，哪些是受到环境因素的影响。博隆德发现，4%~18% 的出生数据变化可以归因于 DNA。但他们也表明，随着时间的推移，其影响力在增加。可能是因为卫生体系惠及更多的人，环境不公平的影响降低了，相应地基因的影响力上升了，至少在分娩和怀孕的层面是这样。这在原则上把更多的主动权交给了达尔文的自然选择。

这种影响是否在其他地方或世界范围内存在，还不得而知。但是目前人类进化的问题在很大程度上依赖于两个因素。第一个是："变异是否可遗传？"对此，答案是肯定的。我们看到变异出现在特定的基因中，我们看到它会影响复杂的行为，尽管 DNA 的特性还没有全部被我们掌握。第二个问题是："婴儿存活的情况会发生变化吗？"答案也是肯定的，而且是可以测量的。

这些研究的时间尺度是非常小的，变化的幅度也很小。全球婴儿死亡率这个数字在全球不同地区之间的巨大鸿沟，意味着在富裕的人口中，如芬兰和弗雷明汉发生的进化，是不能在全世界推而广之的。在冈比亚和其他地方的小型研究中，我们能看到略微相似的结果，但是从那里采集的数据远非全面。几代人的时间是进化浅表的时间尺度，我们只能通过可观测的数据做一些基本的研究。但我们正在进化，基因组正在发生变化，虽然选择的压力已经发生了根本上的改变，但人类对现代性的掌控并没有完全将其消除。我们不是在时间的发展中一成不变的生物，我们仍然是一个被繁衍出来而非横空创造出来的物种。只要我们之间有差异存在，我们就将永远是一个转型中的物种。

曾经获得过生命的每个人的历史，或是淹没在我们的DNA中，或是埋藏在大地中，但是它在顽强地做出预测，特别是对未来的预测。如果这一切听起来似乎不太明确，而这本书却快要结束了，那么很高兴，这就是科学的本质。

“无知而非知识，才是自信之父。”

达尔文在《人类的由来》中研究人类如何从多毛的祖先进化而来时如是说。与创造论者辩论是在浪费时间，因为他们看到的东西和大部分人都不一样，这已不是什么秘密。他们确信他们所想的就是真实的，而在科学中我们必须假设我们是错误的。我们确信，我对我们所知的一切提出质疑，是正确的做法。当你越来越难以在你的观点和实验中找到错误时，这可能就是你已步入正确轨道的最佳信号。这是科学永恒的王牌。基督徒有时会说他们永远怀疑自己的信仰，但这种怀疑与科学家的怀疑是不同的。基督徒怀疑的基础似乎是假设他们的假定都会得到证实，而科学家怀疑的是他们的明确计划即他们得出的结论将被推翻。我所知的大多数基督徒也认为，达尔文的进化论能最好地描述事物为什么是现在的样子。然而，创造论者确实处于一个边缘地带，是基督教的一个分支，但是非常聒噪，唾沫横飞地鼓吹着可笑的谬论。有一点值得一提，在创造论者做出的无力僵化的辩论[1]中，其所引用的论据还是有一定关联性的。他们反复地说，过渡化石是不存在的；没有一个物种变成另一个物种的例子；我们的眼睛已经呈现出它们最完美的样子了，发生任何变化反而无用，而且也不可能带来任何优化。

没有人会盲目至此，完全是视而不见。事实上，化石记录中满满记录了人类的过渡形式。人类选择命名的任何特殊的特征都以多种多样的形式嵌入了化石中。我们不仅能看到化石中的无数形式的眼睛，显示出眼睛如何通过巧妙、细微的变化逐渐成为今天的样子，还能看到生物的每一个阶段，从单细胞的眼虫一直到我们自己，以及视力远远超过我们的许多其他生物。化石中记录的图景还远不是最完整的，因为化石很少见，也不太容易形成，但他们的确就在那里，我们可以用最漫不经心的方式看到从一种形式变为另一种形式的微小变化——从手臂变成翅膀，从感光细胞变成一只眼睛，从鳍变成足，从一个吸氧气孔变成肺。所有这些在过去的时代中累积的变化，都是自然选择的结果，而所有这些

[1] 轻率而愚蠢，疲惫却又痴迷，顽固不化，对理性、智慧或他人的辩论无动于衷，极其丑陋。

都在 DNA 中被编制成了生命密码。

事实是，只要你繁殖后代，从基因组的角度来看，你就是过渡中的一员。你的 DNA 是你的父母和你的孩子之间的完美过渡。如果我们能采集每个获得过生命的人的 DNA，或者干脆就是每个曾存在过的生物的 DNA，那么我们可以画出一个不可思议的巨大的谱系图，这张图记录了从细胞到细胞，从父母到孩子，从物种到物种的每一次过渡——汇成一张彩色图表上海量丰富内容的每一个彩色像素点。不幸的是，我们没法这样做，我们使用了我们拥有的基因组数据，比较了现有物种和一些已灭绝的物种，计算出其中的进化距离，并将这些新信息填入剩余的拼图：化石、地质情况、统计数据、数学方法。正是在遗传变化随时间累积的过程中，新物种形成了。分界线被一再改写，例如智人和尼安德特人之间一再被打破的边界（如第 1 章所述）；随着时间的推移，伴随个别生物所遭受的独特压力，足够的变异将会在一个种群中出现并扎根其中，进而进化出新的物种。它们的基因变得如此不同，以至于无法相容（从性过程的角度），无论是在生理上或生化上（或经常是两者兼具）都是十分不同，它们不再能够共同繁衍后代。这种类型的进化是一种真实的、可测试的生物学事实，在现有的和已灭绝的物种中都能发现。但是总的来说，这种情况大部分都是在达尔文以降的这段时间中观察到的。通过历经数代，于不同的时间在不同的果树上觅食，苹果实蝇已经分化出两个完全不同的物种。欧洲黑顶莺是一种候鸟，它们中的大部分会在冬季飞往西班牙过冬，很小一部分会飞到英国。自 20 世纪 60 年代以来，花园鸟饲养变得越来越流行，它们更多地留在英国，因为这里与它们的夏季栖息地德国更加接近。去往英国的黑顶莺比去往西班牙的更早安顿下来，并且首先进行交配，现在这两部分过冬地点不同的黑顶莺，看上去已经像是两个不同的鸟类物种。所有这些鸟类、昆虫和我们自身都处于过渡中，因为我们在代际变化中发生了轻微而隐蔽的变化。创造论者声称，微进化（即在一个物种之间发生的变化）是真实存在的，但是不存在大进化，即从一个物种转变为另一个物种。生物学家不做这种区分：它们都是在合适的条件下，发生在足够长的时间跨度中的相同过程。与黑顶莺不同，我们现在的的确确处于微进化模式中。我们不会在未来分化成不同物种；我们之间太相似了，分布太广泛了，我们之间的相互融合太多了，过程太慢了。但是只要时间跨度足够大，所有的物种都会变成其他的东西，或是灭绝。这就是地球上生命延续的事实。

达尔文的自然选择进化论仅仅是一项“理论”。在科学之外，关于这个词的含义存在一些困惑，这是可以理解的。在科学中，“理论”是对事物的最佳描述。与其常见用法不同，它不是一种猜测，不是一种预感，不是一种假设；它是我们对自身生活的世界最完整的主观描绘。它不是真理，真理只存在于数学、宗教和哲学中。在科学中，我们只是向着真理迈进，每一步都让我们与事物真实的样子更接近一些，而不是我们所感知的它们的样子，或者我们希望它们成为的样子。

达尔文的进化论是一项无与伦比的理论。它不用与其他理论进行竞争，因为它是唯一的选择。没有其他关于地球上生命的科学描述能够获得我们的观察与测试的支持。查尔斯 · 达尔文在基因被发现的 50 年前，双螺旋结构被发现的 100 年前，以及人类基因组被解读的150年前就构建了他的理论。但所有这些讨论的都是同一件事。生命是一个化学反应。生命源于生命出现之前所发生的事。生命是不完美的复制。生命是嵌在DNA中的信息的累积和提炼。自然选择解释了生命如何从它在地球上出现的那一刻起开始进化。我们忙于完善这项理论，我们仔细地观察，逐个解读基因组以保证高精确度，进而得到详细的数据，再对这些数据进行处理，直至可理解的模式呈现出来。我们就是数据。

人类仍然受到自然选择力量的支配吗？是的，虽然在我们扶摇40亿年的家族树中，与所有其他物种相比，它对我们的掌控有所减弱并且放缓。我们是动物，但我们是特别的。我们还在不断进化吗？答案是非常明确的。进化是变异和时间叠加的效果。我们在遥远的过去和新近的过去都能看到进化的发生，进化有时显然是积极的自然选择的结果，而通常是时间河流中畅通无阻的漂流带来的。一成不变的物种已经灭绝了。只要我们不断创造新的人类，曾出现的和将出现的最美丽、最奇妙的人类，都处于进化之中。

结语

我们将不会停止探索

在探索之路的终点

我们将回到开始的地方

并且第一次认识这个地方。

——T.S. 艾略特，《小吉丁》

写这本书影响了我对人类的看法。现在，3 月一个阴沉的星期三的上午，我坐在维多利亚线拥挤的伦敦地铁列车上，写下了这些文字。地铁被猛烈冲撞，这种感觉使人不快，每个人都疲惫不堪地赶往上班的地方，唯恐迟到，在这种环境中，我们很难保持优雅的举止。虽然我喜欢观察别人。我喜欢仔细观察他们的面孔，辨别它们之间为何如此不同，又为何如此相似。这段旅程也有同样意味，我们都在布里克斯顿上车，但是这次通勤之前的 40 亿年中，我们每个人走过的路都是不一样的。我看着车上的其他乘客，为我们的物种感到惊叹。是的，我们是独一无二的，可以做的很多事情都令其他所有物种望尘莫及。然而，所有物种都是独一无二的，我们无法像螳螂虾一样看到 17 种不同波长的光；我们也法像候鸟一样飞行 1,000 英里，而中途不用休息；我们也无法在水下呼吸。

所有物种都是特殊的。我们独有的进化形成的智慧使我们成为一个能够使用技术的物种。因为我们发明了科学、工程学和文化，我们能够尽一切努力去理解世界和我们自己。我们是一个能够反观自身的种族，但促使我们审视自己的身体和进化的，不是虚荣心，而是好奇心。“好奇害死猫”是一条多么无知的短语啊！如果失去了好奇心，就是失去了人的天性。我们确实向内看到了解剖学中的隐藏王国，还有细胞，现在是基因。我们仰望天空，眺望大地和海洋，进入原子和亚原子的无形世界，再到现在的量子领域。我们是探险家，科学就是探索。

任何生物学理论都必须包含我们之间的相似之处和不同之处。我们很特别，但我们只是另一种猿类。所以我在列车上观察不同的面孔。我观察女人脸上的线条，于是想到赋予她皮肤弹性的蛋白质。我看到人们眼睛的颜色千变万化，从浅蓝色到如夜色一般漆黑；还有我们门牙背面呈现的扇形——不用看我也知道，与东亚裔的伦敦人不同。我想到一些基因在一个社区内融合到所有人身上，以保证它们能够在已构建的生物学外壳下流传下去。这里的每一个人获得这些基因之后表现出来的特质都不一样。我们是独一无二的。在我们的物种中，每一个人都是极其独特的。

“独一无二”是一个奇怪的词，作为一个形容词它无法被限定。在这本书的第一页，我漫不经心地把我们物种的独特性搁置一边。毫无疑问，以前从来没有一个人会和你一模一样，以后也绝不会有。你的脸、你的生理机能、你的新陈代谢、你的经历、你的 DNA 和你的历史，都是在一个毫无感情的宇宙中偶然形成的。我们在 DNA 层面是独一无二的，但是它是从数百万祖先那里获得的。让我感到高兴的是，这节车厢里有人是懦弱的理查三世的后裔，有人是把圣包皮交给教皇的查理曼的后裔，还有更多的人是我或远或近的堂表亲——这种亲缘关系可以回溯到 15 世纪一些不知名的欧洲人，也有可能是第一次踏上遍布火山的冰岛海岸的维京人。让我感到高兴的是，我们所有人有一个共同的祖先，用约瑟夫 ·张的话说，他可能在长江岸边种出了大米，或者辛勤劳动建造了金字塔。让我感到高兴的是，我们的祖先可能是第一个圈养奶牛、山羊的人，或者是第一个设计和制作出花盆的人，或者是第一个捕猎野猪、猛犸象的人，甚至与尼安德特人或者丹尼索瓦人有过亲密行为，从而让这些人的基因进入了我们体内，不绝绵延下去。

在试图了解我们是谁，我们如何发展到现在的样子的过程中，我们重建了过去。我们当然比 DNA 更加无穷无尽，我们穿过漫漫长路来到了这里。我们所记录下来的历史可能只相当于这本书中的一个字，淹没在超过 20 万个字中。但是，相对于地球的历史，人类的历史就像是沧海一粟，记录在石头、文章、艺术、文字、骨骼、建筑物和厨具以及 DNA 中。基因组就是一本历史书，我们对它的探索不会停止，只要有人类存在，我们的探索就没有终点。现在，就在这里，这本书写完了。

致谢

以下人士对本书的文字或思路提供过帮助，在此对他们表示由衷的感谢：珍妮弗·拉夫（Jennifer Raff）、苏西·盖奇（Suzi Gage）、斯蒂芬·基乐（Stephen Keeler）、奥菲·麦克莱萨特（Aoife McLysaght）、路易斯·克兰（Louise Crane）、拉腊·卡西迪（Lara Cassidy）、凯文·米切尔（ Kevin Mitchell）、王严（Yan Wong）、艾丽斯·罗伯茨（Alice Roberts）、约瑟夫·阿尔贝托·桑蒂安戈（Joseph Alberto Santiago）、纳撒尼尔·康福特（Nathaniel Comfort）、纳撒尼尔·卢瑟福（Nathaniel Rutherford）、马库塞·哈本（ Marcus Harben）、安娜·劳埃德（Ana Lloyd）、克里斯·冈特（Chris Gunter）、艾玛·达尔文（Emma Darwin）、莉萨·马蒂索－史密斯（Lisa Matisoo-Smith）、简·索登（Jane Sowden）、埃尔斯佩思·梅丽·普莱斯（Elspeth Merry Price）、大卫·卢瑟福（David Rutherford）、阿南达·卢瑟福（Ananda Rutherford）、达尔文信件研究项目组（The Darwin Correspondence Project）、苏巴德拉·达斯（Subhadra Das）、黛比·肯尼特（ Debbie Kennett）、雷斯布汗（Razib Khan）、利奥尼德·克鲁格利亚克（Leonid Kruglyak）、艾丽斯·沃尔德（Alys Wardle）、安德鲁·科恩（Andrew Cohen）、盖尔·凯（Gail Kay）、亨利·吉（ Henry Gee）、尤恩·伯尼（Ewan Birney）、艾尔温·斯卡利（Aylwyn Scally）、弗朗西斯

卡·斯塔弗拉卡博洛（Francesca Stavrakapoulou）、塔姆辛·爱德华兹（Tamsin Edwards）、彭妮·杨（Penny Young）、马特·里德利（Matt Ridley）、哈米什·斯潘塞（Hamish Spencer）、马库斯·穆纳福（Marcus Munafo）、皮特·埃切尔斯（Pete Etchells）、李·罗恩（ Lee Rowen）、罗伯特·普洛明（Robert Plomin）、彼得·唐纳利（Peter Donnelly）、克里斯·斯特林格（Chris Stringer）、亚历克斯·加兰（Alex Garland）。在 BBC 广播台的科学部，安娜·巴克利（Anna Buckley）、黛博拉·科恩（Deborah Cohen）、菲奥娜·希尔（Fiona Hill）、菲奥娜·罗伯茨（Fiona Roberts）、艾德里安·沃什伯恩（Adrian Washbourne）、珍·怀恩提（Jen Whyntie）和马尼·切斯特顿（Marnie Chesterton）帮助我推出了与遗传学相关的节目。还有 BBC 电视 4 频道的纪录片《基因编码》的导演提姆·厄斯本（Tim Usborne）和保罗·森（Paul Sen），为我写作这本书提供了一些灵感。

艾丽斯·罗伯茨给我的启发超乎想象，她总对我说遗传学太无聊了，而我认为她在口是心非。马修·科布也提供了慷慨的援助，他对漫威漫画的了解同样令人叹服。我的作家代理人威尔·弗朗西斯（Will Francis）一心想让我的作品更上一层楼，在此感谢这家作家代理机构 Janklow & Nesbit 的所有人。另外，我还要深深感谢我的编辑比衣·亨明（Bea Hemming），她的编辑技巧与和颜悦色让我如沐春风，还有霍莉·哈利（Holly Harley）和夏洛特·科尔（Charlotte Cole）的专业审定，以及史蒂夫·马金（Steve Marking）和安迪·艾伦（Andy Allen）的封面设计。最后，和以往一样，我要把我最诚挚的爱意与谢意献给我的家人乔治娅（Georgia）、比阿特丽斯（Beatrice）和杰克（Jake），以及出生不久的朱诺（Juno），她是我在人类进化上身体力行做出的最新贡献。